LA PROJECTION DU CORPS ASTRAL

DANS LA MEME COLLECTION

C. Rose : Rencontre avec les extraterrestres.

Jean-Yves Casgha : Enigme de la fin d'un monde.

Jean-Pierre Chambraud : L'Hypnose aux frontières du paranormal.

La Corse, base secrète d'OVNI.

Marcel et Suzon Clairac : Les Forces du destin, 50 ans d'expérience PSI.

Marius Dewilde : Ne résistez pas aux extraterrestres.

Jacques Duchaussoy : Histoire extraordinaire du naturel.

Eric Guerrier : Le Premier Testament des Dieux.
Les Dieux et l'Histoire sainte.

Roger-Luc Mary : La Psychomutation et l'expérience extraterrestre.

S. Muldoon et H. Carrington : La Projection du corps astral.

Daniel Réju : Les Prophéties de saint Malachie — Mort des papes et Apocalypse.

Daniel Réju : La France secrète.

Michel de Roisin : Ulrich de Mayence - La Bible de l'an 2000.

Robert-Jean Victor : Dieu, les Dieux étaient des hommes.

SYLVAN MULDOON - HEREWARD CARRINGTON

LA PROJECTION DU CORPS ASTRAL

Introduction de Hereward CARRINGTON

Adaptation de l'anglais par P. COUTURIAU et S. VANINA

PRESSES DE LA CITÉ
9797, Tolhurst, Montréal H3L 2Z7 - Tél.: 382-5950

Copyright Presses de la Cité, Montréal
ISBN 2-89116-185-8

AVANT-PROPOS

Nous ne sommes pas de distingués « scientifiques », nous sommes des curieux et, comme le dit S. Muldoon, des « étudiants de l'occulte » — vaste matière !

Partout des portes s'ouvrent à présent ; sur cet étrange proche et quotidien, des lueurs apparaissent...

Il ne nous est plus permis d'ignorer les travaux de ceux, précurseurs, qui ont les premiers, entrebâillé l'une de ces portes : Sylvan Muldoon et Hereward Carrington sont de ceux-là et il est temps que soient connus leurs travaux. Chaque jour, congrès, colloques, conférences... livres de plus en plus nombreux, viennent témoigner de l'intérêt grandissant (« avoué » ou non) du public pour l'occulte ; des scientifiques honnêtes osent à présent entreprendre un examen sérieux de points qui leur étaient jusqu'il y a peu « tabou »... et des découvertes servent parfois de façon inattendue les attentes des uns, les recherches des autres.

Nous insistons également sur la valeur de « document » que possède à notre avis ce témoignage sincère d'un pratiquant de sa théorie... et comme le disait Edouard Schuré en présentant son ouvrage les Grands Initiés * :

---

* Librairie académique Perrin, 1926.

« ... cette pensée n'est autre qu'un rapprochement lucide et résolu de la science et de la religion dont le dualisme a sapé les bases de notre civilisation et nous menace des pires catastrophes. »

C'est toujours d'actualité et du reste, le « mythe du corps astral » perdure, lui, depuis des milliers d'années.

S. VANINA et P. COUTURIAU.

PREFACE

Lorsque se produisirent mes premières expériences « hors du corps », je n'avais que douze ans — si jeune et manquant à ce point de maturité que je n'en réalisais pas l'importance. Elles survenaient indépendamment de ma volonté et elles se répétaient si fréquemment que je m'y habituai bien vite et que je cessai de les considérer comme des phénomènes extraordinaires. J'en faisais rarement mention, même auprès des membres de ma famille, alors ne parlons même pas de « comptes rendus » de ces phénomènes, quoiqu'on m'ait souvent pressé d'en tenir.

Des personnes, soi-disant compétentes, m'avaient dit que les projections conscientes du corps astral n'avaient rien d'inhabituel et que de nombreux médiums pouvaient les réaliser à volonté. Moi aussi, j'aurais voulu être capable de les réaliser à volonté et j'avoue que j'étais assez jaloux de ceux qui y parvenaient. Je me mis donc à leur recherche, mais ma quête s'avéra infructueuse et j'en conclus que je ne pourrais jamais trouver quelqu'un qui saurait produire ces phénomènes à volonté... Je me mis donc à étudier le phénomène moi-même et dans ce livre vous trouverez le résultat de mes expériences.

Je réalise très bien qu'avant de croire à la projection consciente du corps astral, il faut l'avoir vécue soi-même et je reconnais que si tel n'avait pas été le cas pour moi, il est possible que je n'y croirais pas non plus.

Aux sceptiques qui ne voient dans la projection astrale qu'un simple rêve, je dis que la seule preuve objective réside dans l'expérimentation. Le fait que le « projecteur » ne peut prouver au sceptique qu'il ne s'agit pas d'un rêve est sans valeur car le sceptique ne peut pas davantage prouver au projecteur qu'il s'agit bien d'un rêve et cette discussion est aussi inutile que celle portant sur l'antériorité de l'œuf ou de la poule.

Ma position est claire, je dis : « Expérimentez. » La preuve de la qualité d'un gâteau ne s'obtient qu'en le mangeant.

Je ne veux pas dissimuler quoi que ce soit, ni me retrancher derrière le pseudo-argument du danger qu'il y aurait à se livrer à de telles expériences, ce que font trop souvent ceux qui écrivent sur ce sujet. Je donne les méthodes spécifiques pour réaliser la projection du corps astral, telles que je les connais, et je veux que la véracité de mes affirmations puisse être jugée sur les résultats obtenus par la pratique de ces méthodes. Vous voulez des preuves ? Vous pouvez en avoir. Mais pour cela, il vous faut faire les expériences indiquées. Vous voulez savoir comment les réaliser ? Je vous l'explique. Je ne peux faire plus.

Dans ce volume, je suis loin d'avoir relaté toutes mes expériences ; un livre (de taille normale) en contiendrait seulement l'énumération. Je n'aurais d'ailleurs jamais été à même d'exposer l'information que ce volume contient, sur la seule base du vécu des quelques expériences que j'y raconte.

La plupart des êtres humains ne s'intéressent pas aux expériences des autres mais bien aux leurs... Aussi, en écrivant ce livre, j'ai posé que le lecteur désirait savoir comment produire les phénomènes et n'avait que faire de simples descriptions d'expériences.

Je ne suis pas suffisamment optimiste pour croire nombreux ceux qui liront ce livre sans préjugés, toutefois, je le suis assez pour croire que personne ne pourra essayer consciencieusement les méthodes décrites sans obtenir de résultat.

Ne cherchez pas à juger ce livre avec votre seule raison ; jugez-le par l'expérience. Je ne veux pas que l'on me croie sur parole. Je le répète encore : « Expérimentez ! » Suivez le mode d'emploi et notez le résultat ; c'est à ce moment-là qu'il faudra juger — après, pas avant !

On m'a accusé de « superstition » à cause de ma croyance dans les fantômes des vivants et dans les fantômes des morts. Habituellement, je découvre que mes accusateurs sont « superstitieux » d'une autre manière ! Récemment, un croyant pratiquant me disait qu'il ne comprenait pas comment moi, et d'autres personnes, pouvions nous imaginer qu'il y avait un « esprit » en nous, et cependant ce même individu critique prétendait croire en la Bible du premier au dernier mot, et notamment en ce que « le Christ rendit son âme après sa mort ».

D'autre part, les matérialistes trouvent également « superstitieux » d'imaginer que « l'esprit » puisse exister sans le support du cerveau. Leur théorie est que le cerveau sécrète les pensées comme l'estomac ou la vésicule leur bile. Les matérialistes oublient qu'ils ne peuvent prouver cet argument et demandent aux spirites de prouver le leur. Si vous les pressez de fournir des preuves, ils vous répondront que l'expérience — l'expérience, notez-le — démontre que le cerveau produit les pensées. C'est exactement ce que les spirites vous diront : par l'expérience, il devient évident que le cerveau ne peut produire les pensées ! Mais le matérialiste, comme le spirite, doivent tous deux rejeter « la raison » et faire appel à l'expérience.

C'est en tout cas, ce que je prie le lecteur de faire, pour se convaincre du mérite de ce que j'ai écrit : rejeter la raison et essayer l'expérimentation. J'espère que tous ceux qui arriveront à un résultat — fût-il mineur — me le feront savoir, car je cherche à rassembler les évidences...

Je profite de l'occasion pour remercier H. Carrington de sa précieuse collaboration et de son aide efficace, ainsi que ma fiancée, Miss Goodrich, pour son aide dans la frappe du manuscrit.

SYLVAN MULDOON

INTRODUCTION

Le corps astral peut être défini comme « le double », la contrepartie « éthérée » du corps physique auquel il ressemble et avec lequel généralement il coïncide. On le croit composé d'une espèce de matière semi-fluide ou subtile, invisible à l'œil humain.

Par le passé, on l'a appelé tout à la fois corps éthéré, corps mental, corps spirituel, corps du désir, corps rayonnant, corps glorieux (de la Résurrection), double, corps lumineux, corps subtil, corps fluidique, corps brillant, fantôme, âme... et de bien d'autres façons encore. Dans la littérature théosophique récente, on a établi des distinctions entre différents « corps » mais, dans le cadre de notre propos, nous pouvons ignorer ces distinctions et parler du « corps astral », en tant que forme distincte de la structure organique familière à la science occidentale et étudiée par nos savants. La théorie générale est que l'être humain a un « corps astral » tout comme il a un cœur, un cerveau et un foie. En fait, le « corps astral » est bien davantage l'homme réel que ne l'est le corps physique. Ce dernier serait une sorte de machine adaptée pour fonctionner sur le plan physique. Il ne faut pas non plus confondre le « corps astral » avec l' « âme » — c'est une erreur que l'on commet trop souvent — il est plutôt le « véhicule » de l'âme, comme le corps physique est un

« véhicule » du corps astral et constitue un des liens essentiels entre l'esprit et la matière.

Il est évident que pour le matérialiste qui ne considère l'esprit que comme le produit de certaines activités cérébrales, une telle théorie apparaît comme dénuée de sens. Mais ce livre ne s'adresse pas aux matérialistes. Il s'adresse à ceux qui croient à la réalité de certains phénomènes paranormaux et qui n'excluent pas la possibilité — au moins théorique — du corps astral. Pour ceux-là, je suis certain que cet ouvrage constituera une véritable mine d'informations précieuses et uniques

LA THÉORIE

Le corps astral coïncide donc avec le corps physique pendant les heures de pleine conscience *.

Au cours du sommeil, il s'en retire d'une façon dont l'importance est variable, planant généralement juste au-dessus de lui, ni conscient, ni contrôlé. Durant les transes, les syncopes, les évanouissements, les états dus aux effets d'anesthésiques, de drogues, etc., le corps astral agit de même. Il s'agit dans ces cas de « projections automatiques » ou « involontaires ».

A l'inverse, nous trouvons « la projection consciente » ou « volontaire ». Le sujet « veut » quitter son corps physique, et le fait, effectivement. Il est alors totalement vigilant et conscient dans son corps astral ; il peut observer son propre organisme et se déplacer à volonté. Il lui arrive ainsi d'observer et de visiter certains lieux dans lesquels il ne s'était jamais rendu auparavant. Par la suite, il pourra vérifier la réalité de ses expériences en se rendant dans les endroits en question. Pendant qu'il est conscient dans son corps astral, il paraît posséder des pouvoirs extraordinaires, paranormaux. Il peut, à volonté, réintégrer son corps physique ou y être ramené automatiquement par suite d'un choc, d'une peur ou d'une émotion forte.

Les corps astral et physique sont — toujours — reliés

* Nous verrons par la suite que cette précision a son importance (N.d.T.).

au moyen d'une espèce de corde ou de câble, traversé par des courants vitaux. Que le lien se brise, et la mort s'ensuit, instantanément. La seule différence entre la projection astrale et la mort est que le câble est intact dans le premier cas et détruit dans le second. Ce lien — « le lien d'argent » auquel il est fait allusion dans l'Ecclésiaste — est « élastique » et capable d'une grande extension. Il constitue le lien, essentiel, entre les deux corps[1].

Ce qui précède n'est qu'un bref aperçu général de la théorie et des enseignements ayant trait au corps astral et à sa projection. Malgré la prolifération de littérature sur ce sujet, il m'a été impossible de découvrir le moindre matériel de valeur scientifique ; qui plus est, je n'ai, pour ainsi dire, rien trouvé qui ait une valeur pratique, rien qui réponde à la question : « Comment projeter le corps astral ? »

Si un tel corps existe réellement et, s'il peut être projeté volontairement, comme beaucoup l'affirment, pourquoi n'a-t-on jamais publié quelque manuel de pratique ? C'est très bien d'insister sur les « dangers » liés à une telle façon d'agir ; toute personne sensible et sensée peut les envisager et n'en désirer pas moins pouvoir tenter elle-même l'expérience... Néanmoins, il est pratiquement impossible d'obtenir la moindre information précise et concrète de ceux qui prétendent pouvoir « se projeter » à volonté (et je suis persuadé que tous les « chercheurs de l'occulte » partageront mon avis là-dessus). Pourquoi doit-il en être ainsi ? En ce qui me concerne, je partage entièrement l'avis de M. Muldoon qui attribue cet état de fait, non au « danger » théorique, mais à l'ignorance des prétendus « Maîtres ». Ils savent que la projection astrale existe ; ils peuvent même en avoir vécues, mais ils ne savent pas comment elle se produit et, partant, ne peuvent l'expliquer aux autres. La grande valeur de ce livre réside dans le fait qu'une information est — pour la première fois — communiquée, et je suis persuadé que nous possédons ici un document de la plus haute valeur que les chercheurs attendent depuis des années et qu'ils auraient très bien pu ne jamais recevoir sans un concours fortuit de circonstances

1. Cf. un court article sur *le Lien d'argent* de Max Heindel (*The occult digest*), 1928.

qui ont rendu possible cette publication. Il peut donc être intéressant pour le lecteur de savoir comment ce livre a été écrit et de connaître quelques détails sur son auteur.

COMMENT CE LIVRE A ÉTÉ ÉCRIT.

Dans mon livre *Modern psychical phenomena,* j'ai consacré un chapitre à la projection expérimentale du corps astral — en y résumant l'œuvre de Charles Lancelin (sur laquelle nous aurons l'occasion de revenir). J'ai développé ce sujet dans un livre ultérieur, *Higher psychical development.* Il traitait presque exclusivement d'autres travaux et j'ai toujours eu le sentiment que tout cela n'était guère convaincant ; il rassemblait pourtant tout le matériel que j'avais réussi à trouver sur ce sujet important. En novembre 1927, je reçus une lettre de M. Sylvan Muldoon, dans laquelle il disait :

« *Je viens de terminer la lecture de vos ouvrages consacrés aux* Sciences occultes et psychiques... *Votre chapitre sur « la projection astrale » m'a tout particulièrement intéressé, car je pratique moi-même la projection depuis douze ans — bien avant de savoir que d'autres que moi vivaient des expériences semblables. Ce qui m'a le plus étonné, c'est de lire qu'à votre avis, M. Charles Lancelin a dit pratiquement tout ce qui est connu sur le sujet. Je n'ai jamais lu les livres de M. Lancelin, mais si votre ouvrage, M. Carrington, en reprend l'essentiel, alors moi, je puis écrire un livre sur ce que M. Lancelin ignore !... Je me suis demandé si ce monsieur est vraiment un projecteur conscient. De ce que vous avez rapporté, je déduis soit qu'il n'amène pas ses sujets à se projeter, soit que ceux-ci ne sont pas dans un état de conscience claire pendant leurs extériorisations... N'est-ce pas logique ? Si M. Lancelin ou ses sujets étaient parfaitement conscients, ne pourraient-ils alors donner tous les détails qui concernent le phénomène ? Bien sûr que si ! Et pourtant, ils ne le font pas... Moi, j'ai vécu tout cela et j'en connais toutes les sensations, tous les moindres détails, depuis le moment ou on réintègre le physique après l'avoir quitté et s'être promené dans l'astral en conservant une conscience inchangée... Mais ce qui m'étonne le plus, c'est qu'il n'est pratiquement pas fait mention du câble astral, alors qu'il constitue, pourrait-on dire, la base du phénomène. Est-il possible qu'aucun des sujets de Lancelin n'ait jamais examiné ce câble, ne l'ait peut-être jamais vu ? On ne trouve pas un mot sur son fonctionnement, sur la manière dont il stabilise le fantôme ou lui fait perdre son équilibre. Rien sur son épaisseur quand les deux corps sont près de la concordance ; rien sur la façon dont il perd épaisseur et résistance, jusqu'à un certain point (que j'ai évalué précisément), et ainsi de suite. Lancelin dit que le fantôme paraît balancé par le vent, mais il ne dit pas ce qui provoque ce balancement.../... Il ne dit pas comment contrôler le câble astral, ce facteur vital. Il dit que le corps astral se met hors de concordance en sortant par le plexus solaire — ce qui n'est pas juste — les corps se « mettent en décalage » et donc « se séparent de partout à la fois ». Le câble est fixé à un certain centre, le centre idéal étant* la médulla oblongata, *qui contrôle directement les organes de respiration dans le corps physique momentanément délaissé. Lancelin ne dit rien des « désirs refoulés », ni des battements du cœur dans le câble, ni de la façon de stabiliser le fantôme une fois qu'on est extériorisé, rien sur la forme du fantôme et sur sa façon de se déplacer quand il sort, rien sur « l'état cataleptique » qui s'ensuit quand le fantôme est sous le contrôle de l'esprit subconscient et qu'il est toujours conscient... Il n'a pas parlé des divers degrés d'acuité visuelle et auditive chez le fantôme, de leurs bizarreries, ni de sa façon de voyager ou au contraire, de la manière dont il entre dans un état d'impuissance...*

A mon avis, il a trop insisté, lui et d'autres, sur la partie du processus ayant trait au pouvoir de la volonté. Il y a bien d'autres moyens d'accomplir une projection. Et l'idée suivant laquelle il faudrait être en bonne santé est tout aussi erronée. Je prétends, et puis le prouve, que plus on est proche de la mort, plus il est facile de se projeter...

Je pourrais vous dire encore bien d'autres choses sur la projection astrale, mais je suppose qu'arrivé à ce point de votre lecture, vous devez être tenté de dire : « Prouvez donc ce que vous avancez ! » Ce n'est pas chose aisée ! J'ai déjà envisagé d'écrire un livre sur ce sujet, mais j'ai abandonné cette idée, tout le monde me traitant de « fou ». Pourtant, je me suis assez souvent extériorisé pour savoir que si vous avez mentionné l'essentiel de ce qui est connu sur le sujet, celui-ci est encore bien mal connu !

J'ajouterai enfin que j'ai vingt-cinq ans et que si, déjà, vous lisez ma lettre et que vous la prenez au sérieux, vous me ferez un grand honneur... »

Est-il utile de préciser que j'ai immédiatement réalisé que je venais de découvrir quelqu'un qui possédait une vaste somme d'informations sur ce sujet ? Je répondis sans tarder à M. Muldoon, le pressant de commencer son ouvrage, que je promis de superviser, d'éditer et de préfacer. Je puis dire que M. Muldoon et moi-même y avons travaillé dans la meilleure entente qui soit. Il a abordé de nombreux points et tenté de nombreuses expériences que je lui ai suggérées. A tout moment, il a prouvé sa totale sincérité et son scrupuleux respect de la vérité. Il n'avance rien qu'il ne puisse justifier, rien qui ne soit basé sur des expériences réelles ; s'il ignore quelque chose, il le dit franchement, ce qui ressort des extraits de lettres joints à cette introduction. Ils apporteront également au lecteur un matériau de valeur supplémentaire, non repris dans l'ouvrage et dont la majeure partie a été écrite alors que M. Muldoon était cloué au lit par la maladie, ne sachant si le jour à venir ne serait pas le dernier. Si on peut attendre d'un homme qu'il soit honnête et sincère, c'est bien dans un tel moment et, quoi qu'il en soit, la sincérité et l'honnêteté de l'auteur sont manifestes à chaque ligne, me semble-t-il.

Je tiens tout particulièrement à attirer l'attention du lecteur sur le fait qu'à aucun moment dans ce livre il n'est fait allusion à des choses absurdes ou fantastiques qui seraient censées se produire au cours de ces « voyages dans l'astral ». M. Muldoon ne prétend pas avoir visité de lointaines planètes et être revenu nous parler en détail de la façon dont on y vit ; il ne prétend pas avoir exploré de vastes et merveilleux « mondes d'esprits ». Il ne prétend pas avoir percé le passé, ni le futur, ni avoir revécu de précédentes réincarnations ou avoir consulté les « enregistrements Akashic » ; il ne prétend pas plus avoir remonté le cours du temps et avoir ainsi revu l'histoire de l'humanité ou les ères géologiques de notre terre.

Il affirme, plus simplement, qu'il lui a été possible de quitter son corps physique à volonté, de voyager dans le présent et dans son environnement immédiat, d'une façon ou d'une autre, et cela tout en demeurant pleinement conscient.

Tout ceci est parfaitement rationnel et c'est précisément ce à quoi nous pouvions nous attendre quant à la théorie suivant laquelle ces « voyages » sont bien des expériences réelles. Si on accepte le fait qu'il existe bien une entité telle que le corps astral et qu'elle peut par moment se détacher du corps physique, tout ce qui est dit par la suite en découle logiquement et est exactement ce qu'on pourvait espérer rencontrer dans de telles circonstances.

LA DIFFICULTÉ DE « PROUVER »

On pourrait évidemment répliquer : « Tout cela est juste, pour autant que la réalité de ce " corps astral " soit établie ! Une fois qu'on a " gobé le plus gros ", pourquoi rechignerait-on sur les détails... » On n'a pas cessé d'accumuler des évidences à propos de l'existence d'un « corps astral », ou « éthéré », indépendamment des cas de « projection » consciente ou volontaire. La toute première chose qui a frappé les pionniers de la *Society for psychical research* * au début de leurs recherches, était le nombre important d'apparitions coïncidant avec la mort de la personne ainsi représentée. Les résultats de la première étude statistique, publiée dans *Phantasm of the living,* ainsi que de la deuxième, d'ailleurs plus complète, publiée dans le volume X des procès-verbaux de la S.P.R., confirment que ces coïncidences sont trop nombreuses pour pouvoir être attribuées au hasard, qu'il existe une relation causale entre l' « apparition » et la mort de la personne dont le double est aperçu. On a évidemment cherché à expliquer la majorité de ces expériences par des « hallucinations » collectives. Mais toutes ne purent pas être expliquées aussi aisément et, à la suite de la première étude, même M. Myers ne fut pas entièrement satisfait de cette expli-

---

* La S.P.R. fut fondée en Angleterre en 1882 et sa filiale américaine (A.S.P.R.) en 1885. (N.d.T.)

cation, ainsi que le montre clairement sa *Note on a suggested mode of psychical interaction* *...

L'évidence de la réalité de l'apparition de certains fantômes » est telle que M. Andrew Lang s'est vu forcé d'écrire dans son ouvrage *Cock lane and common sense* (p. 206) : « Certaines apparitions *sont* des « fantômes », de véritables entités objectives, qui remplissent l'espace ». On peut dire que l'évidence d'une telle affirmation s'est encore accrue ces dernières années — indépendamment des phénomènes dits de « matérialisation » et autres du même genre —. Nous n'avons malheureusement pas la place d'entrer ici dans le détail de ces preuves ; cela nous entraînerait beaucoup trop loin.

Il est presque inutile de dire que les prétendues « communications d'esprit » ont invariablement affirmé la réalité de ce fait. Ainsi lisons-nous dans le second *Report on the transe phenomena of Mrs. Piper* du Dr Hodgson ** : « Les rapports des " esprits " quant à ce qui se passe sur le plan physique peuvent, en gros, se présenter comme suit : nos corps à tous sont composés d' " éther luminifère " enclos dans nos corps de chair. Pour qu'une relation s'établisse entre le corps éthérique de Mrs. Piper et le monde éthérique — monde dans lequel les esprits sont censés vivre — il faut qu'une provision spéciale d'énergie toute particulière soit accumulée, en correspondance avec son organisme, et ceci apparaît comme " une lumière "... » (*Rapport* XIII, p. 400.)

On peut donc affirmer, avec une certaine assurance, que l'existence de quelque chose comme un « corps astral » n'a cessé de s'imposer en résultat de nos recherches psychiques, et qu'à l'heure actuelle, son évidence est très forte. Il est à peine nécessaire de faire remarquer que si on pouvait l'accepter de manière définitive, on pourrait enfin expliquer un bon nombre de phénomènes incompréhensibles autrement : maisons hantées, apparitions vues par plusieurs personnes au même moment, photographies

---

* Frederic Myers, qui était Professeur à l'université de Cambridge, s'est occupé de la S.P.R. ainsi que d'autres éminents professeurs et physiciens. (N.d.T.)

** Mme Léonor Piper fut un médium américain fameux vers les années 1885 et le Dr. Richard Hodgson un célèbre « démasqueur » de faux médiums... (N.d.T.)

psychiques, clairvoyance, etc., ainsi que (si l'on accepte qu'un tel corps puisse, occasionnellement, déplacer ou affecter la matière) les *raps,* la télékinésie, les *poltergeist* * et d'autres phénomènes physiques. Oui, une fois acceptée l'existence objective d'un corps astral, la lumière pourrait enfin se faire sur beaucoup de manifestations psychiques, tant physiques que mentales ! De plus, il y a toujours eu des individus pour affirmer qu'ils pouvaient quitter leur corps physique à volonté et voyager ainsi, dans quelque « corps astral » pendant un temps plus ou moins long, tout en demeurant conscients. La difficulté a toujours été de recueillir les preuves de pareilles assertions. Il est un fait que c'est loin d'être aisé puisque cette expérience est par essence subjective, et il n'est pas certain que le présent ouvrage fournisse des « preuves » éclatantes... Il s'y emploie, pourtant, et les instructions spécifiques qui sont données permettront peut-être à d'autres de « se projeter », leur fournissant ainsi finalement la meilleure preuve possible. Qu'un certain nombre de personnes (des « sensitifs »...) viennent affirmer qu'elles sont parvenues à « se projeter » volontairement, et la question prendra immédiatement une autre dimension.

Dans ce livre, M. Muldoon parle également des rêves de chute et de vol, et avance la théorie ingénieuse que nombre de ceux-ci peuvent être attribués à des mouvements réels du corps astral. Il va de soi que M. Muldoon sera le premier à reconnaître que la majorité des rêves de ce type sont dus à de simples causes psychologiques — voire physiologiques — et à titre d'exemple d' « illusions de lévitation », produites par des phénomènes purement physiologiques, je ne peux faire mieux que résumer les intéressants articles de M. Lydiard-H. Horton parus dans le *Journal of abnormal psychology* (avril 1918, juin 1918, août 1919), dans lesquels il essaie de prouver le fait que de telles « illusions de lévitation » peuvent être provoquées, même en dehors du sommeil. Il a amené plusieurs sujets à se coucher sur un lit ou un divan et à se relaxer complètement (le succès de l'expérience dépend du degré de relaxation atteint) ; si le sujet peut induire cette relaxation complète du système musculaire sans s'endormir, il

---

* Cf. p. 301.

connaîtra souvent une « illusion de lévitation ». Parmi les trente sujets qui réussirent à se relaxer complètement, et les vingt qui, arrivés à ce stade, restèrent conscients, huit ont rapporté des « illusions de lévitation ». Voici quelques expériences typiques de ce genre : « L'un d'entre eux bondit de son siège et ne voulut plus continuer l'expérience, effrayé par le réalisme de la sensation de planer. Une femme s'agrippa à sa chaise, persuadée, à un certain moment, qu'elle s'envolait ; deux autres personnes rapportèrent qu'elles se sentirent " saisies " par une vague, mais que leur raison vint à la rescousse. Un autre prit un tel plaisir à cette sensation qu'il supposa qu'elle faisait partie du " traitement ". Un autre encore déclara que si sa tête avait été aussi légère que son corps, il aurait sûrement plané car il s'était vraiment senti " planant " et l'impression était étonnamment réelle... »

M. Horton essaie d'expliquer tous ces cas de la manière suivante : « Le mécanisme sous-jacent aux rêves de vol et aux illusions de lévitation, est principalement attribué aux fonctions du système nerveux orthosympathique et de la glande médullo-surrénale qui sécrète l'adrénaline. L'origine de cette illusion de lévitation n'est pas dans une diminution des sensations tactiles. On ignore toujours si cela est dû entièrement à une inhibition généralisée du « sens de la pesanteur » (j'entends par là la sensibilité profonde) ou plus simplement à une diminution de la « pesanteur » réelle des muscles. Je pense que ce dernier point constitue un facteur important mais qu'une sorte d'inhibition sensorielle est également réelle... Tant que la relaxation vasomotrice n'intervient pas, cela ne peut constituer en soi la base suffisante et efficiente de l'illusion de lévitation. De cette combinaison surgit le « stimulus » corporel — négatif en ce cas — qui devient la base de l'illusion de planer... »

On remarquera que cette tentative d'explication diffère essentiellement de celle proposée par Horace G. Hutchinson (dans *Dreams and their meanings*) et celle d'Havelock Ellis (dans *World of dreams*), pour lesquels ces « rêves de vol » s'expliquent mieux par une combinaison de sensations respiratoires et d'anesthésie cutanée.

Il est très possible qu'une telle explication puisse, en fin de compte, éclairer de manière satisfaisante de nombreux rêves de vol ordinaires, mais il importe de mettre en évidence que de tels rêves sont très différents des cas bien précis de réelle « projection astrale », et que toute explication de ces derniers par de tels principes est absolument injustifiée — tout aussi injustifiée que celle d'avancer l'une ou l'autre cause physiologique à la connaissance paranormale qu'obtient Mme Piper lorsqu'elle se trouve en transe médiumnique — car ainsi les problèmes ne se trouvent même pas effleurés !

Il faut bien insister sur le fait que dans tous les cas de projection astrale, le sujet, alors qu'il est hors de son corps, garde une conscience précise de son « Moi » ; il peut se retourner et regarder son corps ; il peut voir son environnement immédiat ; il peut observer les gens et assister à des scènes ou à des événements lointains, exactement de la façon dont ils sont en train de se dérouler (alors qu'il lui aurait été impossible autrement d'en avoir connaissance) ; il peut en vérifier l'exactitude par la suite. C'est ce facteur « paranormal » indéniable qui constitue tout le nœud du problème et aucune explication purement physiologique ne se révèle pleinement satisfaisante quand il s'agit d'expliquer ce facteur.

Dans ses expériences, M. Horton réussit seulement à produire une « illusion de lévitation », ce qui n'est même pas un rêve de vol et, d'après M. Muldoon, un rêve de vol est encore bien autre chose qu'une projection astrale consciente !

HISTORIQUE

Les Egyptiens croyaient au *Kâ* *, qui pourrait correspondre à notre conception du « corps astral ». Ce *Kâ* n'était pas l'âme de l'homme, mais son véhicule, tout comme le corps astral, d'après ce que nous en pensons aujourd'hui. C'est le *Kâ* qui, de temps en temps, venait visiter le corps momifié, et qui était généralement dépeint comme un double du défunt en forme d'oiseau. De nombreuses peintures de l'Egypte Ancienne le montrent. Les errances et les

---

* Pour les Grecs, c'était l'*eidolon*, pour les Romains le *genius* et pour les Hébreux le *réphaïm* (N.d.T.).

épreuves du mort dans les plans inférieurs sont décrits en détail dans le *Livre des morts* égyptien et dans d'autres récits anciens.

Le *Livre des morts* tibétain — « Bardo Thödol » * est encore plus étonnant et important en ce qui concerne notre propos. Il a été édité par le Dr W.Y. Evans-Wentz, et publié par Oxford University Press en 1927. La première rédaction de cet ouvrage remonte vraisemblablement au huitième siècle de notre ère et rassemble des enseignements bien plus anciens. Comme vous pouvez le supputer, il traite du même sujet que le *Livre des morts* égyptien, mais de notre point de vue moderne il est plus « rationnel » et beaucoup de ses préceptes correspondent d'une façon remarquable avec ceux de la science occulte ou psychique. Il me paraît intéressant de donner ici un très bref aperçu des parties de ce livre qui traitent plus ou moins directement de notre sujet. Quand un homme est sur le point de mourir, on appelle un Lama, dont le rôle est d'assister le mourant et de l'aider à passer comme il le faut dans le monde suivant. Les artères sur le côté du cou doivent être pressées. En effet, « le mourant doit rester éveillé et pleinement conscient de l'avance de la mort », car la nature de la conscience au moment de la mort détermine l'état futur de l'âme, l'existence étant la transformation continuelle d'un état conscient à un autre. La pression des artères règle la voie à prendre par le courant vital qui s'échappe (*prâna*). « Si la respiration est sur le point de cesser, il faut tourner le mourant sur le côté droit, dans la position qu'on appelle " la position du lion couché ". Le battement des artères (à droite et à gauche du cou) doit être comprimé. Si le mourant à tendance à dormir, ou si le sommeil vient, il faut l'éviter, et pour cela les artères doivent être pressées doucement mais avec fermeté. Ainsi la force vitale ne pourra retourner dans le nerf médian et s'en ira sûrement par l'ouverture brahmanique. C'est maintenant que la réelle

---

* En 1977, la Librairie d'Amérique et d'Orient (Maisonneuve) en a publié la traduction française de Marguerite La Fuente, préfacée par Jacques Bacot. Les définitions qui suivent en sont extraites. *Bardo :* état intermédiaire entre la mort et la renaissance — *Bardo Thödol :* libération par entendement dans le plan suivant la mort (N.d.T.).

confrontation doit être faite. A ce moment, la première perception dans le Bardo, de la Lumière Claire de la Réalité, l'esprit parfait du Dharma-Kâya, est senti par tout l'être animé. »

Pendant toute la période d'agonie du sujet, le Lama l'exhorte à garder l'esprit calme et équilibré, de façon à ce qu'il puisse voir et entrer dans « la Lumière Claire de la Réalité » et ne puisse être troublé par des hallucinations ou des « formes pensées » qui n'ont d'existence objective que dans son esprit. Le Lama dirige tout le processus de séparation du corps astral du corps physique, au moment de la mort. « On croit généralement que le cours normal est de trois jours et demi ou quatre jours, à moins que l'on ne soit assisté par un prêtre appelé Hpho-bo (se prononce : Pho-o), « extracteur du principe conscient ». Même si le prêtre l'a assisté, le défunt ne réalise ordinairement pas avant cette période de temps le fait qu'il n'a plus de corps humain. »

Si l'esprit du mourant n'a pas été convenablement concentré sur la Lumière Claire, il est susceptible d'apercevoir des tas de diables et démons de toutes sortes ! Mais on insiste bien dans le livre sur le fait que ces démons n'ont pas d'existence réelle, objective ; ils ne sont que des hallucinations, ou des « formes pensées », dépourvues de la moindre réalité, si ce n'est dans l'esprit du moribond. Ils sont purement symboliques. L'esprit est capable de les créer, tout comme nous le faisons chaque nuit dans nos rêves. Il devra se frayer un passage à travers eux jusqu'à la Lumière Claire du Vide. Plus vite il y réussira, plus vite il sera libéré. Les enseignements concernant le corps astral sont très clairs et concis : « ... quand tu es revenu de cet évanouissement, le " Connaisseur " s'est levé en toi dans sa condition primordiale et un corps radieux ressemblant à ton corps précédent s'est élancé.../...ce corps... est appelé le corps du désir.../... il a été dit que le corps du Bardo serait " doté de toutes les facultés des sens ".../...le " mouvement libre " veut dire que ton corps actuel est un corps de désir... et non de matière grossière.../...tu es doté actuellement du pouvoir de l'action miraculeuse.../... Sans cesse, involontairement, tu erreras. A tous ceux qui pleureront (tu diras) : " Je suis ici, ne pleurez pas. " Mais comme ils ne t'entendront pas, tu penseras : " Je suis mort ", et à ce moment-là, tu te sentiras malheureux. Ne sois pas malheureux pour cela. Il y aura une lumière grise de crépuscule, la nuit, le jour, à tous moments.../... Même si tu cherches un corps, tu ne trouveras que des problèmes. Ecarte le désir d'un corps et permet à ton esprit de demeurer dans un état dc résignation, et agis de façon à demeurer dans cet état.../... Tels sont les errements du corps-mental dans le Sidpa Bardo. A ce moment, la joie et la peine dépendront du Karma... »

LA LITTÉRATURE SUR LE SUJET

On a beaucoup écrit, par le passé, sur le corps astral — principalement dans des livres consacrés à la « magie » et à l' « occultisme ». Je crois avoir parcouru soigneusement la plupart de ces ouvrages — de Paracelse à Eliphas Levy, en passant par Leadbeater, Myers, et d'autres — dans ma recherche d'une information pratique sur le sujet, mais... sans grand résultat *. La production française se limite quasiment à deux livres : *le Fantôme des vivants* de Hector Durville et la *Méthode de dédoublement personnel — Extériorisation de la neuricité — Sorties en Astral* de Charles Lancelin **. Nous y reviendrons plus en détail par la suite. Mais, comme je l'ai dit, je n'ai pas trouvé grand chose de valable sur le sujet et cette remarque a d'autant plus d'application quand nous abordons le thème le plus important, à savoir : comment projeter le corps astral tout en demeurant conscient. C'est un point sur lequel nos autorités demeurent particulièrement silencieuses.

Or c'est justement sur ce point-là que M. Muldoon est le plus explicite, indiquant en détail la façon de projeter son corps astral et décrivant avec précision ce qui se passe dans l'esprit et dans le corps du sujet durant une telle projection (avec bien d'autres détails liés au processus). Je crois que n'importe quel lecteur impartial reconnaîtra que si M. Muldoon n'avait pas vécu toutes les expériences qu'il mentionne, il lui aurait été impossible d'écrire ainsi

* Le présent ouvrage a été publié pour la première fois en 1929 (N.d.T.).

** L'ouvrage de C. Lancelin a été réédité en 1975, *Omnium littéraire*, Paris (N.d.T.).

qu'il l'a fait, et d'acquérir toute cette connaissance. Ses lectures sur le sujet ont été très limitées. Il est de plus pratiquement impossible qu'il ait pu entrer en contact avec quelqu'un qui aurait disposé d'une quelconque information sur le sujet si on tient compte du fait qu'il vit dans un obscur petit village du Middle West.

Non, son savoir, il l'a acquis par lui-même, à force d'expériences réelles, cela paraît évident.

CAS SPONTANÉS

Comme je le disais en commençant, il y a deux types de projection astrale, la spontanée, involontaire, et l'expérimentale, volontaire. Dans la première, l'individu se retrouve tout simplement « projeté » sans savoir ni comment ni pourquoi ; il se retrouve hors de son corps physique — qu'il peut clairement voir — mais il ignore comment il en est arrivé là. Dans le deuxième cas, le projecteur fait un effort déterminé et volontaire pour « se projeter » — généralement vers un endroit bien précis — puis il s'éveille pour se retrouver dans cet endroit, ou « en route » *. Bien sûr, la grosse majorité de ces essais se solde par des échecs. Le sujet peut également être aperçu à l'endroit « prévu », par quelqu'un, alors qu'il reste, lui, inconscient de son « succès ».

On trouvera dans ce livre des exemples de toutes sortes de projections, ainsi qu'une analyse du *modus operandi* et une explication du succès ou de l'échec des tentatives de projection astrale consciente.

Mais voyons d'abord quelques cas typiques de projection « spontanée » qui, rappelons-le, peut théoriquement se produire au cours du sommeil, durant les transes, sous l'effet d'anesthésiques, etc., cela peut également se produire alors que le sujet est éveillé et conscient, mais simplement détendu — du moins au début de l'expérience. On peut en trouver une bonne illustration dans un ouvrage de Caroline-D. Larsen, *My travels in the spirit world* : « ... Je connus soudain une très étrange expérience. Un sentiment de profonde oppression et d'angoisse me sub-

---

* En francais dans le texte. (N.d.T.)

mergea, à peu près comme ce que l'on ressent quand on est sur le point de s'évanouir. J'essayai de lutter contre cette impression, mais sans résultat. L'accablement s'accentuait, et bientôt un engourdissement m'envahit, jusqu'à ce que le moindre de mes muscles soit paralysé. Je restai dans cet état durant un moment. Pourtant, mon esprit fonctionnait aussi clairement qu'à l'habitude. J'entendis d'abord, nettement, la musique qui venait de l'étage en dessous, puis les sons commencèrent à s'évanouir graduellement jusqu'à ce que le vide se fasse. J'étais inconsciente à la vie et au monde. Je ne sais combien de temps dura cet état, tout comme j'ignore ce qui se produisit à ce moment. Dans mon souvenir, la chose suivante fut que je me trouvai debout à côté de mon lit, en train de regarder attentivement mon corps physique qui reposait sur le lit. je reconnus chaque ligne de ce visage familier, pâle et calme comme dans la mort, les yeux clos et la bouche entrouverte. Les bras et les mains reposaient mollement et sans vie de chaque côté du corps... Je me retournai et me dirigeai lentement vers la porte, je la traversai et me retrouvai dans le hall qui conduit à la salle de bain... Machinalement, je fis le geste d'allumer, sans y parvenir évidemment. La lumière n'était du reste pas nécessaire, car de mon corps et de mon visage émanait une forte luminescence blanche qui illuminait brillamment la pièce... »

Dans le cas publié par le Dr I.-K. Funk, dans *Psychic riddle* (pp. 179-185), l'auteur raconte comment il perdit le « contrôle de son corps » — avant qu'il ne connaisse sa première projection consciente. Cette fois-là, après avoir ressenti les symptômes préliminaires, il commença par perdre momentanément conscience : « Il y eut un éclair de lumière dans mes yeux et une sonnerie dans mes oreilles et pendant un instant, j'ai dû perdre conscience. Lorsque j'émergeai de cet état, j'eus l'impression de marcher dans les airs. Il n'y a pas de mots pour décrire la joie et le sentiment de libération que j'éprouvai alors... Il n'y a pas de mots pour décrire la netteté de ma vision mentale ! Mon esprit n'avait jamais été aussi dégagé, aussi libre... Je pris conscience de me trouver dans une chambre et de regarder mon corps étendu dans un lit, que je reconnus immédiatement pour être le mien. Je ne puis vous dire les étranges sentiments qui m'envahirent ! Ce corps paraissait en tout points... mort ! On n'y distinguait plus la moindre trace de vie, et pourtant j'étais là, hors de mon corps, l'esprit étonnamment dégagé et actif, conscient, qui plus est, d'un autre corps auquel nulle matière n'offrait de résistance... Après avoir regardé mon corps physique pendant une ou deux minutes, je cherchai à le contrôler et après un instant tout sentiment de « séparation » disparut ; je n'avais plus conscience que d'un effort pour le commander, et après un moment qui me parut assez long, j'étais à nouveau capable de me mouvoir, de me lever, de m'habiller et de descendre prendre mon petit déjeuner... » Aux critiques qui ne verraient dans tout ceci qu'un « rêve particulièrement vivant », l'auteur dit : « Je sais que nombreux seront ceux qui ne verront dans tout cela que le produit d'une riche imagination, ou peut-être d'un rêve, mais, croyez-moi, ce n'était ni l'un ni l'autre. Même si le monde entier devait se récrier... cela n'aurait aucune incidence dans mon esprit car je suis absolument certain de m'être retrouvé libre de mon corps physique comme ce ne fut jamais le cas, et que ma vie hors de ce corps était bien plus merveilleuse que tout ce que j'avais pu connaître " dedans "... »

Le cas du Dr Wiltse est très célèbre. Il fut d'abord publié dans le *Saint Louis medical and surgical journal* en novembre 1889 et, par la suite, dans le volume VII des procès-verbaux de la S.P.R. Des passages en furent également publiés dans *Human personality* (Vol. II, pp. 315-322). En conséquence, nous n'en donnerons que de brefs extraits, renvoyant le lecteur, pour de plus amples détails, aux sources sus-mentionnées. Après quelques remarques et descriptions préliminaires, le Dr Wiltse dit : « C'est avec tout l'intérêt du médecin que j'assistai au prodige de mon anatomie, avec laquelle je me sentais en symbiose ; j'étais l'âme vivante de ce corps mort... J'observai l'intéressant processus de la séparation du corps et de l'âme. Un pouvoir, qui apparemment, n'était pas le mien, balançait mon ego d'un côté à l'autre, comme un berceau ; et cette action brisait la relation qui existait entre lui et les tissus de mon corps. Après un moment ce dernier mouvement cessa et, de la plante des pieds, passant rapidement de mes orteils à mes talons, je sentis et entendis, pour ainsi dire, le claquement d'un nombre incalculable de petites cordes. Après cela, je commençai lentement à me rétracter, à partir des pieds jusqu'à la tête, comme un élastique qui rétrécit... Comme j'émergeai par la tête, je flottai comme une bulle de savon attachée au fourneau d'une pipe, jusqu'à ce que, finalement, je me libère du corps et que je retombe légèrement sur le sol, d'où je m'élevai lentement jusqu'à reprendre la pleine dimension d'un homme. J'avais l'impression d'être transparent, bleuté, et parfaitement nu... Je dirigeai mes regards vers le lit et j'y vis mon propre corps « mort ». Il reposait dans la position précise que j'avais eu tant de mal à lui faire prendre : partiellement sur le côté droit, les pieds joints, et les mains serrées sur la poitrine. Je fus surpris de la pâleur du visage... Je me retournai et sortis par la porte ouverte... » Le Dr Wiltse relate alors un certain nombre d'expériences mentales qu'il connut durant son « lointain voyage », parmi lesquelles la perception de certaines choses dont il n'avait pas connaissance mais qui s'avérèrent exactes après vérification. A la fin de son voyage astral, il fut tout à coup arrêté : « Je me retrouvai devant un petit nuage dense et noir, qui s'avançait vers mon visage. Je sus qu'il me fallait m'arrêter. Je sentais que ma capacité à me mouvoir et à penser me quittait. Mes mains retombèrent impuissantes à mes côtés, mes épaules et ma tête tombèrent en avant, le nuage toucha mon visage, ensuite, je ne me souvins plus de rien... » Quand il reprit conscience, il était à nouveau dans son corps physique.

Le cas du révérend L.J. Bertrand est résumé comme suit par le professeur Myers — ce cas se retrouve dans le volume VIII, p. 194, des procès-verbaux de la S.P.R. — « Au cours d'une dangereuse ascension du Titlis, M. Bertrand, séparé de ses compagnons, s'était assis pour se reposer, quand il se retrouva véritablement paralysé par le froid. Il garda toutefois l'esprit clair et connut la sensation décrite par le Dr Wiltse, de sortir de son corps, tout en y demeurant attaché " par une sorte de lien élastique ". Dans cet état, il eut des " visions " de ses compagnons et il les étonna grandement lorsqu'à leur retour, il leur décrivit ce qu'ils avaient fait... »

DES CAS EXPÉRIMENTAUX

Nous allons maintenant nous pencher sur des cas de projections « volontaires » ou « expérimentales ». Ceux-ci sont, comme je l'ai laissé clairement entendre, beaucoup plus rares et en dehors de quelques cas (douteux) repris dans *Phantasm of the living;* ils se limitent pratiquement à ceux enregistrés par M. Fox dans *Occult review* — nous aurons l'occasion d'y revenir — et à quelques cas historiques peu sûrs et assez vagues. Les deux auteurs français, Lancelin et Durville, dont j'ai mentionné plus haut les ouvrages, parlent d'essais pour « extraire » en quelque sorte le corps astral d'un sujet magnétisé en état de transe. Aucun de ces ouvrages ne contient des cas d'autoprojection. Le sujet était placé dans un profond état de transe magnétique ou mesmérique (qui se différencie de l'hypnose) et on lui suggérait alors d'abandonner son corps et, si possible, de s'en éloigner à distance appréciable. Une quantité de tests expérimentaux très ingénieux furent alors pratiqués pour s'assurer, autant que possible, que cela s'était produit effectivement. Je ne m'attarderai pas ici sur le travail de M. Lancelin, dont j'ai déjà donné un résumé fidèle dans *Modern psychical phenomena* et dans *Higher psychical development* et du reste, M. Muldoon s'y réfère également suffisamment dans le présent ouvrage. Je donnerai toutefois un petit résumé des découvertes de M. Durville, telles qu'elles apparaissent dans *le Fantôme des vivants* *.

Le livre se présente en deux parties : la première est historique et théorique ; elle traite de la théorie générale du « double » et cite un certain nombre de cas anciens et récents qui pourraient être considérés comme des exemples d'application de la théorie... La deuxième partie est expérimentale et relate des cas où le corps astral se trouve apparemment projeté alors que le sujet est dans « une transe magnétique » profonde. Une partie de ce matériel présente un très grand intérêt et s'accorde remarquablement avec les descriptions et les expériences de

* Paru en 1909 et non réédité. (N.d.T.)

M. Muldoon qui consacre d'ailleurs quelques commentaires critiques à cet ouvrage dans le présent livre.

Hector Durville précise que le sujet de l'expérience est constamment en rapport avec le « double » au moyen d'une corde fluide, capable d'élongation... celle-ci est généralement cylindrique mais pourrait parfois affecter la forme d'un ruban. Quant aux vêtements du fantôme, ils paraissent composés d'une sorte de vapeur fluidique. Le corps astral peut éprouver diverses impressions qui lui parviennent par l'intermédiaire du câble astral. La question de la température apparaît également importante : un excès de lumière ayant un effet négatif sur le corps astral. Des expériences réalisées au moyen du dynamomètre montreraient que la force musculaire du sujet se trouve accrue après l'expérience. Au contraire, au cours de l'expérience, la température de la main — particulièrement la main droite — chute presque invariablement. Un chapitre est consacré à l'action du fantôme sur *a*) le double d'un autre sujet — tous deux étant « projetés » au même moment, et *b*) sur le corps physique d'une autre personne. Dans les deux cas, il semble que l'on soit arrivé à un résultat positif. Des écrans de sulfure de calcium furent placés à une certaine distance du sujet, et il lui fut suggéré de s'approcher (dans son corps astral) de l'un ou l'autre des écrans. Quand il s'exécutait, une brillance accrue émanait de l'écran en question, résultat de l'influence du corps astral. Des déplacements d'objets physiques ont également pu être obtenus, des *raps*, et une action sur l'aiguille d'un sténomètre placé à une certaine distance du sujet en transe, tous phénomènes produits par conséquent par le corps astral. Le dernier chapitre parle en détail d'essais nombreux de photographies du corps astral et de diverses radiations vitales qui seraient émises par celui-ci ou par le corps physique.

M. Durville conclut en disant que la projection du corps astral est un fait certain, susceptible d'être prouvé par l'expérimentation. Il démontre que la force de vie est indépendante de la matière et que notre individualité est composée d'un corps physique et d'une âme intelligente — et d'un « lien vital » — le corps astral. Il dit également que puisque ce fantôme peut exister et fonctionner indépendamment du corps physique, il peut également exister après la mort et que par conséquent, l'immortalité se révèle un fait prouvé de manière scientifique.

Cet ouvrage apparemment peu connu est riche d'un matériau curieux et intéressant ; et si les résultats obtenus l'ont été d'une façon scientifique précise, il constitue un travail de toute première importance.

LES EXPÉRIENCES DE M. OLIVER FOX

Le seul rapport détaillé, scientifique et de première main, sur des séries de projections astrales conscientes et contrôlées volontairement, que j'aie jamais trouvé, est celui de M. Oliver Fox, publié dans *Occult Review* (1920 ; p. 256-264 ; 317-327). Des articles intitulés respectivement *le Passage pinéal* et *Par-delà la porte pinéale*, relatent les expériences personnelles de l'auteur. Je vais essayer de les résumer brièvement, tout en citant intégralement certains passages importants.

M. Fox commence très logiquement par présenter au lecteur les deux théories susceptibles d'expliquer ses expériences. A savoir : a) des rêves particulièrement « vivants », et b) des projections véritables. Laquelle de ces deux théories est la bonne ? M. Fox admet qu'il est extrêmement difficile de prouver la seconde de manière objective et croit donc plus sage de se limiter à une description de ses propres expériences et à un aperçu de ses techniques personnelles de projection, avec l'espoir qu'en les appliquant, d'autres que lui arriveront à des résultats similaires, se prouvant à eux-mêmes de cette façon la réalité de la projection astrale.

Le premier pas, dit M. Fox, consiste à acquérir un certain contrôle de ses rêves (il ne s'agit pas toutefois du même « contrôle des rêves » que celui auquel il est fait allusion dans le présent ouvrage). Il consiste à obtenir, *en cherchant à découvrir certains anachronismes ou anomalies, la conscience que l'on rêve.* Je cite M. Fox : « Il y a dix-huit ans, alors que je poursuivais des études techniques, un rêve m'a poussé à commencer mes recherches. Je rêvais simplement que je me tenais sur le seuil de ma maison. En baissant les yeux, je découvris que les pavés avaient mystérieusement changé de position ; ils étaient maintenant disposés de manière parallèle à la maison et non plus perpendiculairement... L'explication de cette anomalie me sauta aux yeux : bien que cette merveilleuse matinée d'été me parût réelle à souhait, je rêvais ! Immédiatement l'éclat de la vie s'accrut énormément. Jamais la mer, le ciel, les arbres n'avaient resplendi d'une telle beauté ; même les maisons banales paraissaient comme vivantes et mystiquement belles... Jamais je ne m'étais senti aussi bien, l'esprit aussi clair et si divinement puissant. La sensation de bien-être dépassait l'entendement, mais elle ne dura qu'un instant et je m'éveillai. Comme je devais l'apprendre par la suite, mon contrôle mental avait été dépassé par mes émotions ; alors ce corps ennuyeux affirma sa puissance et me ramena. Maintenant, une merveilleuse idée ne lâchait plus mon esprit : était-il possible de retrouver, à volonté, le bien-être du rêve ? Pourrais-je prolonger mes rêves ? J'ai souligné : « en cherchant à découvrir... » Cela paraît simple mais dans la pratique, cela s'avère une des choses les plus compliquées qui soient. Des centaines de fois, je suis passé à côté d'anomalies avant d'en remarquer une qui m'amenait à réaliser que je rêvais, et toujours cette connaissance engendrait le même changement, dont je viens de parler. Je découvris que j'étais alors capable de réaliser certains petits « tours » à volonté, tels que « léviter », passer au travers de murs apparemment solides, donner de nouvelles « formes », à la matière, etc. Durant ces premières expériences, je ne pouvais rester hors de mon corps que pendant un moment très court et cette conscience de rêve ne put être obtenue qu'après plusieurs semaines. Au début, mes progrès furent très lents, mais à l'heure actuelle, j'ai fait deux découvertes :

1. l'effet mental de prolonger le rêve occasionne une douleur dans la région pinéale — légère d'abord, mais s'intensifiant rapidement — je savais d'instinct que c'était un avertissement de ne pas résister plus longtemps à l'appel de mon corps ;
2. dans les derniers moments où je prolongeais le rêve, alors que j'éprouvais cette douleur, je connus une sensation de « double conscience ». Je pouvais me sentir dans le rêve, voyant la scène, mais au même moment, je pouvais me sentir couché dans un lit et

voyant la chambre. Comme l'appel du corps se faisait plus pressant, la scène du rêve s'évanouissait ; en m'efforçant de continuer à rêver, je parvenais à faire s'estomper la chambre et à renforcer l'apparente solidité de la scène du rêve... »

L'idée suivante vint alors à M. Fox : que se passerait-il s'il ne tenait pas compte du tout de cette douleur et s'il « forçait » sa conscience de rêve encore plus loin ? Il finit par y arriver, non sans quelque émoi ! Une sorte de déclic se produisit dans son cerveau, et il se retrouva « enfermé » dans son rêve. Il ne paraissait plus relié au corps physique ; la sensation de double conscience s'évanouit et, de même, disparut toute notion ordinaire du temps. Il se retrouva libre dans un monde nouveau : c'était sa première projection consciente. Elle ne dura qu'un instant très court. Il connut alors une sorte de panique, due partiellement, à un sentiment de profonde solitude, et immédiatement le même déclic cérébral se fit entendre. M. Fox se retrouvait dans son corps physique, en état de catalepsie complète ! Il recouvra très graduellement le contrôle de son organisme, un muscle après l'autre... « Soudain » dit-il « la transe » s'arrêta, mes yeux s'ouvrirent, j'étais libéré. Je sautai hors du lit, en proie à une grande joie, mais perdis immédiatement connaissance par la nausée qui me submergea. Après cela, je me sentis malade encore pendant deux à trois jours... ».

Arrivé à ce point, M. Fox énumène ce qui lui parut constituer les dangers possibles de ces expériences, à savoir :

1. déficience cardiaque, ou folie, conséquentes au « choc » ;
2. inhumation précoce ;
3. obsession ;
4. destruction du câble ;
5. effets de répercussion sur le véhicule physique.

Il va de soi, comme le fait très justement remarquer M. Fox, que les trois dernières possibilités seraient méprisées par les scientifiques classiques. On peut également préciser que tous ces dangers sont plus imaginaires que réels ; ils sont étudiés en détail dans le présent ouvrage. M. Fox résume ainsi les caractéristiques de ses projections astrales :

1. le corps semble être dans un état semi-rigide, qui

peut atteindre en intensité l'état apparemment cataleptique auquel il a déjà été fait allusion ;

2. bien que les yeux soient fermés, la chambre est parfaitement visible, ainsi que l'atmosphère, si bien que l'on a l'impression que des particules de poussière sont illuminées par le soleil — un rayonnement doré, très variable en intensité — et à la fois, derrière, pour ainsi dire, tout juste à la limite de la visibilité, on aperçoit quelque chose comme « une masse d'œufs de grenouille », de couleur gris-bleu et « vibrante »...
3. des sons peuvent être distinctement audibles ;
4. n'importe quelle hallucination, tant de la vue que de l'ouïe, est susceptible de se manifester ou, en d'autres mots, on peut être à la fois « clairaudiant » comme on est clairvoyant...
5. toujours dans cet état, et particulièrement s'il est confondu avec celui de veille, on a facilement tendance à succomber à une peur terrible et irraisonnée ;
6. on a conscience de curieuses « forces » atmosphériques — un peu comme le sentiment que l'on éprouve après un orage, mais fortement intensifié.

Arrivé à ce stade de ses recherches, M. Fox n'a jamais réussi une véritable « projection sans interruption de conscience ». Il avait toujours le sentiment que quelqu'un ou quelque chose le retenait. « C'était comme de passer à côté du « Gardien du seuil »[3]. Puis, la solution du problème lui apparut soudain : « ... il me fallait forcer mon être désincarné à traverser le passage de la glande pinéale, de façon à ce que le déclic se produise derrière moi... Je le fis, alors que je me trouvais dans un état de transe, simplement en me concentrant sur cette glande pinéale, et en voulant m'élever à travers elle. La sensation fut la suivante : mon être désincarné se pressa jusqu'à un point de la glande pinéale et se heurta à la porte imaginaire, alors que la lumière dorée vit son intensité s'accroître de telle manière que toute la chambre parut s'enflammer. Si l'élan n'était pas suffisant pour me faire réussir la traversée, alors la sensation s'inversait ; mon être désincarné retombait et réintégrait mon corps physique,

3. Pour étudier ceci, voir *Initiation and its results* de Steiner, et aussi *Higher psychical development.*

alors que la lumière astrale revenait à la normale. Souvent deux à trois tentatives étaient nécessaires pour me permettre d'accumuler suffisamment de puissance pour me faire passer. C'était comme si je me précipitais vers la folie et la mort, mais une fois que la petite porte s'était refermée derrière moi, je jouissais d'une clarté mentale dépassant de loin celle de la vie terrestre, et la peur disparaissait... Quitter le corps était alors aussi simple que sortir du lit... » (M. Fox, avec une admirable prudence scientifique, conseille au lecteur de ne pas prendre au pied de la lettre tout ce qu'il dit à propos de la glande pinéale, mais il assure que ce sont bien les sensations exactement ressenties et il croit qu'en cela il ne s'écarte pas de la vérité.) Dans la grande majorité de ses expériences, M. Fox prétend qu'il y avait une « interruption de la conscience » (apparemment très brève), entre sa tentative pour passer « la porte pinéale » et son état de conscience totale, hors du corps physique [4]. Il finit quand même par réussir à produire plusieurs projections entièrement conscientes dès le début. Ainsi qu'il le dit lui-même : « Alors, ce fut l'apogée de mes recherches. Je pouvais maintenant passer de cet état de veille ordinaire à ce nouvel état de conscience (ou de la vie à la " mort "), et en revenir, sans la moindre interruption mentale. Ceci est vite écrit... mais il me fallut quatorze années pour y parvenir. »

M. Fox mentionne trois méthodes différentes de « déplacement » dans le corps astral. La première, celle du « glissement horizontal » est « accomplie par un effort purement mental » Cette méthode est assez facile, mais quand la traction du câble se fait sentir, cela s'avère alors bien compliqué ; « c'est comme si on tirait une corde très solide, en matière élastique ». M. Fox nota également que chaque fois qu'il était ramené dans le corps, il avait la sensation qu'on le tirait en arrière (vous verrez plus loin l'explication détaillée qu'en donne M. Muldoon). La deuxième méthode de déplacement est une espèce de « lévitation », très semblable au typique « rêve de vol », méthode présentée comme simple et sans danger. Dans la troisième méthode, (que M. Fox appelle : *skrying*), on a le sentiment de jaillir de soi, comme une fusée, à très

4. Voir ce qu'il en est dit plus loin.

grande vitesse. Cette méthode est présentée comme « difficile et dangereuse ».

Quant aux « personnages » rencontrés au cours de ses voyages astraux, voici ce qu'en pense M. Fox :

1) l'absence totale d' « élémentals » ou de tous les autres être terrifiants que l'on a si souvent accusés d'habiter ce Plan astral, et 2) le fait que, presque toujours, il est invisible pour les « entités astrales », bien que sa présence puisse parfois être ressentie par elles, ce qui, précise-t-il, est toujours déplorable, car quand tel est le cas, l'entité en est choquée et effrayée, cet état produit un choc correspondant dans le corps astral projeté, dont le résultat est de ramener imédiatement ce dernier dans le corps physique. (Encore une fois, les raisons de cet état de choses apparaîtront clairement plus loin). Pour ce qui est des « scènes » rencontrées, elles étaient presque toujours semblables à celles vécues sur terre — bien que des scènes inconnues étaient monnaie courante, peut-être même se présentaient-elles plus fréquemment.

Un détail très curieux et inhabituel dans les expériences de M. Fox est qu'il ne fut jamais capable de voir son propre corps quand il était « projeté », alors qu'il pouvait très clairement voir le corps de sa femme par exemple. C'est, à ma connaissance, le seul cas enregistré où ça s'est produit ainsi. Généralement, le corps physique du projecteur est la première chose vue. Donc, en cela, l'expérience de M. Fox est quasi unique. Dans l'ensemble, toutefois, ses impressions et ses expériences sont assez typiques et concordent avec celles d'autres chercheurs en ce domaine, ainsi que nous le ferons resssortir bientôt. Le manque de place m'empêche de raconter la façon dramatique et extraordinaire dont M. Fox perdit son « pouvoir », après l'avoir conquis à la suite de tant d'efforts et de persévérance, mais on peut en trouver la narration dans les articles cités précédemment.

QUELQUES EXPÉRIENCES PERSONNELLES

Je puis peut-être conclure cette partie en donnant un petit aperçu de quelques-uns de mes propres essais, réalisés il y a quelques années, à une époque où je m'initiais au Yoga. A diverses occasions, je voulus apparaître une certaine jeune femme, juste au moment de m'endormir. La plupart de ces essais débouchèrent sur des échecs apparents, mais en trois occasions elle s'éveilla soudain et me vit soit debout dans sa chambre, soit assis sur son lit. Je demeurais visible l'espace de quelques secondes, puis « je me fondais ». Je n'avais pas, toutefois, la moindre conscience de cet apparent « succès ». Je me réveillais, normalement, le lendemain, sans savoir si quelque chose s'était passé ou non. Ces expériences s'étendirent sur une période de plusieurs semaines, et il n'est pas nécessaire de préciser que je ne donnai jamais le moindre indice permettant de prévoir le moment où je me livrerais à ces « projections ».

Il va de soi que si cela peut avoir constitué de véritables projections inconscientes, il se peut tout aussi bien que ce ne fût là qu'expériences purement subjectives, peut-être induites télépathiquement... mais l'une de ces expériences fut particulièrement « frappante » et devrait peut-être faire l'objet d'un compte rendu plus détaillé. Je dois préciser que la jeune fille dont il est question est une excellente pianiste et possède une mémoire musicale extraordinaire. Si elle joue ou entend une seule fois un morceau, elle ne l'oublie jamais (cela est important pour ce qui va suivre). Un jour, je lui demandai si elle avait jamais entendu une vieille chanson intitulée *When sparrows build* (rendue célèbre il y a quelques années par Jenny Lind) et que j'aimais tout particulièrement quand j'étais enfant... elle ne l'avait jamais entendue. Je promis de lui en envoyer prochainement la partition, étant persuadé que cette chanson lui plairait. C'est tout ce qui fut dit ce jour-là et nous n'y attachâmes aucune importance particulière. Quelques nuits plus tard, j'essayai de « lui apparaître » et, comme d'habitude, je m'éveillai le lendemain matin sans savoir si mon expérience s'était soldée par un succès ou un échec. Un peu plus tard, je reçus un coup de téléphone et la jeune femme me signala que je lui étais apparu la nuit précédente, de façon plus nette qu'à l'habitude, et qu'elle avait été saisie du besoin de se livrer à l'écriture automatique. Le résultat en fut quelques vers d'un poème. L'après-midi, elle me montra ces vers... et cela me fit un choc : il s'agissait des premiers vers de

When sparrows build, absolument corrects à l'exception d'un mot ! Je cite ce cas uniquement pour ce qu'il vaut, puisque je ne puis fournir la moindre « preuve » et que tout cet incident peut n'être que le résultat d'une pure coïncidence. Personnellement, j'en doute. Toutefois, je ne voudrais pas insister sur ce cas, me contentant de le mentionner afin de démontrer à quels résultats étonnants on est capable d'arriver dans ce domaine tout aussi étonnant. Comme nous l'avons vu, d'autres chercheurs ont obtenu des résultats bien plus frappants et convaincants.

Il me faut à présent conclure cette introduction. Ce fut pour moi un privilège de travailler avec M. Muldoon tout au long de l'écriture et de la présentation de ce livre ; j'ai ajouté de temps à autre quelques notes de bas de page, suggéré certaines expériences à tenter et certains points à étudier, mais en dehors de ces conseils, la réalisation du corps du livre est entièrement son œuvre, et je pense que nous pouvons lui être grandement redevable de sa détermination à réaliser ce travail, de son effort pour écrire ce livre alors qu'il était cloué au lit par la maladie en proie à de grandes douleurs physiques. Je souhaite marquer ici ma conviction totale en sa sincérité, sa bonne foi et son attitude remarquablement détachée et scientifique à l'égard de ses propres expériences. Tout cela sera d'ailleurs évident dans ce livre, j'en suis certain. C'est un ouvrage de la plus haute importance, le genre même de livre que les chercheurs du monde entier attendaient depuis longtemps !

HEREWARD CARRINGTON.

CORRESPONDANCE DE M. MULDOON AVEC H. CARRINGTON

Les extraits de lettres de M. Muldoon, qui vont suivre, contiennent un matériau très intéressant qu'on ne trouvera pas dans le corps du livre. Elles donnent également quelques éléments instructifs sur la psychologie de l'auteur et comme cela est très important dans le cas présent, je crois leur inclusion dans cet ouvrage tout à fait justifiée (ces extraits sont, bien sûr, reproduits avec l'autorisation de M. Muldoon). Ces lettres me furent adressées durant l'écriture et la révision de ce livre.

EXTRAITS DE LA CORRESPONDANCE

Vous me demandez s'il m'est arrivé de toucher mon corps physique alors que je me trouvais projeté dans mon corps astral. Je vous réponds : Non ! c'est une chose très difficile à réaliser. Je l'ai déjà essayée, mais à chaque fois je ne manquais pas de m'intérioriser à cause de l'intensité du champ d'activité du câble.../... Vous m'avez également demandé si, pendant que j'étais dans l'astral, il m'est arrivé de voir des choses dont j'ignorais l'existence mais dont j'ai pu vérifier l'exactitude par la suite, ayant réin-

tégré le corps physique... Certainement ! Et cela n'a rien d'exceptionnel quand on est projeté consciemment. Il m'est souvent arrivé d'entrer dans des maisons, d'observer la disposition des lieux, puis d'y aller dans le corps physique et de m'apercevoir que tout y était bien tel que je l'avais vu dans l'astral.

Quand j'étais « en concordance », il ne m'est jamais arrivé d'avoir de vision clairvoyante — pas la moindre. La seule façon dont il m'a été donné de « voir astralement », c'est... lorsque je me trouvais dans le corps astral. Du corps physique, il ne m'a jamais été possible de voir le moindre esprit, même s'il en était des milliers dans la pièce. Durant mes extériorisations, je pense que voir à l'intérieur d'une boîte ne poserait pas le moindre problème bien que je n'aie jamais cherché à le faire. Je n'y ai jamais songé, mais j'ai déjà vu à l'intérieur de maisons, j'y ai vu les occupants, etc., sans jamais y entrer...

***

Sur une table, dans mon salon, se trouve un métronome. Pour le mettre en marche, il faut libérer le balancier.

Je dors dans la chambre contiguë à ce salon.

L'autre nuit, je rêvais que je me trouvais juste à côté de ce métronome ; dans le rêve, je paraissais sur le point de le mettre en marche. Je n'avais pas plus tôt rêvé cela que je m'éveillai, dans mon corps physique. Près d'une seconde après, j'entendis, à côté, le métronome se mettre en marche. Il n'est vraiment pas possible qu'il se mette à fonctionner tout seul ; qui plus est, il se trouvait là depuis des mois sans que personne ne s'en soit servi. Il semblerait donc que, alors que je l'avais à peine touché, en rêve, je m'étais éveillé pour l'entendre fonctionner dans la chambre voisine. S'il n'y avait pas cette notion de temps, je serais enclin à croire que je l'avais mis en fonctionnement alors que je me trouvais dans mon corps de rêve (qui est le corps astral dans un état partiellement conscient). Mais il ne se mit en mouvement réel qu'alors que j'étais déjà éveillé dans le corps physique, bien que mon action se fût produite en rêve un instant plus tôt. Se pourrait-il que la motricité se soit déplacée jusqu'au métro-

nome — pendant que je rêvais — qu'elle soit « restée là » jusqu'à mon réveil, et puis qu'elle se soit mise seulement alors en « fonctionnement » ? Si j'avais été projeté dans mon corps astral, le métronome ne se serait-il pas mis en branle avant que je réintègre le corps physique ? Je me demande s'il est possible de réaliser une chose pareille : essayer de déplacer quelque chose alors qu'on se trouve dans le corps astral, et faire en sorte que cette chose ne se déplace réellement que quelque temps après que ledit corps astral a quitté l'objet en question ?

Il y a quelques jours que j'ai écrit ce qui précède. La nuit dernière, j'ai, une fois de plus, mis le métronome en action, dans un rêve ; tout s'est passé comme la première fois. — Il faut dire que j'ai essayé de manipuler des choses pendant que j'étais projeté et conscient, mais sans jamais y parvenir. — Le plus curieux est que je n'ai jamais réalisé que, les deux fois, le rêve s'est produit spontanément... Si seulement je pouvais réaliser cela intentionnellement ! Voici ce que je ne parviens pas à comprendre pourquoi le métronome ne s'est-il pas mis en marche au moment où je l'ai « libéré » en rêve, mais plutôt près de deux secondes après mon réveil ? L'appareil est à près de quinze pieds de mon lit. Il y a un mur entre les deux, bien sûr, mais pour le « corps de rêve », cela n'a aucune importance. Peut-être que, quand nous sommes conscients, nous n'avons pas « la foi », la conviction nécessaire, et que de ce fait, la motricité n'est pas assez puissante (quand elle émane de suggestions conscientes) pour déplacer des choses ? (voir p. 384 de votre livre : The Coming Science)*. Tout ce que je viens de dire de cette expérience ne s'harmonise-t-il pas avec ce que vous avez dit vous-même ? Une seule chose m'étonne, c'est l'élément « temps ». Pourquoi donc ce métronome ne s'est-il pas mis en marche avant que je ne sois à nouveau clairement conscient dans mon corps physique ? Le fait d'intérioriser le fantôme ne « prend pas de temps », se fait vraiment « à l'instant », aussi, si je rêve de mettre le métronome en route, puis que je m'éveille, et que je l'entende fonctionner, cela se comprendrait très bien. Or, il ne « démarre » que peu après que je sois déjà éveillé...*

⁂

(Lecture ultérieure.)

Revenons-en encore à l'histoire du métronome! Non, il ne s'agissait pas d'une « hallucination auditive »! Il m'a fallu me lever pour aller arrêter l'appareil. La deuxième fois, je l'ai laissé continuer, juste pour voir si quelqu'un à l'étage l'entendrait. Au bout d'un moment, mon frère est descendu l'arrêter. La première fois, il a fonctionné pendant cinq à six minutes, et pendant près de vingt minutes la deuxième fois. On ne pourrait pas appeler une telle réalité, une hallucination.

Croyez-vous qu'il conviendrait de mentionner cet incident comme étant une preuve possible que des objets peuvent être manipulés en rêve? — bien que je ne puisse « le prouver » réellement — (mais si ce n'est pas le cas, comment cet instrument s'est-il mis en marche, immédiatement après que j'ai rêvé de le faire fonctionner). On m'a imposé de garder le lit pendant quatre semaines, mais je puis vraisemblablement continuer à écrire, pas très rapidement toutefois, mon dos se fatigue très vite, je vais donc m'allonger un peu et m'en tenir là pour l'instant.

Ce matin, j'ai eu une projection accidentelle, alors que je reposais sur l'estomac et en pleine lumière (si ce détail n'est pas contraire aux lois de la projection, alors rien ne l'est!) et voici ce que j'ai découvert.

Quant on repose sur l'estomac, les sensations s'inversent, quand on se déplace dans les airs. Quand vous vous élevez, vous avez l'impression de descendre et vice versa. Le seul moyen de déterminer le vrai sens du mouvement est donné par le sens de la vue. J'aurais juré que je descendais, mais je voyais clairement que je m'élevais!...

Il y a quelques jours, je m'éveillai vers six heures du matin, et je restai ainsi pendant une vingtaine de minutes.

Puis je retombai endormi et je rêvai que je me tenais au même endroit que dans les rêves du métronome. Je rêvai que ma mère s'y trouvait aussi, assise dans un rocking-chair, et qu'elle me disait : « Est-ce que tu sais que tu rêves ? » Je répondais : « Bon sang ! Bien sûr que je le sais ! » Cela termina le rêve, et il me sembla que je n'avais pas plus tôt terminé ma phrase que je m'éveillais dans le corps physique, dans mon lit. J'étais conscient, mais incapable de bouger ; je ne pouvais émettre le moindre son, je ne pouvais soulever les paupières. Cet état dura près de trois minutes et durant ce temps, tout mon corps ne cessa de se contracter, et plus particulièrement les membres. Puis, je redevins normal. Près de deux secondes plus tard, un « rap » sourd se fit entendre — comme si quelqu'un avait frappé le sommier du lit avec un maillet de fer. Le bruit fut si fort que je me cachai la tête sous les draps, tant il m'avait effrayé ! J'étais conscient, j'insiste, depuis près de deux minutes, quand le « rap » s'est fait entendre. Il n'y avait personne dans les parages et tout se passa en pleine lumière. Ces manifestations physiques sont certainement très intéressantes — pour moi — car jamais auparavant je n'avais pu expérimenter de telles choses... mais il faut bien dire que je n'ai jamais rien essayé non plus ; en fait, ces choses se sont produites d'elles-mêmes.

Vous savez, il est une croyance suivant laquelle des matérialisations ne peuvent se produire en dehors d'un cercle d'initiés spirites. Pourtant, il m'est arrivé de voir trois « esprits » se matérialiser, se déplacer dans ma chambre, et parler !

Ma mère, très malade, était bloquée au lit depuis plusieurs semaines. Un soir, nous étions seuls dans la maison — elle était dans son lit, sous l'influence de la morphine, divaguant comme c'est souvent le cas quand on est ainsi « drogué »(à un moment, elle parlait de manière très sensée, et le moment suivant, plus du tout). J'étais en train de lire dans la pièce voisine — face à la porte de sa chambre, ne faisant pas trop attention à ce qu'elle disait, en ayant pris l'habitude...

Je lisais donc, quand soudain, j'entendis un brouhaha de voix. Je reconnus l'une d'entre elles comme étant celle de ma grand-mère. Je levai les yeux. Il y avait trois esprits entièrement matérialisés, qui déambulaient dans la chambre où reposait ma mère. Je pensai d'abord qu'elle était sortie du lit, ce n'est qu'après que je réalisai qu'il y avait bien trois « esprits ». Je reconnus alors immédiatement ma grand-mère, mais je ne connaissais pas les deux autres. Pendant un instant, je ne pus croire à la réalité de tout cela ! Puis, ma mère m'appela : « Sylvan, viens vite, ta grand-mère, ton grand-père et Louis sont là ! » (je n'avais jamais vu les deux dernières personnes mentionnées, mais j'avais connu ma grand-mère avant qu'elle ne meure). Ma grand-mère, Allemande, parlait en allemand. Je me levai et allai donc dans la chambre de ma mère, prudemment, de peur qu'ils ne disparaissent. Ma grand-mère se tenait dans l'embrasure de la porte, me faisant face et elle dit : «Solbun » (elle ne parvenait pas à dire « Sylvan », et m'appelait toujours ainsi quand j'étais enfant). Je m'avançai vers la porte et parlai. L'une des apparitions parut traverser le plancher. Une autre disparut, mais ma grand-mère était toujours là, et je vis, d'après l'expression de son visage, qu'elle voulait que je recule. Puis elle « s'évanouit », et je me précipitai à travers la porte. Ma mère paraissait avoir toute sa raison et me dit : « Pourquoi n'es-tu pas venu plus tôt ? Ils étaient matérialisés tous les trois. » Je l'assurai que j'avais tout vu d'où je me trouvais. Il y avait beaucoup de lumière dans la chambre, ainsi que dans la pièce où je lisais. Je demandai à ma mère : « Qu'a-t-elle dit ? » Ma mère dit quelque chose en allemand que je ne compris pas, puis ajouta : « Cela veut dire : que se passe-t-il, ma fille ? » (ma mère, à moitié Anglaise, à moitié Allemande, comprenait l'allemand). Quoi qu'il en soit, c'est exactement ainsi que tout s'est passé !

Chaque fois que vous voyez une de ces lignes de séparation, cela signifie que j'ai dû m'arrêter pour me reposer, car rester assis me fatigue beaucoup. Mais j'espère que je serai bientôt capable d'écrire plus longuement. Ces derniers jours, j'étais très affaibli et lundi dernier, j'ai bien cru que « j'allais casser ma pipe » !... je crains qu'il ne s'écoule un certain temps avant que je ne puisse vous

envoyer à nouveau quelques feuillets, mais je le ferai dès que possible... J'espère que vous parvenez à lire mon écriture, car il est assez difficile d'écrire au lit...

***

Il me paraît difficile d'imaginer que la projection astrale consciente ne soit pas universellement connue. Je puis encore moins imaginer qu'un tel phénomène puisse faire l'objet du moindre doute, qu'on puisse ne pas l'accepter tout comme on accepte la vie physique. Mais sans doute, ne réagirais-je pas ainsi si je n'avais moi-même si souvent vécu la chose. Quand on est projeté consciemment, on ne peut en douter ; on le sait ; je le sais — tout autant que je sais que je suis assis ici pour l'instant, occupé à écrire cette lettre. *Mais comment pourrais-je le prouver à quelqu'un d'autre ?*

On pourrait tout aussi bien me dire que je rêve quand je suis physiquement conscient, et je ne pourrais pas, non plus, prouver le contraire. Et c'est pourtant évident...

Je suis enfin sorti de mon lit, et je me remets de cette épreuve. J'aurais tellement voulu être en meilleur état lorsque j'écrivais ce livre ; je suis persuadé que j'aurais fait un bien meilleur travail ; tel qu'il est chaque mot m'a coûté un effort !

Je n'ai jamais connu la moindre expérience hors du corps où je me suis retrouvé ailleurs que sur la planète Terre... Je ne saurais où chercher « des Plans Supérieurs ». Il est curieux, cependant, de constater la vanité de certains projecteurs qui affirment accéder à des plans supérieurs alors que de nombreux esprits désincarnés, habitant des plans inférieurs, prétendent quant à eux, ne jamais y parvenir ! Je connais une personne qui ne cesse de parler de ses

« voyages dans le monde des Esprits », mais ne raconte jamais rien qu'un simple rêve clairvoyant ne pourrait suggérer. Elle ne cesse de dire que le « secret de la projection astrale » est un « outil bien dangereux » quand on le met dans les mains « d'ignorants », etc., de sorte qu'elle ne donnera jamais la moindre explication sur sa façon de procéder... Et voilà ce qui me fait douter... Je crois que si une personne sait comment s'y prendre, elle doit le dire — de sorte que d'autres puissent à leur tour, essayer eux-mêmes. Il ne me viendrait jamais à l'idée de dire aux autres qu'une chose est trop dangereuse pour qu'ils s'y livrent, mais que pour moi, elle ne présente pas le moindre danger ; en effet, je ne crois pas être tellement plus sage qu'eux...

Je vous envoie aujourd'hui mes dernières pages. Ne serait-ce pas une bonne idée de demander aux lecteurs de nous faire connaître les résultats qu'ils auront obtenus ? Peut-être pourrions-nous ainsi, rassembler un matériau intéressant, qu'on pourrait insérer quelque part dans le livre ?...

CHAPITRE I

L'EXISTENCE DU CORPS ASTRAL EST CONNUE DEPUIS LONGTEMPS

« S'il y a un corps psychique (physique), il y a un corps spirituel. » Ainsi s'exprimait saint Paul dans sa première *Epître aux Corinthiens.* Il y a également longtemps que s'est établie la croyance qu'en chaque être matériel se trouve un « double » non matériel, une entité occulte coïncidant minutieusement avec le mécanisme physique jusque dans ses moindres parcelles.

Il existe de nombreux rapports émanant de savants dignes de foi, qui établissent le bien-fondé de l'affirmation suivant laquelle cet être non matériel — le « corps astral » ainsi qu'ils le nomment est capable de se séparer de sa contrepartie physique et d'exister en dehors de son enveloppe matérielle, intangible pour les êtres qui l'entourent.

Ce fait mystérieux est appelé « projection astrale » ou « extériorisation astrale », et nombreux sont les écrits d'occultistes qui ont trait à ces phénomènes étranges que nous appellerons, nous : projections astrales. Mais, en dépit de toute l'information accumulée à ce jour, il nous faut bien reconnaître que nous en sommes toujours à nos premiers balbutiements en cette matière. Cette extériorisation du corps astral constitue, en fait, le premier pas dans un domaine mystérieux : « la mort », domaine dans lequel nous devrons bien cependant tous entrer, tôt ou tard ! Si ce domaine vous fascine alors le phénomène de la projection astrale vous intéressera également car la projection astrale et la mort sont assez semblables.

Pour tous ceux qui n'auraient jamais eu de contact avec ce phénomène, et même pour ceux qui, d'une certaine façon en ont eu, tout cela reste de la « théorie ». Pour celui qui, consciemment, projette son corps astral, l'extériorisation de cette contrepartie non matérielle du corps physique est une réalité, aussi évidente que le fait d'être consciemment vivant.

Tout d'abord, je vous dirai que ce phénomène m'est très familier, car je me suis livré à des centaines de projections sur un laps de temps de douze années — aussi bien des projections agréables que désagréables, entièrement ou partiellement conscientes. La plus grande partie du contenu de ce livre provient de mes expériences personnelles.

« Dans la doctrine occulte, il n'est rien de mieux établi, de mieux démontré », dit William Walter Atkinson, « que l'existence du corps astral ». Cet enseignement des Anciens est corroboré par les investigations et les expériences des chercheurs « Psi » de l'époque actuelle. » Le corps astral, propre à chaque individu, est la contrepartie exacte du corps physique. Il est composé de fine matière éthérée et il est contenu habituellement dans le corps physique. Généralement, la séparation du corps astral de sa contrepartie physique ne se fait qu'au prix de grandes difficultés, mais dans le cas de rêves, de grands stress mentaux et dans certaines conditions de développement des facultés psychiques, le corps astral peut sortir et faire de longs voyages, à une vitesse à peine moins élevée que celle de la lumière. Pendant ces voyages, il est toujours rattaché au corps physique par une sorte de long lien transparent. Si ce lien venait à se briser, la personne mourrait instantanément, mais un tel accident est plus que rare. Le corps astral existe longtemps encore après la mort du corps physique, mais il se désintègre avec le temps. Parfois, il erre autour du lieu où repose le corps physique et est pris, à tort, pour « l'esprit » du défunt alors qu'il n'est en fait qu'une enveloppe, qu'un revêtement extérieur de « l'âme », plus pur que le physique. Le corps astral d'un mourant est souvent projeté, quelques instants avant la mort, dans des lieux où se trouvent des amis ou des êtres chers. Ce phénomène est produit par un désir puissant du mourant de voir et d'être vu. Le corps astral quitte souvent sa contrepartie physique (phénomène psychomatique) pour visiter des lieux éloignés et y sentir ce qui s'y passe. Il quitte également le corps durant ce qu'on appelle des « rêves psychomatiques », ou encore sous l'influence d'anesthésiques, ou bien dans quelques-unes des phases les plus profondes de l'hypnose, quand il voit des scènes et des lieux étranges et qu'il y tient des conversations mentales avec d'autres corps astraux ou même avec des entités désincarnées. Les souvenirs brouillés et déformés de ces « rêves » sont dus au cerveau qui n'a reçu que des impressions imparfaites de ce qui lui est transmis, par manque d'entraînement, de développement, etc. Le résultat est alors pareil à une plaque photographique barbouillée. »

Je suis parti du principe que le lecteur est, soit convaincu de la réalité du phénomène, soit suffisamment intéressé par l'occulte pour en accepter l'idée.

Je ne parlerai pas du spiritisme ; sauf si cela contribue à la compréhension des problèmes précis que pose la projection astrale. Il y a en effet des livres sur ce sujet, trop nombreux pour être mentionnés, et qui sont l'œuvre d'auteurs plus compétents. Dans cet ouvrage je me suis intéressé surtout à certaines particularités du corps astral qui se produisent quand nous sommes physiquement vivants (bien que le corps astral existe avant et après la mort). Mon intérêt, à moi, repose sur ce qui le concerne avant que la contrepartie physique n'en ait été séparée de façon définitive.

Nous nous disons physiquement vivants mais, en réalité, notre partie physique est morte et bien morte. C'est l'énergie, derrière le mécanisme physique, qui est la vraie partie « vivante, ». Les nerfs eux-mêmes ne sont pas vivants ; s'ils l'étaient, nous aurions enterré vivants de nombreux êtres. C'est l'énergie nerveuse qui les anime, et le corps astral est le « condensateur » de l'énergie nerveuse que vous utilisez en ce moment précis *. « Mais alors, direz-

* Voir à ce sujet *la Vie après la vie* du Dr. Moody. (N.d.T.)

vous, le corps astral vit, à l'heure actuelle ? » Bien sûr ! Parmi les personnes faisant autorité sur le sujet de la projection astrale, beaucoup ont l'impression que le corps astral est le produit d'un processus mental, ce qui est faux. Si c'était le cas, où donc la victime assassinée récupérerait-elle instantanément son corps astral ? Si c'était le cas, plus personne n'aurait de corps astral après la mort, mis à part celui qui aurait entendu parler d'un « processus de création mentale »...

Oui, vous utilisez votre corps astral en ce moment même. On pourrait dire qu'il est « débranché », de façon à s'harmoniser avec les vibrations propres aux substances matérielles. Il y a des facteurs qui le tiennent en veilleuse et d'autres qui le « branchent », et nous verrons que les forces qui tendent à rompre l'harmonie sont celles qui amèneront l'astral à sortir du physique.

Le corps astral concorde en tous points avec le physique. Les deux corps étant « de la substance », ils seront tous deux de forme identique et le « fantôme » est apparement une copie exacte du corps physique. Survivant à ce que l'on appelle la mort, le corps astral est souvent aperçu par d'autres, présents lors du décès, comme ayant l'apparence parfaite du corps physique. Après la mort le fantôme continue à garder sa forme propre, mais tôt ou tard, il se transforme en une entité bien plus purement constituée. La gamme de vibrations à laquelle notre existence terrestre est limitée ne s'étend guère à toute la création, ainsi sommes-nous inconscients des vastes réalités qui nous environnent. Lorsque le « fantôme astral » (dont vous utilisez les yeux même lorsque vous lisez ceci) est « branché » — ce qui peut être le cas — ses yeux sont capables de voir d'autres choses au-delà de l'environnement familier. Le corps astral sera capable de sortir des limites du physique. Le fait que les yeux, après la projection, soient capables de voir des êtres terrestres ou d'autres, astraux, montre que la gamme des vibrations s'est élargie.

Cela peut paraître paradoxal à qui est habitué à l'idée que l'esprit conscient est une partie du mécanisme physique. En fait, le corps matériel n'a pas d'esprit du tout, « il s'accroche à l'astral » pour parler symboliquement, au corps astral qui est le véritable « moi » par lequel fonctionne le véritable esprit conscient. Il est faux de croire que l'être astral possède un « super-mental ». L'esprit conscient, tel que vous le connaissez, est l'esprit du corps astral. Votre esprit normal, conscient, avec tout ce qu'il contient, c'est vous, le « vous-individu » maintenant, pour l'éternité, avec tout ce qu'il apprendra au fil du temps.

Il y a toutefois le subconscient, cette vaste super-intelligence, insondable, omniprésente, inhérente à chacun... Cependant, nous ne la concevons pas comme étant l'individu ainsi que nous le faisons du conscient. La plupart de ceux qui croient à l' « esprit » pensent que « s'éveiller à l'astral », c'est être illuminé par tous les pouvoirs du subconscient. Ce n'est pas le cas car le subconscient a pratiquement les mêmes relations avec le fantôme extériorisé qu'avec l'être intériorisé (physiquement vivant).

Supposez, par exemple, que votre corps physique meure en ce moment précis. Vous vous retrouveriez dans l'astral, encore inchangé, non pas devenu un être super-intelligent mais ayant conservé la même mentalité, ni plus ni moins. Il est important de bien se pénétrer de ceci ; le corps physique n'est qu'un matériau, non intelligent, du fantôme astral dont il n'est que l'enveloppe. Il est logique de supposer qu'à la naissance, le corps astral, le « moi » ait été la création d'une intelligence omnipotente, (qui est, fut et sera) alors que l'esprit conscient de ce corps était espace vide, prêt à recevoir les impressions, prêt à apprendre, à progresser. Peu importe à quelle étape de notre accomplissement nous mourrons ; notre conscience, à la fin de notre existence terrestre, sera « le total » que nous posséderons au moment de l'expiration.

MA PREMIERE PROJECTION ASTRALE CONSCIENTE

Ayant bien présent à l'esprit le fait que le corps astral est le moi réel, vivant, et que le corps physique n'est qu'une sorte d'enveloppe, nous allons maintenant nous intéresser à ce qui se passe à proprement parler lors d'une projection astrale. Avant de décrire ma toute première projection astrale, il faut que je vous dise que toutes les expériences ne sont pas semblables et que si, en observant « toutes les règles de l'art » — décrites plus loin — vous réussissez une projection astrale, ce que vous connaîtrez pourra bien ne pas correspondre à ma propre expérience (« l'art », qui plus est, vient avec la pratique).

Je n'avais à l'époque que douze ans. Je pensais peu aux problèmes sérieux de la vie et je ne me faisais guère de souci. Alors que d'autres membres de ma famille avaient poussé plus avant l'étude de l'occulte, je ne savais pratiquement rien d'une vie supérieure. J'avais entendu dire qu'il y avait une vie après la mort, assez semblable à notre vie actuelle, à cela se limitait ma connaissance du sujet qui, du reste, me préoccupait fort peu. Après la lecture de livres consacrés au spiritisme, ma mère, poussée par la curiosité et le désir de déterminer la part de fiction et de réalité, décida de se rendre au camp de l'Association spiritualiste de la Vallée du Mississipi à Clinton, dans l'Iowa. Je l'accompagnai ainsi que mon tout jeune frère; c'est là que s'est déroulée l'expérience que je vais relater.

Nous nous étions retirés assez tôt ce soir-là. Nous partagions une maison avec une douzaine de médiums bien connus. J'étais allé me coucher comme d'habitude aux environs de 22 h 30 et je dormis plusieurs heures. A la longue je réalisai que je m'éveillais lentement et il ne semblait pas que j'eusse la possibilité ni de me rendormir ni de me réveiller davantage. Dans cet état de stupeur je savais, au fond de moi-même, que j'existais quelque part, d'une façon ou d'une autre, dans le silence et l'obscurité et dans un état d'impuissance et d'insensibilité. J'étais conscient, mais très mal à l'aise, conscient d'exister, mais où ? Peu à peu, j'eus l'impression que je reposais sur un lit mais j'étais toujours désorienté quant à ma position exacte et incapable de bouger, comme si j'adhérais à ce sur quoi je reposais. « Adhérer », c'est la sensation exacte. Si l'on est conscient au début de la projection astrale, on se sent vraiment comme englué dans une position fixe.

Une caractéristique de ce phénomène est que l'on peut être conscient et cependant incapable de bouger. J'ai appelé cet état « catalepsie astrale » car il n'existe aucun mot pour le définir. Je reviendrai plus en détail sur cet état. Pour l'instant, je me contenterai de dire que la catalepsie astrale peut se produire avec ou sans fonctionnement des sens, avec ou sans conscience, car la catalepsie est un contrôle subconscient direct.

A un certain moment, la sensation d'adhérence diminua, mais pour être remplacée par une sensation tout aussi désagréable, celle de flotter. Au même moment tout mon corps rigide — je croyais qu'il s'agissait de mon corps physique mais c'était en réalité mon corps astral — se mit à vibrer à grande vitesse en un mouvement d'ascension et de descente, et je pouvais sentir une forte pression qui s'exerçait dans ma nuque (région dite : *medulla oblongata*). Cette pression était impressionnante et se manifestait par à-coups réguliers dont la puissance semblait faire vibrer tout mon corps. Tout cela, dans une obscurité totale, me fit l'effet d'un horrible cauchemar, car j'ignorais ce qui se passait. Pendant ce pandémonium de sensations étranges : flotter, vibrer, osciller... et cette pression à la tête... j'entendais des sons qui me paraissaient lointains et quelque peu familiers. Le sens de l'ouïe commençait à fonctionner. J'essayai encore de bouger, sans succès, comme si j'étais toujours dans l'étreinte de quelque mystérieuse force directive et extrêmement puissante.

Le sens de l'ouïe ne s'était pas plus tôt mis en action que la vue suivait. Etant capable de voir, je fus plus qu'étonné ! Je flottais ! Je flottais dans l'air, rigide et à l'horizontale, à quelques centimètres au-dessus de mon lit ! Au début les choses environnantes me parurent troubles, puis elles se précisèrent. Je savais parfaitement où j'étais, seulement je ne pouvais m'expliquer mon étrange comportement. Lentement, en zigzaguant et en ressentant une forte pression au bas de la tête, j'évoluais, toujours à l'horizontale, et impuissant, vers le plafond. Je crus que mon corps physique, tel que je l'avais toujours connu s'était, mystérieusement, mis à défier les lois de la gravitation ; c'était trop inhabituel pour que je comprenne mais trop réel pour que je nie car, étant conscient et capable de voir, je ne pouvais pas douter de ma raison. A près de six pieds au-dessus du lit, je fus levé de la position horizontale à la position verticale et placé debout sur le plancher de la chambre comme si ce mouvement avait été dirigé par une force invisible, présente dans l'air même. Je restai ainsi ce qui me sembla deux minutes, toujours impuissant à me mouvoir de mon propre chef et regardant droit devant moi. J'étais toujours « astralement cataleptique ».

Enfin, la « force directive » se relâcha. Je me sentis libéré, ne ressentant plus que la tension dans le bas de la tête. Je fis un pas, la pression s'accrut un bref instant et fit faire à mon corps un angle aigu ! Je fis un effort pour me retourner : il y avait deux « moi » ! Je commençai à me croire fou : il y avait un autre moi couché calmement sur le lit ! Il m'était assez difficile de me convaincre de la réalité de la chose mais mon esprit, bien conscient, ne me permettait pas de douter de ce que je voyais.

Mes deux corps semblables étaient reliés au moyen d'une sorte de câble d'apparence élastique. Une extrémité était attachée à la région *medulla oblongata* de la contrepartie astrale, alors que l'autre était centrée entre les yeux de la contrepartie physique. Ce câble, séparant l'une de l'autre s'étendait dans l'espace à peu près sur six pieds. Pendant tout le temps de mon observation, j'éprouvais des difficultés à garder mon équilibre, oscillant de tous côtés.

A la vue de ce spectacle et dans l'ignorance de l'endroit où j'étais, ma première pensée fut que j'étais mort pendant mon sommeil. Je ne savais pas alors que la mort n'advient qu'à la rupture du câble. Je me mis en route, luttant contre l'attraction du lien, vers les autres chambres où dormaient les membres de ma famille, pour les réveiller et leur apprendre quelle horrible chose m'arrivait. J'essayai d'ouvrir la porte, mais je la traversai. Un miracle de plus pour mon esprit déjà suffisamment étonné !

Passant d'une chambre à l'autre, je tentai, avec force, de réveiller les occupants endormis de la maison. Je les appelais, je les secouais, j'essayais de les remuer, mais mes mains passaient au travers d'eux comme à travers un brouillard. Je me mis à pleurer. Je voulais qu'ils me voient et ils ne pouvaient pas même sentir ma présence. Tous mes sens paraissaient normaux à l'exception du toucher. Je ne parvenais pas à avoir de contact avec les choses comme avant... Une voiture passa près de la maison, je pouvais la voir et l'entendre très clairement. Soudain, j'entendis l'horloge sonner deux heures et en la regardant, je vis qu'elle indiquait bien cette heure.

Je commençai à errer dans les différentes chambres, impatient que le matin vienne et que tout le monde se réveille et me voie. Après un quart d'heure, à ce qu'il me sembla, je ressentis un accroissement dans la résistance du câble qui me tirait avec une force de plus en plus grande. Je recommençai à zigzaguer sous l'influence de cette force et je vis que j'étais en train de retourner vers mon corps physique. J'étais à nouveau incapable de me mouvoir, « soumis », cataleptique ; je retrouvai la position horizontale, directement au-dessus de mon lit.

C'était le processus inverse de celui que j'avais vécu en me « levant » du lit. Petit à petit le fantôme faiblit, vibrant à nouveau, puis il tomba brusquement en « coïncidant » avec sa partie physique. A ce moment chaque muscle de mon corps physique fut secoué et une douleur pénétrante me traversa, comme si l'on m'avait « déchiré » de la tête aux pieds ! J'étais à nouveau physiquement vivant et aussi ébahi qu'effrayé. J'étais resté conscient pendant toute la durée du phénomène.

Depuis l'aventure que je viens de raconter, j'ai expérimenté des centaines de projections avec d'innombrables variations dans les sensations, mais avec un mouvement corporel qui suivait toujours la « route » que j'ai décrite. Bien que la répétition entraîne naturellement une plus grande perfection, ceci constitue peut-être l'une des plus inhabituelles premières projections enregistrées pour ce qui est du degré de conscience éclipsant par sa clarté bien des efforts de médiums chevronnés.

Bien que je pense posséder une sorte de don naturel pour projeter l'être interne de mon corps, je crois également que le caractère extraordinaire de cette première expérience était dû à la présence de plusieurs médiums fameux, endormis dans les chambres voisines. C'est un fait que comprennent la plupart de ceux qui étudient l'occulte : une « ligne de force » peut être établie entre des personnes au bénéfice d'une autre. J'aurai l'occasion d'en parler plus loin. C'est à dessein que j'ai omis certains détails en décrivant cette première projection, ils seront examinés lorsque nous serons plus avancés dans cette étude.

La première attaque du sceptique ou même du chercheur honnête contre celui qui se projette consciemment, est que celui-ci peut fort bien ne pas quitter du tout son corps physique et que ce qu'il croit avoir vécu est seulement un rêve qui s'est imprimé, de façon indélébile, dans sa mémoire. Il n'y a qu'une réponse à cette supposition. Si une personne ne sait pas quand elle est consciente, alors peut-être conviendrait-il qu'elle se soumette à certains examens médicaux ?...

Le sceptique dira encore : « Dans vos rêves vous ne savez pas que vous n'êtes pas entièrement conscient. » C'est un raisonnement à l'envers ! En rêvant, un homme peut ne pas savoir qu'il est inconscient mais quand il est conscient, il sait pertinemment bien qu'il ne rêve pas. Pourquoi ? Simplement parce que nous avons, lorsque nous sommes conscients, une perception distincte à la fois du présent et du passé. Aussi on ne peut imaginer que la projection astrale consciente ne soit que la réminiscence d'un rêve.

Avec ce qui précède nous avons une image assez nette maintenant de ce qu'est une projection du corps astral, à laquelle la conscience a participé du début à la fin. Ceci, toutefois, n'est pas toujours le cas ; ce qui s'est passé serait plutôt l'exception que la règle. La conscience, en fait, peut intervenir n'importe où et à n'importe quelle phase du processus. Elle peut être entrecoupée de moments d'inconscience, tout comme elle peut ne jamais se manifester.

En règle générale, si la conscience intervient, c'est au moment où le corps astral s'est déjà dégagé et se promène totalement inconscient, avant le réveil. C'est le moment où l'intervention de la conscience se produit le plus fréquemment. C'est également le moment le plus souhaitable pour son intervention car les phases préliminaires et désagréables décrites plus haut sont alors éliminées de la conscience du sujet.

Ces phases — la catalepsie contrôlée subconsciemment, le fait de zigzaguer, celui de flotter — ne sont pas agréables à expérimenter consciemment (bien que l'on finisse par s'y habituer). Pourtant ces activités préliminaires se déroulent toujours quand le sujet est inconscient (pourvu bien sûr, que l'extériorisation se produise avec le corps physique placé dans une position couchée ou horizontale).

CHAPITRE II

LA CATALEPSIE ASTRALE

Il a déjà été fait mention de la catalepsie astrale, toutefois comme cet état est la source de divers phénomènes attribués généralement à d'autres causes, il serait bon de mieux le comprendre.

Nous avons tous entendu parler de catalepsie. Webster la définit comme étant une « brusque suspension de la sensation et de la volonté accompagnée de rigidité musculaire ». C'est effectivement ce qui se passe lorsque le corps astral coïncide avec le physique. Cependant, la catalepsie constitue un contrôle subconscient du corps astral et peut s'exercer indépendamment de l'organisme physique (comme dans l'expérience décrite). « Sous catalepsie », le corps astral est placé dans une position rigide, un peu comme l'est le corps physique pendant la rigidité cataleptique.

Quand une personne est physiquement cataleptique, elle l'est aussi astralement... On a pu voir de ces démonstrations d'hypnotisme, où un sujet sous rigidité cataleptique est « suspendu » horizontalement par les chevilles et la tête pendant que de lourdes pierres déposées sur son ventre y sont cassées par un marteau de forgeron !... C'est la catalepsie du corps astral qui produit la catalepsie physique.

Une fois le fantôme extériorisé, impuissant et cataleptique, le subconscient peut le manœuvrer à sa guise. C'est un exemple de la sagesse de la super-intelligence... Nous savons tous combien il est difficile d'amener un corps vivant et conscient en position debout, alors que cela devient un jeu d'enfant si le corps est sans résistance et rigide. Il semble que le subconscient utilise cette particularité. Même si le corps astral est sous contrôle cataleptique, l'esprit conscient peut fonctionner en tout ou en partie, mais habituellement il attend que « le charme » soit levé.

La catalepsie astrale s'exerce depuis le début de l'extériorisation jusqu'au moment où le fantôme est dans une position verticale. Il n'est pas rare que le fantôme demeure encore dans cette position un bon moment avant d'être « libéré » ; certains projecteurs ne dépassant jamais cette phase, ne sont jamais libérés et s'intériorisent à nouveau sans sortir de leur état cataleptique.

Dans ce cas-là, le corps restera toujours instable, il oscillera de gauche à droite et d'avant en arrière ; c'est une projection incomplète car une projection ne peut être considérée comme complète que si le fantôme s'est libéré de la catalepsie. Dans le mouvement d'intériorisation d'une projection complète, la catalepsie se reproduit au moment où le corps est prêt à transiter de la position verticale à l'horizontale.

TYPES DE PROJECTIONS

Il y a trois types de projections : conscientes, partiellement conscientes, inconscientes. La projection inconsciente connaît deux formes distinctes : la première immobile, la deuxième somnambulique. La projection astrale immobile et inconsciente est simplement la catalepsie astrale inconsciente dans la position debout (il arrive fréquemment, nous l'avons vu, que le projecteur reste un temps dans cette position).

Dans le type conscient également, il y a les formes immobile et mobile ; de fait, la forme immobile apparaît toujours pour commencer et peut, éventuellement, se transformer ensuite en forme mobile.

SOMNAMBULISME ASTRAL

Tout comme il existe un somnambulisme du corps physique, il existe un « somnambulisme astral ». C'est un état de projection inconsciente plus avancé que l'état inconscient immobile car le fantôme est libéré de la catalepsie bien qu'il demeure toutefois inconscient. Cet état est bien plus courant qu'on ne le croit généralement. Durant leur sommeil, beaucoup de médiums voyagent dans leur corps astral, mais ne le réalisent jamais parce qu'ils restent inconscients. J'ai mentionné que lorsque la conscience intervient, cela se produit la plupart du temps pendant que le sujet est soit debout en catalepsie, soit pendant qu'il marche en état somnambulique. C'est ce que j'ai expérimenté moi-même le plus souvent : prendre conscience et me trouver « en état de somnambulisme astral ». Dans le somnambulisme astral comme dans le somnambulisme physique, l'esprit subconscient contrôle le corps en mouvement.

INTERRUPTIONS CONSCIENTES DURANT LE SOMNAMBULISME ASTRAL

Pendant le somnambulisme astral, l'esprit conscient mais passif peut devenir actif à plusieurs reprises très brèves, de même qu'il peut être partiellement conscient pendant un temps plus ou moins court. Pendant les « flashes de conscience » intermittents, des scènes confuses, des sons, etc., sont enregistrés au hasard et au lever du jour, le sujet peut n'en garder qu'un fatras de souvenirs fantomatiques. Il y a d'innombrables variantes de « somnambulisme intermittent ». Un fonctionnement parfait ou imparfait des sens, mêlé à d'innombrables degrés de conscience, produira logiquement des perturbations lors de l' « enregistrement » par la mémoire. Il est clair que plus les sens et l'état de conscience seront normaux, plus les souvenirs seront proches de la réalité.

Il vous est peut-être déjà arrivé, en visitant un endroit inconnu, d'avoir la sensation de vous y être déjà trouvé auparavant *, alors que vous savez pertinemment n'y être jamais venu. Il est toutefois possible que vous vous y soyiez rendu pendant ce « somnambulisme astral intermittent ». L'esprit subconscient, contemplatif et visionnaire projette parfois le corps astral dans des endroits que le sujet visitera physiquement plus tard. Mais bien plus souvent, le phénomène cité ici est le produit d'une vision clairvoyante plus que d'une projection astrale.

Les interruptions conscientes durant la projection astrale ne sont absolument pas limitées à l'état somnambulique ; elles peuvent, en effet, se produire pendant l'état immobile également. On comprend facilement que si le corps est « somnambule » pendant que se produisent des flashes de conscience, il passera à travers un environnement changeant, ce qui aura pour effet d'embrouiller la mémoire, tandis que si le corps est immobile, l'enregistrement sera plus simple et plus précis. Tout ce que nous appelons « rêves » n'est pas forcément provoqué par des interruptions conscientes, bien que certains puissent l'être ; je préciserai plus loin la relation que l'on peut découvrir entre la projection astrale et le rêve.

PROJECTION A LONGUE DISTANCE VERS DES LIEUX ELOIGNES

Une autre forme distincte du phénomène étudié est la « projection à longue distance ». Le corps astral se sépare de sa contrepartie physique et voyage vers quelque endroit éloigné pendant un état d'inconscience ; arrivé dans cet endroit, il peut cependant devenir conscient, ne fût-ce qu'un bref instant. Habituellement, un médium donne des instructions à son subconscient pendant qu'il

* Le sentiment du « déjà vu ». (N.d.T.)

est éveillé, afin de l'envoyer en un endroit où il souhaite observer les scènes et les événements qui s'y produisent. Intervient alors « la transe ». A son réveil, le médium aura conscience de s'être trouvé dans le lieu désiré mais il gardera rarement le souvenir de son voyage. Dans ce cas-là, la distance réellement couverte n'est pas enregistrée parce que le « vol » est, semble-t-il, réalisé à la vitesse de la lumière hors de la conscience. Manifestement, ni la distance réelle ni ce qui se trouve sur le trajet, n'est enregistré par la conscience du projecteur. Il existe des rapports à propos de « projecteurs à longue distance » qui auraient été vus dans leur corps astral par d'autres personnes ayant des dispositions médiumniques.

William-T. Stead, dont l'avis fait autorité, a parlé d'une femme de son entourage qui était spécialement douée pour se projeter au loin et s'y matérialiser. Elle devint une source de souci et même d'angoisse pour ses amis, car elle leur faisait d'inattendues visites... Effrayés, ils croyaient qu'elle était morte et qu'il s'agissait de son fantôme. Toutefois cela devint si fréquent que les amis finirent pas s'y habituer et par considérer ce fait avec curiosité et beaucoup d'intérêt.

Nombre de ces pseudo-projections à longue distance n'en sont probablement pas de réelles, mais plutôt des créations du subconscient du médium — car le subconscient seul peut visionner une scène lointaine comme le corps astral la verrait s'il y était. En parlant de vision à longue distance, un auteur disait : « La vue d'une scène éloignée obtenue de cette façon n'est guère différente de celle obtenue à travers un télescope. Les personnages apparaissent généralement très petits, comme des personnages sur une scène de théâtre mais, en dépit de leur petite taille, ils sont aussi nets que s'ils étaient proches. Il est parfois possible d'entendre ce qui est dit aussi bien que de voir ce qui se passe mais, vu la rareté de la chose, il nous faut considérer qu'il s'agit plus de la manifestation d'un pouvoir supplémentaire que d'un corollaire inhérent à cette faculté de voyance.

On observera que dans les cas de ce genre, le médium ne quitte pas véritablement son corps physique ; il réalise et utilise simplement une sorte de « télescope psychique ». Il garde par conséquent l'usage de ses facultés physiques pendant qu'il observe la scène éloignée ; c'est ainsi par exemple que sa voix décrit généralement ce qu'il voit *.

LES TROIS VITESSES DE DEPLACEMENT DU FANTOME

Le fantôme peut voyager selon trois vitesses différentes :

— la vitesse naturelle ou normale : elle est utilisée par le sujet lorsqu'il est conscient et libre de se mouvoir dans son environnement immédiat ou lorsqu'il est dans un état de somnambulisme astral. Il marche, tout simplement ;

— la vitesse intermédiaire : le sujet évolue sans effort, plus rapidement que normalement mais pas assez pour provoquer une perte de perception. Lorsque cela se produit, il n'a pas l'impression de se mouvoir lui-même, mais plutôt que les choses viennent à lui, le traversent, le dépassent de la même façon que les champs et les clôtures paraissent « filer à contre-courant » quand on est dans le train. Le fantôme ne semble pas passer à travers la porte, c'est la porte qui semble passer à travers le fantôme. Quand il se déplace à cette vitesse intermédiaire, le corps astral émet des rayons de lumière et des scintillements qui s'étendent derrière lui sur une longueur d'environ deux pieds. Ces scintillements apparaissent phosphorescents — la « couleur » du corps astral — ainsi celui-ci laisse derrière lui une traînée comme une étoile filante. Cette vitesse intermédiaire permet au sujet de couvrir rapidement des distances considérables sans perte de conscience ;

— la vitesse supranormale, vitesse qui dépasse l'entendement : elle se produit toujours alors que le sujet est inconscient et que le fantôme se déplace sur de grandes distances. Il serait totalement impossible de se déplacer dans l'espace à une telle vitesse tout en

* Il ne peut s'agir d'une projection, puisqu'il n'y a pas catalepsie (N.d.T.).

le réalisant, car l'esprit conscient pense trop lentement et avant qu'il ne puisse formuler la moindre évaluation, l'objectif est déjà atteint.

Ce que je viens de dire à propos des vitesses de déplacement est vrai également pour les êtres astraux séparés de façon permanente de leur corps physique (les morts). Bien que certains prétendent que le corps astral effectue tous ses déplacements à la vitesse supranormale, je maintiens, quant à moi, que le corps astral choisit celle des trois vitesses qui se trouve la plus appropriée aux circonstances.

LA MALADIE, UN STIMULANT A LA PROJECTION

Il ne faudrait pas croire que la projection astrale se produit uniquement pendant le sommeil naturel. Elle peut se produire dans pratiquement tous les états d'inconscience du sujet. En période de maladie, spécialement de maladie grave ayant un effet sédatif, la projection astrale peut se produire et se produit même souvent.

Il est un fait que plus le corps physique est faible et apathique, plus facilement le corps astral s'en détachera, car dans ces moments-là, la résistance matérielle aux actions internes qui favorisent la séparation, est amoindrie. Il n'y a pas de doute qu'à l'agonie, nombreux sont ceux dont le corps astral s'est déjà élevé avant le dernier souffle du corps physique, quoiqu'ils puissent ne pas en avoir conscience.

J'ai la ferme conviction que l'affaiblissement physique est un stimulant pour la plupart des états médiumniques. Ce « facteur maladie » joue également un rôle en cas de projection astrale et je sais que cela va à l'encontre de l'avis de nombreuses autorités en la matière. Selon l'opinion courante, il semble qu'une « coordination matérielle parfaite », en d'autres mots la santé, soit essentielle à la production du phénomène de la projection astrale, mais j'espère arriver à ébranler cette conviction en relatant des expériences et en donnant des raisons spécifiques de croire que le contraire est vrai ! S'il s'avère que j'ai tort, c'est que je suis alors une exception à la règle, puisque c'est sur ma propre expérience que je me suis basé. L'extériorisation peut également être produite par l'hypnotisme et le mesmérisme *.

EXTERIORISATION ASTRALE INSTANTANEE

Un coup violent, en particulier sur la tête, ou n'importe quel choc grave provoquant la perte de conscience, est une cause courante de projection astrale ; demandez à un ami ou de préférence à un ennemi, de vous frapper violemment sur la tête avec une batte de base-ball ! Bien que cela constitue sans doute la méthode la plus simple, vous risquez de ne pas être conscient pendant l'extériorisation, aussi il serait préférable de suivre les formules que je décrirai plus loin.

Pour parler sérieusement, il est toutefois exact qu'un coup ou une secousse violente causeront souvent une séparation rapide et éphémère, que la victime en soit consciente ou non.

UNE EXPERIENCE DE PROJECTION CONSCIENTE EPHEMERE

Un voisin, septuagénaire, me raconta un événement qui est un cas type de projection astrale éphémère et instantanée consciente. Un jour d'hiver, il avait attelé ses chevaux pour aller à la campagne rechercher une provision de bois pour le feu. Au retour, il s'était assis au sommet du chargement. Une neige légère tombait. Soudain un chasseur qui se trouvait non loin de la route, tira un lapin. Les chevaux ruèrent, renversant le chargement et projetant le conducteur sur le sol la tête la première. A peine

* Guérison par le magnétisme animal : doctrine de l'Allemand Mesmer (N.d.T.).

avait-il touché le sol, me dit-il, qu'il eut conscience de se relever et d'apercevoir un « autre lui » couché près de la route, inconscient, le visage dans la neige. Il voyait la neige tomber, la buée que faisait la respiration des chevaux, ainsi que le chasseur qui se précipitait vers lui. Tout cela était parfaitement exact mais sa grande stupeur était qu'il y avait « deux lui », car il croyait qu'il observait toute la scène à partir d'un autre corps physique. Lorsque le chasseur s'approcha du corps étendu, les choses semblèrent se brouiller. Sa sensation suivante fut de se trouver sur le sol tandis que le chasseur essayait de le ranimer. Ce qu'il avait perçu de son corps astral, était à ce point réel pour lui qu'il ne parvenait pas à croire qu'il n'y avait pas eu deux corps physiques et qu'il chercha des traces dans la neige, à l'endroit où il savait qu'il était tombé.

LA PROJECTION INSTANTANEE N'EST PAS RARE

Une telle manifestation ne montre pas seulement combien l'individu séparé du corps physique reste le même (sauf en ce qui concerne la substance et la composition), mais également que le corps astral est une partie constituante — le « moi » même — de l'existence terrestre et qu'il est bien le siège de l'esprit conscient et non pas une création de cet esprit conscient. Nombreux sont ceux qui ont subi de telles expériences mais qui, ignorants de ce qui se passait, les ont rejetées comme originalités particulières et inexplicables de l'être humain physique.

La durée d'une pareille projection instantanée dépend de la gravité du choc qui l'a provoquée. Plus le choc ou le coup est violent, plus la période d'inconscience sera longue et plus longue aussi l'extériorisation qui pourra être vécue. Un bref coma ne permet qu'une projection éphémère et souvent la durée de l'extériorisation n'est que d'une fraction de seconde. En réalité, l'extériorisation et l'intériorisation du corps astral peuvent se passer à une telle vitesse que le sujet ne réalise même pas qu'il est « sorti » de son corps physique ; s'étant seulement senti étourdi un instant, il peut croire que son corps physique a avancé d'un pas pendant cet instant. Il est probable que chacun a pu, à un moment ou l'autre de sa vie, subir un choc qui lui a « fait voir des étoiles ». La lueur aperçue est une aura et reste visible pendant un moment alors que les deux corps sont séparés. C'est cette même lueur, plus intense, qui peut être observée plus longuement lorsque la projection est consciente, c'est-à-dire au début d'une séparation prolongée des deux corps.

Le fantôme astral est à ce point notre propre moi que nous ne réalisons pas à quel point nous lui sommes liés ni que nous l'utilisons en ce moment même. C'est notre vie même, ce corps astral, et lorsqu'il est séparé de façon permanente du corps physique, ce dernier ne compte plus. J'aimerais pouvoir vous convaincre que ce corps fantomatique n'est pas une entité nouvelle à acquérir dans le futur. C'est *vous*, à l'instant même, vous conscient et animé.

Sans le corps astral, ce qui constitue votre « anatomie » ne serait qu'une masse grossière de matière insensible, inerte, soumise aux lois de la gravité. Le fantôme fait siennes les habitudes qu'il a acquises en coïncidant ou en se fondant avec le physique et se soumet aux lois qui s'appliquent à ce dernier.

Lorsque quelque chose d'inhabituel ou d'anormal se produit, perturbant l'harmonie du corps physique, un choc, un « effet de surprise », une habitude transgressée, un désir intense non satisfait, une maladie — en fait tout ce qui provoque un manque de coordination matérielle parfaite —, il y a toujours choc en retour dans le corps astral.

UNE COLLISION PEUT CAUSER UNE EXTERIORISATION ASTRALE

Même une secousse ou un petit choc physique inattendu peut projeter le fantôme.

Nombreux sont ceux qui s'émerveillent à l'idée qu'une « séparation astrale » puisse se produire, et pourtant j'oserai dire que pratiquement tout le monde a déjà subi cela d'une façon ou d'une autre, qu'il le sache ou non. Les formes complexes de projection astrale ne sont que des prolongements des formes simples.

Voici deux axiomes applicables au type simple de projection astrale :

1. une force soudaine exercée contre le corps — un choc — alors qu'il se déplace dans une direction donnée n'arrêtera pas instantanément le corps astral et ce dernier continuera pendant un moment à se déplacer dans la même direction, sortant momentanément de sa « coïncidence » d'avec le corps physique ;
2. lorsqu'un corps matériel se déplaçant dans une direction donnée entre, de façon inattendue, en collision avec le corps inerte, il amènera le corps physique à se déplacer quelque peu hors de sa coïncidence d'avec l'astral, dans la direction donnée par le corps responsable de la collision. (L'astral réintégrera le physique un moment plus tard.) Il importe de se rappeler qu'il ne s'agit que d'une séparation de courte durée et à courte distance, et qu'elle se produit à la vitesse de la lumière, trop rapidement pour que le sujet perde conscience, bien qu'il puisse « se demander ce qui lui arrive ».

On peut ressentir à ce moment comme l'impression de s'élever dans les airs ou bien d'avoir « le souffle coupé ». De toute façon, la collision doit être inattendue, soudaine, et suffisamment forte pour interrompre la vitesse normale du corps en mouvement.

Quand la voiture s'arrête brusquement, projetant ses occupants de façon brutale et imprévue vers l'avant, c'est la brève discordance des deux corps (astral et physique) qui provoque la sensation de « souffle coupé ». Si cela peut paraître trop « banal » pour être vrai c'est, encore une fois, parce que notre être astral fait entièrement et intimement partie de nous.

UNE PROJECTION CAUSEE PAR UN FAUX-PAS

Voici un exemple de la façon dont une secousse inattendue projettera le fantôme hors de concordance des corps.

Une nuit, il y a quelques années, je descendais l'escalier de la maison. Je n'étais pas bien réveillé. Il y avait quinze marches et je les avais montées et descendues des centaines de fois, ayant passé toute ma vie dans cette maison. Mais cette fois, comme j'atteignais la dernière marche, je cherchai à en descendre une de plus (nous avons tous connu cela) et la vitesse du choc ressenti me secoua fortement. Une sensation de « souffle coupé » me frappa et bien avant que le physique n'ait touché le sol, je me trouvai astralement projeté, dans un état de parfaite conscience. Je ne veux pas dire que je « pensais » être conscient, je veux dire que je l'étais bel et bien. Je vis — en même temps que je le sentais — le corps physique tomber alors que je me trouvais à quelques pieds de lui. Laissez-moi analyser ceci et voir ce qui a pu se passer en réalité car ce faisant, nous découvrirons la loi fondamentale de la projection astrale.

LA LOI FONDAMENTALE DE LA PROJECTION ASTRALE

Il importe de comprendre que ce n'est pas l'esprit conscient qui provoque la projection mais bien la volonté subconsciente. Nous pouvons marcher par un effort conscient mais habituellement, nous marchons inconsciemment, par la volonté subconsciente. C'est lorsque le corps est sous motivation subconsciente et qu'un obstacle inattendu arrête le physique, que le corps astral continue son mouvement pendant un instant dans la direction donnée.

Si j'avais agi consciemment en descendant l'escalier, le faux-pas aurait été évité. Mais comme la descente était inconsciente, sous le contrôle de la volonté subconsciente et que c'est un obstacle, le sol, qui a interrompu le physique, la volonté subconsciente étant toujours décidée à descendre, le corps astral s'est séparé de l'autre. Le même principe s'applique à la séparation par une force mobile entrant en collision avec un corps inerte. Le corps inerte est sous le pouvoir de la volonté subconsciente. Lorsque la force de collision rencontre le physique, la volonté subconsciente est décidée à rester dans la position donnée jusqu'à ce que l'esprit conscient entre en action. Donc, le fantôme reste immobile alors que le corps matériel est projeté hors de leur état de concordance.

L'analyse de la cause de la séparation instantanée fait clairement apparaître les conclusions suivantes :

1. le corps (les deux corps coïncidant) peut se mouvoir inconsciemment ;
2. le corps peut se mouvoir inconsciemment alors que l'esprit conscient fonctionne ;
3. le corps peut se mouvoir inconsciemment alors que l'esprit conscient ne fonctionne pas (somnambulisme) ;
4. lorsque le corps se déplace inconsciemment, c'est la volonté subconsciente qui est responsable du mouvement.

Ce qui nous amène à la règle fondamentale de la projection astrale !

SI LA VOLONTÉ SUBCONSCIENTE VEUT FAIRE BOUGER LE CORPS (CORPS COÏNCIDANT) ET QUE LA CONTREPARTIE PHYSIQUE EN EST INCAPABLE, LE CORPS ASTRAL SORTIRA DU PHYSIQUE.

LES PROJECTIONS INTENTIONNELLES ET NON INTENTIONNELLES RESULTENT TOUTES DEUX DES MEMES CAUSES

La loi fondamentale de la projection astrale étant posée, une question vient aussitôt : « comment peut-on inciter volontairement la volonté subconsciente à se déplacer, alors que le physique en est incapable ou se trouve extrêmement passif ? » « — Ce ne doit pas être chose aisée ! », direz-vous. Il est vrai que ce n'est pas là un phénomène qui peut être suscité par un simple effet de la pensée ou qui peut résulter d'un essai mou et sans conviction, mais il y a des méthodes pour y arriver. Si nous arrivions à cerner les causes qui provoquent la projection involontaire du corps astral, et ensuite à les utiliser intentionnellement, y aurait-il alors une raison empêchant de réaliser le phénomène à volonté ? Toutes mes premières extériorisations ont été accidentelles, involontaires. Au début, je croyais que d'une certaine façon, je possédais quelques pouvoirs anormaux dont d'autres étaient dépourvus. Mais en me livrant à une étude approfondie de ces manifestations chaque fois qu'elles se produisaient, et en prenant soigneusement note de toutes les particularités rencontrées, j'ai finalement réussi à déterminer les causes qui produisent ce pseudo-miracle. A provoquer ces causes en gardant à l'esprit la projection astrale, je réussis à en produire le phénomène à volonté, bien avant d'avoir lu le moindre mot à ce sujet.

J'examinerai les causes en question plus tard car je tiens d'abord à donner des informations plus générales.

On peut toutefois préciser d'ores et déjà que le « désir refoulé » est de loin, le facteur le plus important favorisant la projection astrale non intentionnelle.

Nous avons pu voir à quel point la volonté subconsciente est pleine de détermination une fois qu'elle est stimulée. Lorsque vous commencez à marcher, vous pourriez marcher, et encore marcher, si votre esprit conscient ne vous arrêtait. Lorsque vous êtes immobile, vous resteriez immobile encore et encore, si votre esprit conscient ne vous poussait à bouger.

Voyons maintenant comment un désir refoulé peut amener la volonté subconsciente à faire bouger le corps. Etant conscient, vous désirez quelque chose mais vous n'apaisez pas ce désir. Vous voudriez le satisfaire mais un obstacle vous en empêche. Vous êtes dévoré par ce désir, ce qui provoque une tension de la volonté subconsciente. Le « stress » se développe au point que vous vous trouvez en situation de conflit interne. Vous pouvez presque sentir le subconscient qui cherche à faire ce que vous désirez. Il le ferait instantanément si seulement il pouvait prendre le pas sur votre esprit conscient. A ce moment précis, la volonté subconsciente est tendue au maximum pour se mettre en mouvement à la seconde où vous n'essayerez plus de lui faire obstacle. Pendant votre sommeil, l'esprit conscient ne peut plus opposer de refus à la volonté subconsciente et celle-ci cherchera à projeter le corps vers le lieu désiré. Si le sujet endormi en est « incapable physiquement », c'est le corps astral qui sera projeté.

SIGNIFICATION DE L' « INCAPACITE PHYSIQUE »

Ce que j'entends par « incapacité physique » ? Simplement que le corps physique n'est pas en condition suffisamment active pour répondre à la volonté subconsciente lorsqu'elle se manifeste. Pendant le sommeil, le cœur bat plus lentement et le mécanisme vital tout entier travaille au ralenti. C'est le cas aussi lorsque le sujet est malade ; ce qui démontre de façon plus convaincante peut-être que « plus le sujet est faible, plus la séparation des corps peut se produire aisément », pourvu que la maladie soit du type sédatif.

Dans *The Psychology of Dream*, le Dr. Walsh écrit : « Une fois le sommeil commencé, certains changements se produisent dans la structure physique. Les rythmes cardiaque et respiratoire se ralentissent, diminuent en puissance. Il y a une chute de la pression sanguine, un réchauffement de la peau, une production accrue de transpiration. L'estomac, les intestins, les reins, le foie et d'autres organes fonctionnent au ralenti. Du fait que le travail demandé par les structures physiques est moindre, elles peuvent se reposer, et puisque la récupération est supérieure à la dépense, avoir suffisamment récupéré après un moment de sommeil. »

Ainsi on entend par « incapacité physique » un état de passivité inhabituel, que le sujet soit cloué au lit par la maladie ou profondément endormi, un état tel qu'il ne pourra devenir actif immédiatement quand la volonté subconsciente sera prise du désir de le mettre en mouvement.

Voyez le somnambule. Pendant son sommeil, la volonté subconsciente est prise du désir de déplacer le corps. Le dormeur se lève du lit et se met à marcher « en concordance » parce que son corps physique n'est pas suffisamment amorphe pour être en retard quand la volonté subconsciente commence le mouvement, alors que s'il était « inhabituellement passif », le corps astral serait sorti du physique et se serait trouvé en état de « somnambulisme astral ».

OU SE TROUVE L'ESPRIT CONSCIENT ? ET DE QUOI EST-IL FAIT ?

De quoi se compose l'esprit conscient ? Où « existe-t-il ? » Où donc est l'esprit conscient... quand il n'est pas conscient ? Voilà des points non résolus, même par les philosophes les plus avisés du monde de l'occulte ! Ils demeureront sans doute un matériel de spéculation. Nous ne connaissons pas la nature, la localisation ou les limites de l'esprit conscient, pourtant nous savons que nous l'utilisons et qu'apparemment à certains moments, il devient inconscient. Cependant où est-il pendant l'inconscience ? C'est la grande question. Il semble presque aussi ridicule que l'esprit conscient puisse « s'évaporer » intantanément quand vient le coma, que de croire qu'il existe durant ce coma sans que nous en soyons conscients.

Maintenant, s'il était possible que l'esprit conscient se dissolve entièrement pendant le temps du coma, comment pourrait-il se reformer après ce temps, « ne venant de rien » ? D'autre part, s'il est toujours en vie durant la « période d'oubli », comment pouvons-nous expliquer que nous ne soyons pas conscients là où cette conscience existe ? Mais où existe-t-elle ?

Se pencher sur ces problèmes, ne fût-ce qu'un instant, devrait convaincre le plus égotiste qu'il ne se connaît pas très bien. Que l'esprit existe est une évidence ; mais ce qu'il devient pendant le coma, reste un mystère.

Certains soutiennent que ce sont les sens qui abandonnent le corps physique et non l'esprit conscient, et que sans le fonctionnement des sens, il n'y aurait pas de conscience. Mais est-ce que la nature des sens peut être mieux définie que l'esprit conscient ? Que sont les sens et comment fonctionnent-ils exactement ? Qu'est-ce qui fait la sensibilité ? Où est la sensibilité durant l'inconscience ?

D'autres sont d'avis que lorsque le coma se produit, l'esprit conscient s'extériorise dans le corps astral — ce qui expliquerait que l'on soit inconscient. Comment se fait-il alors, que le sujet ne soit pas toujours conscient d'être

« extériorisé dans le corps astral » ? Où se trouve l'esprit conscient du somnambule ?

Le mieux est de comparer l'esprit conscient pendant le sommeil, à un prisonnier solidement enchaîné dans un cachot, incapable d'en sortir tant que la porte n'est pas ouverte. Si nous pouvions déterminer seulement ce qui ouvre et ferme la porte de la conscience, alors nous pourrions également déterminer pourquoi certaines projections astrales se font consciemment et d'autres pas. De plus, nous pourrions découvrir le moyen par lequel le fantôme projeté pourrait toujours être conscient au lieu de connaître la confusion et l'imprécision des expériences actuelles.

ETAT HYPNAGOGIQUE, NEVROSE ET SOMMEIL

Lorsque la conscience est présente dès le tout début d'une extériorisation, le corps éthéré commence sa sortie pendant l'état hypnagogique qui constitue la frontière entre conscient et inconscient. Parlant de l'état hypnagogique, le Dr. Walsh écrit : « Avant de nous endormir, il nous faut passer par un état — non perçu — de semi-éveil/semi-sommeil, appelé " l'état hypnagogique ". Nous devons également passer par une phase semblable lorsque nous nous réveillons. Habituellement, l'état hypnagogique ne dure que quelques secondes, mais il peut se prolonger jusqu'à près de quinze minutes. Il arrive fréquemment que ce laps de temps soit plus long dans la phase d'éveil que dans la phase menant au sommeil. »

A l'approche du sommeil, on peut éprouver une sensation de chute. Cette sensation est provoquée par le relâchement général du système musculaire qui se produit à ce moment. Diverses perturbations peuvent être enregistrées. La conscience peut entièrement s'éveiller alors que les centres moteurs le font plus lentement, ceci provoquera une paralysie temporaire des membres et de la

---

1. Pour une étude détaillée du phénomène hypnagogique, lire l'article de F.-E. Leaning *Proceedings, S.P.R.*, vol. XXXV, pp. 281-411, et la bibliographie qui y est incluse. (H.C.).

parole. Cette forme de paralysie, appelée « paralysie nocturne » par certains auteurs — je prétends, moi, qu'il s'agit de catalepsie astrale — peut se produire après un réveil normal.

En règle générale, cette paralysie ne dure qu'un court moment ; si elle devait se prolonger, cela provoquerait une grande agitation mentale. Les causes peuvent en être la fatigue, la nervosité, un mauvais état général.

Tout ceci ne fait que renforcer ma conviction de ce que le manque de coordination matérielle est un facteur favorable dans la réalisation d'une projection astrale. Durant la catalepsie, le corps éthéré est enclin à sortir légèrement du physique. Pourquoi la fatigue, la nervosité, un mauvais état de santé provoquent-ils cette prétendue paralysie ? Parce qu'il y a une déficience de l'énergie nerveuse concentrée dans les corps. En fait, on pourrait définir la nervosité comme l'incapacité à maintenir l'énergie dans les limites du physique. L'énergie est cosmique, omniprésente ; elle peut s'écouler dedans comme au-dehors de la contrepartie éthérée, qui est un véritable condensateur de cette énergie. J'ai remarqué que lorsque le corps éthéré sort légèrement de la concordance, il devient comme un aimant pour l'énergie universelle, bien davantage que lorsqu'il est en parfaite concordance avec le corps physique. Donc, dans le cas d'un mauvais état général, la paralysie constatée n'est qu'une catalepsie astrale — c'est, nous l'avons vu, le premier état de l'extériorisation — provoquée par le subconscient ayant envie de séparer les corps, de façon à ce que le « condensateur éthéré » puisse se recharger plus librement. Cela se produit pour des millions de personnes chaque nuit ; cependant, ce n'est que lorsque la conscience fonctionne encore, qu'elles ressentent la paralysie, la catalepsie. Ce qui est aperçu et considéré comme l'aura planant au-dessus des dormeurs, par certains médiums est en réalité le corps astral en décalage de quelques centimètres. Généralement, chez les personnes normales, la perte de conscience se produit avant le début de ce phénomène.

Il est facile de comprendre que si l'on veut rester conscient pendant une projection complète, l'état hypnagogique est le moment idéal pour « commencer sa sortie ». La catalepsie consciente se produira plus facilement en passant de l'état de sommeil à celui de veille que dans le sens inverse. L'expérience et le bon sens démontreront de façon convaincante que si la conscience fonctionne trop après que le subconscient a effectué une légère séparation en sombrant dans le sommeil, le fantôme sera plus facilement « rappelé » que s'il était dans la même situation mais inversée, c'est-à-dire passant du sommeil à l'état de veille.

Quand on se réveille et que l'on se trouve impuissant et cataleptique, la première réaction est généralement l'inquiétude. On aimerait recouvrer son activité physique et un combat interne se livre alors pour « retrouver la liberté » ! Ceci n'est rien moins qu'une suggestion consciente à la volonté subconsciente, et cette volonté répondra bientôt. Si le sujet pouvait supprimer cette agitation et rester émotionnellement calme, la suggestion de devenir physiquement actif ne serait pas donnée au contrôle subconscient. Ainsi le sujet penserait-il à s'élever de plus en plus vers le plafond et arrivé là, à flotter dans l'air, la volonté subconsciente poursuivrait le processus d'extériorisation et une projection entièrement consciente et complète en résulterait.

Dans un moment pareil, le corps physique est neutralisé. La volonté subconsciente tient déjà l'entité astrale en son pouvoir ; la suggestion donnée à cette volonté déterminera si le fantôme continuera à sortir ou s'il rentrera en coïncidence.

Prenons le fait de marcher : une fois que vous êtes en mouvement, la volonté subconsciente a le contrôle, mais au moment où vous donnez la suggestion consciente de l'arrêt, vous vous arrêtez. Si vous « suggérez » que vous souhaitez redevenir physiquement actif, cela se produira.

Peut-être répondrez-vous à cela, comme le fit un de mes amis : « Je voudrais bien voir qui ne s'agiterait pas en se réveillant paralysé ! » Pourtant, je gage que n'importe qui peut, comme je l'ai fait, provoquer une projection consciente et complète s'il reste calme et donne les bonnes suggestions pendant qu'il se réveille et se découvre en état de catalepsie. C'est la même règle que nous appliquons chaque jour en marchant ; nous dirigeons par une suggestion consciente le pouvoir qui provoque cette marche.

Il est certes évident qu'il n'est pas simple de s'empêcher de s'émouvoir au contact du paranormal, spécialement quand on est si directement concerné, mais je pense que, comme toute chose dite paranormale, le phénomène de la projection astrale consciente perdra bientôt, avec l'habitude, son caractère angoissant.

LA SENSATION ET L'EMOTION A DIFFERENTS STADES DE L'EXTERIORISATION

L'endroit où le fantôme se sera rendu lors de la prise de conscience, si elle se produit, déterminera naturellement la première pensée ou la première sensation que le sujet éprouvera. Des degrés différents de séparation provoquent des sensations différentes. Si la conscience fait une première apparition timide durant la phase hypnagogique et que la volonté subconsciente est portée à se projeter, la toute première idée sera que « l'on existe quelque part ». Si cela se produit une seconde ou deux plus tard, c'est la rigidité et l'engluement — la catalepsie — qui sera la première impression. Un moment plus tard encore, on « flotte », puis on « zigzague » et on « tremble ». C'est l'action, le lieu où le fantôme va progresser, qui déterminent la première pensée consciente. Cette toute première pensée est d'une importance capitale. C'est alors qu'il faut rester calme et suggérer l'élévation.

La plupart des projections conscientes se voient sabordées dès le début, simplement parce que l'action du fantôme provoque une sensation désagréable qui, à son tour, provoque l'émotion.

La règle suivante peut s'appliquer à ce phénomène :

DES ÉMOTIONS DÉSAGRÉABLES, L'INQUIÉTUDE, LA CRAINTE, ETC., SONT DE VÉRITABLES SUGGESTIONS A LA VOLONTÉ SUBCONSCIENTE : LE SUJET SOUHAITE ÊTRE « NORMAL ».

C'est ainsi que la première pensée influencera les suivantes et si l'activité est de nature à provoquer l'émotion, le désir de devenir physiquement normal s'ensuivra immédiatement et constituera une suggestion dans ce sens à la volonté subconsciente.

La projection consciente est plus susceptible de se produire alors que la toute première pensée consciente apparaît avant que le fantôme ne se meuve dans les airs ou après qu'il s'est projeté et redressé, soit immobile soit somnambule. Les états intermédiaires engendrent plus facilement des émotions désagréables. Mais avec de l'entraînement et de la pratique, au moment de la première pensée consciente, on finira instinctivement par faire l'association avec l'idée de s'élever dans les airs et au lieu d'en éprouver un malaise, on mettra en œuvre tous ses efforts conscients pour rester calme pendant ce qui se produira.

Il est frappant de constater à quel point cela devient facile quand on l'a accompli une première fois. C'est comme un baptême de l'air... Il peut paraître paradoxal que l'action du fantôme affecte les émotions et que les émotions affectent l'action du fantôme ; c'est pourtant bien le cas. Il semble également contradictoire de prétendre que la nervosité est un facteur favorable au « détachement » alors que les sentiments doivent être calmes, apaisés ; c'est pourtant vrai ! Il faut bien se dire que s'il n'y avait pas ces conditions « anti-naturelles » liées à la projection astrale, chacun en ferait couramment, mais sachons aussi que « QUELQU'UN QUI NE CONTROLE PAS SES ÉMOTIONS NE CONNAITRA JAMAIS DE PROJECTION ASTRALE CONSCIENTE ».

CHAPITRE III

ITINERAIRE SUIVI PAR LE FANTOME LORS DE LA PROJECTION

Je crois être le premier à déclarer nettement que la volonté subconsciente propulse le fantôme suivant un itinéraire spécifique et que la position du corps physique au moment de la projection gouverne invariablement la direction dans laquelle le « double » le quittera.

Quand une personne se trouve au repos dans une position horizontale, le corps astral quittera le corps physique dans une direction verticale, d'une façon rigide et strictement parallèle au corps matériel. En règle générale, toutes les parties des deux corps se séparent simultanément. Le corps éthéré s'agite sur toute sa longueur ou plutôt « vibre », non pas de gauche à droite, mais de haut en bas. Habituellement, cette progression ascensionnelle est lente, le corps astral avançant à peine de quelques centimètres et retombant souvent. Après une séparation d'environ un pied, il commence à zigzaguer. Le corps astral finira par atteindre de cette façon une hauteur variant de trois à six pieds au-dessus de son « enveloppe ». A ce moment, la force de redressement commence à opérer. La partie inférieure (les pieds) commence à se baisser tandis que la partie supérieure (la tête) se redresse, ce qui dresse le fantôme debout. Tout se passe comme s'il y avait un axe au centre du corps. Il arrive que le contrôle subconscient n'élève pas le fantôme directement au-dessus de son « enveloppe », mais qu'après l'avoir élevé à une hauteur d'environ cinq pieds, il le pousse en l'air toujours à l'horizontale pour l'abaisser ensuite à la verticale. Le tremblement cesse lorsque le redressement commence ; le mouvement en zigzag devient alors un balancement de gauche à droite.

Si le sens de la vue fonctionnait à ce moment-là, on pourrait apercevoir dès le début une sorte de halo versicolore.

Tel est l'itinéraire invariablement suivi par le fantôme lorsque l'extériorisation se produit alors que le corps est en position horizontale. L'ensemble du processus peut se dérouler rapidement ou se prolonger.

Si l'extériorisation se produit alors que le corps physique est dans une position verticale, la phase horizontale s'en trouvera supprimée puisque le corps éthéré sortira du corps matériel déjà debout.

La projection astrale n'est guère différente d'un autre phénomène qu'on a appelé le « passage » et qui se produit au moment de la mort, du moins en ce qui concerne le comportement du corps astral. « Le passage » signifie simplement le transit du corps « plus pur » abandonnant sa position de concordance avec son enveloppe physique.

Alors que les mouvements du corps astral sont similaires dans la mort comme dans l'extériorisation, il y a dans ce dernier phénomène un élément qui est absent dans la mort : la présence d'une ligne vitale de force reliant le corps physique à sa contrepartie astrale. Cette ligne de force est appelée « corde astrale » ou « câble astral » et, la persistance de sa présence marque la différence entre la projection dans le cas de mort et la projection qui ne débouche pas sur celle-ci. Dans la mort comme dans la projection astrale, le fantôme peut rester inconscient pendant quelque temps. Certains, paraît-il, prennent rapidement conscience, certains « existent » pendant un temps dans la phase de rêve, d'autres demeurent inconscients un long moment et certains ne « goûtent jamais la mort », comme dit le Christ, jamais même le sommeil.

Imaginez, par exemple, un soldat marchant droit devant lui, consciemment tendu vers le but à atteindre. Si, alors qu'il s'y précipite, un projectile devait brusquement le déchiqueter et le tuer instantanément, le corps astral continuerait à marcher pendant un moment, ignorant le fait qu'il est physiquement mort.

QUELQUES SYMPTOMES D'EXTERIORISATION ASTRALE

Peut-être vous souvenez-vous maintenant d'avoir expérimenté un ou plusieurs des stades élémentaires de la projection astrale : la sensation d'adhérer, d'être englué ou celle de flotter, de tourbillonner, de zigzaguer, de s'élever, d'éprouver les soubresauts de l'état hypnagogique, ou encore l'impression d'avoir le cerveau vide, une sensation d'avoir le souffle coupé ?

Ces choses vous sont peut-être souvent arrivées alors que vous n'en étiez pas conscient. Si vous en prenez conscience, le médecin mettra probablement cela sur le compte « des nerfs ». Il est simple de dire à un patient qu'un tel phénomène est « provoqué par les nerfs » ; quant à lui dire comment les nerfs provoquent ces phénomènes, c'est une autre histoire ! Les nerfs provoquent ces singularités parce que l'astral n'est plus en parfaite concordance avec le physique.

Qu'est-ce que le vertige ? C'est un état de relâchement du corps astral. Qu'est-ce qui fait que le corps astral se relâche ? Beaucoup de choses : un coup sur la tête, un fonctionnement anormal des organes vitaux... Indépendamment des causes, le vertige indique que le corps astral n'est pas en harmonie avec le physique. Quand nous avons un vertige, nous titubons parce que le corps astral est relâché et partiellement désireux de quitter le physique. Le fait de tournoyer provoquera le vertige parce que cela fait se relâcher le corps astral. A ce sujet, il est intéressant de remarquer que les fakirs notamment « tournoient » souvent afin de réaliser l'extériorisation astrale.

Une expérience qui n'est pas rare non plus est de s'éveiller la nuit et de voir l'espace d'un instant une copie de soi-même planer à un pied au-dessus de soi. Diaphane, couché dans une position horizontale, le corps « tremble » comme s'il se reposait dans les airs. Un instant plus tard, on se réveille en sursaut. Dans ce cas, le corps éthéré était à près d'un pied de sa concordance d'avec le physique. (Je parle d' « éthéré », non que je pense le corps astral composé d'éther mais parce que c'est un terme souvent employé par d'autres qui, eux, le croient.)

Mais, direz-vous, « j'ai vu cela à partir de mon œil physique ! ». C'est exact. Mais l'esprit conscient n'était pas dans le corps physique. (Je m'emploierai plus loin à expliquer comment les sens peuvent avoir des lubies.) La perception de la sensation visuelle est venue de l'esprit conscient qui se trouvait dans le corps au-dessus de vous — où vous étiez réellement — et a voyagé au travers du câble astral jusqu'à votre œil physique.

Les autres signes d'une extériorisation astrale sont : la catalepsie, le refroidissement du corps, les rêves de chute ou de vol, les rêves de « la tête qui cogne »... On peut voir des lumières, des images, des personnages, entendre des sons de toutes sortes, allant de sons inarticulés jusqu'à de merveilleux effluves musicaux.

Dans son ouvrage *Astral projection*, M. Prescott Hall a résumé ses propres expériences sur le sujet de la façon suivante : « Les objets les plus précis que j'ai vus ont été un profil grec ainsi que la tête enturbannée et les épaules d'un Hindou. Ils étaient parfaitement distincts. Ensuite, un objet rouge brillant. En troisième lieu, des lumières bleues larges et rondes, quatrièmement, une petite lumière bleue et jaune, cinquièmement, des paysages parfois bicolores et parfois « en couleur naturelle », sixièmement, des espaces lumineux ou des assemblages de brouillards ou de couleurs, fréquemment, des silhouettes de personnages mais sans détails précis, septièmement, des corps de formes irrégulières de toutes sortes, de couleur blanche et généralement aperçus dans un coin de ciel bleu, ou des corps en « papier-tissu », cela étant peut-être les visions les plus rares et demandant le plus d'effort de « production ». Les sons principaux entendus étaient les suivants : un sifflement semblable à celui de la vapeur qui s'échappe, des notes de musique, égrenées, des phrases musicales généralement inconnues de l'auditeur, des cantiques ou d'autres airs connus, des harmonies — souvent très belles — deux ou plusieurs notes alternant en séquences régulières, le son d'une cloche ou de plusieurs, parfois en harmonie, des bruits métalliques pareils aux martèlements d'une enclume. »

Il n'est pas inhabituel au début d'une projection d'entendre des bruits apparemment lointains qui paraissent familiers au sujet, un peu comme si quelqu'un d'éloigné appelait d'une voix mélodieuse. On a aussi la sensation très particulière que quelqu'un d'invisible vous souffle au visage ou encore, qu'un doigt également invisible vous touche la gorge, la bouche, le nez, provoquant une sensation de chatouillement.

LE CABLE ASTRAL

La majorité de ceux qui s'occupent de phénomènes spirites prétendent savoir que le câble astral est une structure d'apparence élastique qui relie le corps astral au physique, mais leurs connaissances semblent s'arrêter là. Ce que cette description peut avoir de sommaire est parfaitement explicable. D'une part l'expérimentateur psychique n'est pas capable de se projeter lui-même, il ne peut tirer ses conclusions que du témoignage d'autres personnes. D'autre part la plupart des personnes qui se livrent à des projections n'en gardent pas clairement conscience — quand elles en prennent conscience... Certaines ont des moments de conscience, à une certaine distance du corps physique, d'autres sont à ce point émerveillées de ce qu'elles vivent, qu'à aucun moment elles ne pensent à analyser le phénomène.

Souvent, pendant que je me projetais consciemment, j'ai réussi à observer soigneusement l'activité particulière du câble astral. C'est une sorte de mystère secondaire qui participe à l'acte principal appelé projection. Cette structure vitale qu'est le câble astral, est composée pour autant que je sois capable de le voir, de la même matière ou essence que le corps astral lui-même. Le côté désordonné de son action m'a toujours fait une très forte impression ; par moments, j'ai même été amené à croire qu'il était réellement doué d'intelligence...

D'où vient exactement le câble astral lorsque le fantôme opère sa sortie et où disparaît-il lorsque le fantôme revient en concordance, ce sont là des mystères, trop profonds sans doute pour que je puisse les percer. Son élasticité dépasse l'imagination et n'est comparable à celle d'aucun objet matériel car il s'agit d'un organe véritablement vivant. La corde astrale s'étend toujours d'un corps à l'autre sans tenir compte de l'espace ou de la distance qui les sépare.

LE CHAMP D'ACTIVITE DU CABLE

Plus l'espace entre les deux corps est réduit, plus le câble astral est épais; plus la traction magnétique est forte, plus il est difficile de maintenir la stabilité du fantôme. Quand la séparation est ténue, la corde a le diamètre d'un dollar d'argent. C'est son calibre maximum, bien que l'aura qui l'environne donne l'impression d'une épaisseur plus grande.

Le diamètre diminue à mesure que s'accroît la séparation des deux corps, jusqu'à atteindre son minimum à une certaine distance — minimum qu'il gardera alors en permanence — son calibre étant celui d'un fil à coudre ordinaire. Du début de la séparation des corps à la distance où le câble astral arrive à son calibre minimum, celui-ci est toujours parcouru d'une activité intense; cette distance est appelée le « champ d'activité du câble ».

J'ai voulu, naturellement, déterminer jusqu'où pouvait s'étendre ce « champ d'activité du câble », car j'ai découvert qu'il joue un rôle important dans la projection du corps astral. Aussi à la première projection consciente que je fis par la suite, je pris note de l'endroit où je me trouvais au moment où la corde atteignait son épaisseur minimum. Lorsque je fus à nouveau conscient, je pris un mètre ruban, mesurai le champ d'activité du câble, et trouvai que cela faisait quinze pieds. Pendant tout un temps, je crus avoir calculé la bonne distance mais lorsque je pus recommencer l'expérience pour vérifier mes premières évaluations, j'enregistrai un résultat différent.

Cette fois, la distance n'était que de huit pieds. Le champ d'activité du câble était donc variable et après avoir étudié ce point pendant près d'un an, je découvris la raison de ces variations. Je remarquai que lorsque je ne me sentais pas aussi bien que d'habitude, le champ de résistance ou d'activité du câble était moindre que lorsque j'étais en pleine forme physique.

Des observations répétées confirmèrent cette découverte. Encore une fois, la coordination matérielle, facteur d'influence puissant et négatif, se vérifiait, ici aussi. Plus le sujet est sain, plus il y a d'énergie emmagasinée dans le condensateur qu'est le corps astral, et plus fort sera le flot d'énergie à travers le câble astral si le sujet réussit seulement à se projeter, et plus long sera le champ d'activité du câble. Le champ d'activité du câble dépend de l'état de santé de l'individu qui se projette. Lorsque les corps ne sont séparés que de quelques centimètres, le câble a un diamètre d'un dollar d'argent, quel que soit l'état de santé, mais ce diamètre décroît beaucoup plus vite dans le cas d'un individu affaibli qui a besoin de « se recharger » en énergie.

Apparemment, le câble astral est d'une couleur gris-blanc et, lorsqu'il s'allonge, il fait penser à un long fil d'araignée. Depuis la concordance des corps jusqu'au bout du champ d'activité, il se passe toujours comme une double action dans la corde, pour autant bien sûr, que l'œil puisse le déterminer avec certitude. J'ose cependant dire qu'il s'agit d'une activité intense mais d'une nature trop subtile pour être vue par l'individu qui se projette consciemment, même s'il est en mesure d'examiner le câble de très près.

Il s'agit à la fois d'une sorte de vibration régulière et de quelque chose qui s'avère être fait de légères extensions/contractions de l'organe tendu. Ces actions sont visiblement comme fondues l'une dans l'autre. Pour moi, il n'y a aucun doute : ce mouvement est la manifestation extérieure d'un processus vital subtil.

La différence entre le passage au moment de la mort et la projection astrale, réside dans le fait que durant la projection astrale, la corde astrale est intacte et relie les deux corps.

Le corps astral est le condensateur de l'énergie cosmique, cette même énergie que vous employez en vous déplaçant et qui est le « souffle de vie » présent dans tout être vivant. L'auteur ancien est proche de la réalité quand il dit : « Et le Seigneur Dieu forma l'homme à partir de la poussière de la terre et souffla dans ses narines le souffle de vie. Et l'homme devint une âme vivante. » Sans ce « souffle de vie », l'homme ne serait vraiment rien de plus que « la poussière de la terre » ; le souffle de vie est l'énergie cosmique universelle condensée dans le corps astral et vous l'utilisez à tout instant. Vous pouvez croire que vous êtes un corps vivant, mais vous êtes plutôt, comme le dit Moïse, « une âme vivante ». C'est l'entité astrale qui forme le vrai « vous », comme l'énergie universelle est le souffle de la vie.

Mais quel est le rapport de tout cela avec le câble astral ? Simplement celui-ci : quand le corps astral est « en concordance », vous êtes physiquement vivant ; sinon vous êtes physiquement mort, à moins que le câble astral reliant le corps énergétique au corps physique ne soit intact. Le but de la « ligne de force » astrale est donc bien de délivrer le souffle de vie au corps physique quand le corps astral est projeté.

Pendant toute l'extériorisation, la respiration et les battements du cœur de la contrepartie matérielle doivent être maintenus et, quand le fantôme est dans le champ d'activité du câble, une manifestation de cette action peut être vue parfaitement sur toute la longueur du câble. Avez-vous jamais souffert de la migraine, tandis que des pulsations régulières vous étaient perceptibles à la base du crâne ? La douleur mise à part, de telles pulsations sont semblables à celles ressenties dans la région *medulla oblongata* du fantôme extériorisé — si celui-ci est conscient.

Chaque battement du cœur peut être perçu dans l'astral, chaque battement s'exprime à travers le câble, chaque battement produit un battement dans le cœur physique. Tous trois sont simultanés. On peut sentir, non seulement dans sa tête astrale, mais en touchant le câble astral (avec sa main astrale) toutes les pulsations cardiaques, de la même façon que vous pouvez les sentir avec votre main physique. Il en va de même avec la respiration.

Lorsqu'on est consciemment extériorisé, on peut retenir

sa respiration à volonté, tout comme lorsqu'on est en concordance, mais ce n'est pas là une chose conseillée, surtout au néophyte, car une congestion physique risquerait de se produire et de causer la mort.

J'ai souvent fait l'expérience de suspendre ma respiration durant une projection consciente dans le champ d'activité du câble. Au moment de la suspension, l'action de contraction/extension du câble cesse, tout comme la respiration cesse dans le corps physique, mais la pulsion, elle, continue, régulière. Vous respirez dans l'astral et votre cœur bat dans l'astral, tout comme lorsque vous êtes « en concordance ».

Quand l'extériorisation se produit, il y a toujours la sensation nette pour le projecteur, de pressions et tractions constantes du câble, s'il est conscient dans le champ d'activité. Imaginez un géant puissant qui vous tiendrait d'une poigne solide par la base du crâne puis vous pousserait lentement, comme à bout de bras, loin de lui, pour ensuite vous ramener à lui, vous faisant bouger d'un côté à l'autre tout en maintenant fermement sa prise, tandis que dans cette prise même vous ressentez une pulsion régulière... La pression du câble varie en fonction de la distance de séparation des corps. Plus l'espace entre les corps est grand, plus le diamètre du câble est petit et moins la résistance est importante. Cela doit ou devrait être gardé à l'esprit par quiconque envisage une projection car tant que l'on est dans le champ d'activité du câble, il est difficile de réaliser beaucoup de choses ; lorsqu'au contraire, vous l'aurez dépassé, vous serez aussi libre qu'un fantôme détaché de façon permanente.

Il n'y a qu'une façon de combattre cette résistance : des efforts de toute votre volonté pour quitter votre contrepartie physique. Je suis convaincu que dans la plupart des expériences de projection amenée par hypnotisme, le fantôme est rarement projeté au-delà du champ d'activité du câble.

Nous avons vu comment la respiration dans la contrepartie physique est contrôlée à partir du corps astral et comment on peut consciemment agir sur cette fonction vitale. D'après mes observations, des interférences conscientes ainsi que les battements du cœur exerceront une influence sur la résistance du câble. Plus la respiration sera lente et calme, moins la traction du câble sera forte. Si le fantôme prend consciemment de grandes respirations alors qu'il se trouve dans le champ d'activité du câble, la traction de celui-ci s'accroîtra, souvent au point de rejeter l'entité astrale vers, ou dans, le physique. J'ai effectivement expérimenté la chose. De même, plus forts et rapides seront les battements du cœur, plus grande sera la résistance de câble.

La chose importante à bien mettre en évidence est donc que l'émotion accroît la traction du câble et agit au détriment du succès de la projection, simplement parce que l'émotion accroît la respiration et le rythme cardiaque.

Supposez par exemple que, alors que votre corps astral se trouve extériorisé et conscient dans le champ d'activité du câble, la peur soudain vous envahisse. L'émotion précipitera le rythme cardiaque et la respiration s'accélérera, le corps physique sera stimulé davantage, la résistance dans le câble augmentera notablement et, à moins que d'autres facteurs favorables à l'extériorisation ne viennent contrebalancer cette opposition, l'intériorisation commencera.

Bien que « la ligne de force » astrale puisse être comparée à un câble élastique, cette comparaison s'avère impropre dans un certain sens. Supposez qu'une traction s'opère sur un câble élastique tenu à chaque extrémité. Au fur et à mesure que la longueur augmentera, le diamètre diminuera mais la résistance s'intensifiera. Avec le câble astral, quand la longueur s'accroît, le diamètre diminue, ainsi que la résistance.

L'énergie en action dans le câble n'est pas produite par celui-ci ; elle reste mystérieuse. Par moment, elle semble être bien guidée, projetant le fantôme fermement ; à d'autres, elle apparaît désordonnée, projetant le corps astral d'abord en avant pour le ramener ensuite rapidement, en le jetant d'un côté puis de l'autre, etc.

A tout moment d'une projection, il y a des facteurs favorables et défavorables au phénomène qui exercent tour à tour leur influence. Lorsque les facteurs positifs prédominent, la projection se déroule d'une façon ordonnée et bien contrôlée.

Si c'est le contraire et que les facteurs négatifs agissent

pendant la concordance, la projection ne pourra se produire ; s'ils se développent pendant que le fantôme se projette dans le champ d'activité, ils produiront des interférences. Bien que les forces opposées soient toujours présentes, les influences positives doivent nécessairement être les plus fortes pour que la projection puisse continuer.

La force œuvrant dans le câble astral se gouverne elle-même, en fonction de la balance des facteurs positifs et négatifs, ce n'est pas le fantôme qui choisit de s'éloigner du physique ou d'y revenir, c'est la force subconsciente qui agit et si le câble semble doué d'intelligence, c'est que la force subconsciente y travaille.

Quand les forces adverses sont presque en équilibre et que le fantôme a atteint une distance de séparation de par exemple six pieds, il y aura cette instabilité du corps, ce balancement de gauche à droite, d'avant en arrière, car il est rare finalement que les facteurs opposés ne se trouvent pas en conflit lors d'une projection. Les bruits tout comme les émotions, augmenteront la tension dans la corde, c'est pourquoi le besoin de calme est impérieux pour la réussite complète de l'opération.

UNE INTERIORISATION CAUSEE PAR UN BRUIT

Je me souviens d'une projection où je me trouvais à quinze pieds de mon corps physique, mais toujours dans le champ d'activité du câble. Il était près de vingt-trois heures. La progression était irrégulière et lente. Dans la cave, quelqu'un se mit à tisonner vigoureusement la chaudière. Le bruit me parvint de façon inattendue. Tout le câble parut vibrer pendant un moment, puis une puissante force d'attraction m'amena immédiatement à travers les airs de la position debout à la position horizontale directement au-dessus du corps physique et, à nouveau, en concordance ; le tout en un laps de temps infinitésimal. Les bruits et les émotions ramèneront le fantôme en concordance avec le physique plus rapidement que n'importe quel facteur d'opposition, à une vitesse souvent pareille à celle de la lumière. Lorsque cela se produit, un choc est toujours ressenti dans le corps physique, il peut être accompagné parfois d'une vive douleur et de la sensation d'être comme « coupé en deux » ; cela s'appelle la « répercussion ».

LA REPERCUSSION DU CORPS ASTRAL

Beaucoup de phénomènes curieux peuvent se produire dans le champ d'activité du câble : « répercussion » du corps astral lui-même, « répercussion » de la sensibilité, « répercussion » de la mobilité, sensibilité double, absence de sensibilité, catalepsie, instabilité du corps et bien d'autres encore. Examinons pour commencer la « répercussion » du corps astral.

Ce qui constitue vraisemblablement la cause la plus fréquente des « répercussions », est le réveil de la conscience durant le déroulement d'une projection astrale inconsciente. Le fantôme peut être projeté dans un état inconscient à n'importe quelle distance dans le champ d'activité du câble, lorsque la conscience commence soudain à apparaître. Juste avant la première lueur de conscience, l'astral « répercutera » dans le physique à une vitesse inimaginable. Lorsqu'il est ramené en coïncidence de cette manière brutale, le mécanisme physique tout entier est secoué — comme si tous les muscles du corps se contractaient au même moment — et le corps est pris d'une secousse spasmodique, sensible plus particulièrement dans les membres. La conscience qui provoque la répercussion corporelle a commencé son activité et, en règle générale, immédiatement après la répercussion, le sujet est conscient dans son corps physique.

Chaque nuit, les corps astraux de centaines de dormeurs bougent légèrement hors de coïncidence, dans le but de se charger d'énergie cosmique. N'avez-vous jamais remarqué, lorsque vous êtes très fatigué, et dans un état hypnagogique (à l'arrivée du sommeil) qu'il vous arrive de faire comme un soubresaut, et de redevenir conscient ? Votre médecin mettra cela sur le compte « des nerfs », ce qui n'explique rien, alors que pourtant c'est simple.

Lorsque le condensateur qu'est le corps astral se trouve « à plat » ou déchargé, le subconscient le met hors de concordance dès qu'il le peut, afin de lui permettre de se recharger rapidement. C'est ainsi justement que, lorsque vous êtes fatigué et que vous entrez dans l'état hypnagogique, le fantôme sera déjà porté à bouger hors de coïncidence. Bien qu'ils puissent n'être séparés que de quelques centimètres, le corps astral « répercutera » néanmoins, choquant le physique, si une lueur de conscience apparaît ou si un bruit soudain ou quoi que ce soit, provoque une émotion.

Le fantôme, rappelez-vous, est cataleptique et au moment où il retrouve avec violence la concordance, il « force » en quelque sorte les muscles du corps physique qui eux, sont relâchés. Si le fantôme réintègre le physique dans le calme pendant sa catalepsie et que vous devenez conscient tout de suite après, vous vous retrouverez dans un état de paralysie temporaire. Le choc provoqué par une répercussion est toujours désagréable, et plus violent à certains moments qu'à d'autres. Cette violence est en rapport proportionnel avec la distance que l'astral doit parcourir avant de rentrer en concordance, ainsi qu'avec la vitesse à laquelle l'intériorisation se produit.

La vitesse d'intériorisation dépend, elle, de la somme de déséquilibre occasionné par les facteurs négatifs. Plus la vitesse et la distance sont grandes, plus forte sera la secousse. La combinaison de la vélocité et de la distance produira la répercussion maximum, mais la vitesse est la cause la plus grave car, même à une distance d'une trentaine de centimètres à peine, si le retour au physique s'effectue avec vélocité, celui-ci subira un choc violent.

Le résultat le plus frappant de cette réanimation rapide — lorsque distance et vitesse sont conjuguées — est le sentiment d'être « ouvert à partir du milieu du corps » et déchiré ! Je crois que cette expression traduit l'angoisse ressentie, plus justement que toute autre qui me viendrait à l'esprit. Il s'agit d'une poussée soudaine de vive douleur, comme provoquée par un outil acéré qui traverserait le corps dans toute sa longueur.

Cet effet, plus grave, n'est pas aussi fréquemment vécu que celui du « saut » pour la bonne raison que la plupart des gens ne connaissent pas de projection lointaine.

Cependant, tous deux sont suffisamment inquiétants. Qu'il y ait du danger dans cette répercussion douloureuse du corps astral, je ne suis pas qualifié pour le dire avec certitude, mais il est assez probable que ces phénomènes soient plus désagréables que réellement nuisibles. Lorsque le retour est guidé — comme ce devrait toujours être le cas — par le subconscient avec une balance positive, la « recoïncidence » n'est pas ressentie par le sujet.

Si le débutant en ce domaine rencontre des répercussions corporelles graves, c'est un signe que sa projection a atteint une certaine distance mais que les facteurs négatifs ont été les plus forts. Une répercussion grave est un peu comme un point final à la production de projections ultérieures car le sujet arrivera à redouter le choc ; cette peur refoulée engendrera une émotion au tout premier éclair de conscience qui rejettera le corps en concordance, provoquant donc uniquement la répétition de ces répercussions.

Si l'on a vraiment peur de se projeter à distance et d'en subir une répercussion corporelle, il faut commencer par aborder le problème non du point de vue de la douleur (qui n'est que temporaire), ni de la crainte d'encourir quelque danger, mais plutôt de ce que nous savons qu'elle constitue un signe que la réussite est proche et que nous sommes sur la bonne voie pour accomplir une projection astrale. La projection astrale étant sans danger, il n'est donc pas important de savoir si l'on va « répercuter » ou non. Il faut supprimer toute peur secrète, refoulée, qui pourrait faire surgir les émotions lorsque l'on prend pour la première fois conscience pendant une projection astrale.

Des bruits, des sensations et des émotions ne provoquent des répercussions corporelles que si le fantôme se trouve encore dans le champ d'activité du câble. L'émotion est probablement la cause première, les bruits et les sensations ne viennent qu'ensuite. Nous avons ici un nouveau paradoxe. La projection astrale du type inconscient favorise les sensations de par sa nature même ; les sensations provoquent des émotions dans l'esprit ou des rêves, et l'émotion dans le rêve provoquera l'intériorisation du corps astral.

Vous pourriez dire qu'il s'agit là d'un cercle vicieux.

D'une certaine façon, il en est bien ainsi. Cependant une action donnée est la même qu'en rêve, en ce sens qu'une irritation, une sensation de gêne dans la vessie par exemple, provoquera un rêve où l'on vide sa vessie, et ce rêve amènera la vessie à se vider effectivement. Habituellement, les sensations provoquées par les activités du corps astral susciteront les rêves du type « aviation ». Nous allons aborder plus en détail le problème de ces rêves typiques de projection...

CHAPITRE IV

LES REVES TYPIQUES DE PROJECTION[1]

Nous allons à présent examiner plusieurs types de rêves « répétitifs » provoqués par l'extériorisation du corps astral :

— Rêves de chute.
— Rêves de vol : le rêve de nage ;
le rêve de vol vertical ;
le rêve des « pas de géant ».
— Rêves d'agitation.
— Rêves de la « tête qui cogne ».
— Rêves de déplacement vers un objet fantomatique.

Avez-vous jamais eu des rêves de vol ou de chute ? Si oui, vous savez combien ils peuvent être parfois désagréables ! De nombreuses théories sur ce sujet ont été avan-

1. La littérature consacrée aux rêves est, bien entendu, très abondante et il serait impossible d'en donner ici une bibliographie, ne fût-ce que sélective. Je puis toutefois mentionner quelques livres qui pourraient intéresser tout particulièrement le lecteur parce qu'ils éclairent un peu le problème particulier de la projection astrale. Ce sont : *Studies in dreams* de Mme Arnold-Forster ; *Dreams and their meanings* de Horace-G. Hutchinson ; *the dream problem*, édité par Ram Narayan ; *Dreams* de C.-W. Leadbeater ; *the Dreams of Orlow* de A.-M. Irvine ; *Imagination in dreams* de Frederick Greenwood ; *Dreams and premonitions* de L.-W. Rogers ; *An experiment with time* de J.-W. Dunne ; *the Nature of dreams* de H. Carrington.

cées et certaines sont aussi fausses que leurs auteurs sont éminents. Ces rêves sont pourtant facilement compréhensibles une fois que vous avez effectué une projection astrale.

Voyons ce que le Dr. Walsh dit de ces rêves de chute — et remarquons comme cela se rapproche de ce que nous avons déjà appris de la projection astrale. — « *Les rêves de chute sont loin d'être agréables. Généralement, ils provoquent un choc qui réveille le dormeur (« répercussion »). Une superstition veut que si le rêveur tombe au fond d'un précipice ou quelque chose du genre, la mort s'ensuive. Le seul point en faveur de cette croyance est que nous ne puissions réveiller le mort qui gît sur son lit pour lui demander s'il vient de faire un rêve de chute... De toute manière, les superstitieux sont incapables de prouver leurs dires. Mais il est évidemment possible que des personnes nerveuses ou hystériques puissent faire des rêves de chute si intenses qu'il en résulte une faiblesse ou une paralysie fonctionnelle. Le rêve de chute peut être associé à celui de vol, venant après ce dernier ou se produisant seul. Une personne peut rêver par exemple qu'elle vole et en éprouver du plaisir, puis tomber brusquement ; ou bien elle peut rêver qu'elle tombe du sommet d'une montagne ou d'un autre endroit élevé, sans qu'au préalable il y ait eu rêve de vol. Dans les rêves de chute, nous nous réveillons toujours avant d'atteindre le sol. Il en est ainsi parce que nous étions effectivement en train de nous réveiller au moment du rêve et que nous nous éveillons avant son accomplissement, ou bien parce que les émotions suscitées par le rêve sont suffisamment fortes pour provoquer le réveil.*

Il existe de nombreuses explications possibles au rêve de chute. L'explication habituellement donnée est qu'il est lié au rêve de vol, bien qu'il s'en diffférencie par une respiration de plus en plus difficile et lente et un engourdissement épidermique. Certaines altérations de la santé peuvent produire ces changements.

Jewell, cité par Ellis, établit que « certains observateurs particulièrement sujets aux rêves de chute et de vol, les attribuent formellement à une mauvaise circulation et disent que leur médecin leur prescrivent des médicaments régulateurs du rythme cardiaque, qui les soulagent et préviennent de tels rêves. » Des rêves de chute ne doivent pas cependant être considérés comme bien graves s'ils sont occasionnels.

Dans de nombreux cas, le rêve de chute se produit juste au moment où l'on va s'endormir. Comme nous l'avons vu, le sommeil vient progressivement, les muscles se détendent lentement et l'acuité des sens s'émousse. De nombreuses personnes sur le point de s'endormir, éprouvent le sentiment de glisser dans un trou ou sur un plan incliné et parfois se réveillent effrayées. Il s'agit de personnes du type nerveux, bien que la fatigue ou une légère altération de la santé puissent prédisposer à cette sensation.

En y prêtant attention, il est possible de noter l'association du relâchement des muscles avec l'impression de se noyer ou de glisser, liées à l'état hypnagogique. Une telle observation n'est toutefois pas à conseiller si l'on a tendance à être impressionnable et nerveux.

Un lit ferme et dur empêche bien souvent l'impression de couler ressentie dans l'état hypnagogique et peut donc prévenir certains rêves de chute. Si le lit s'affaisse, cela peut accentuer l'impression de couler à l'approche du sommeil ; cela peut aussi provoquer un rêve de chute au moment où l'on change de position en dormant. Les personnes sujettes à ce type de cauchemar peuvent déjà trouver un remède dans la suppression de tout volet bruyant ou sommier grinçant. Si, éveillé, vous éprouvez la sensation d'être attiré vers le sol quand vous vous trouvez au sommet d'un building, ou si vous êtes étourdi en faisant une escalade rapide, vous comprendrez le rôle important de cette sensation dans l'explication des rêves de chute. Quand ces sensations sont éprouvées dans un état de veille, l'explication principale est une chute de tension. En rêve, on peut revivre une scène de la vie quotidienne et spécialement si la sensation de chute a été éprouvée distinctement. De plus les chutes de tension provoquées par de petits dérangements physiologiques sont fréquentes pendant le sommeil, et cela peut expliquer certains rêves de chute. »

Dans ce qui précède, le Dr. Walsh a donné une excellente description du rêve de chute et en a avancé quelques explications plausibles. Il est incontestable que certaines des causes dont il parle favorisent les rêves de chute. Je puis cependant affirmer avec certitude que la cause habituelle des rêves de chute est l'intériorisation du corps astral.

Nous savons que même extériorisé à plusieurs pieds du corps physique, quand des « facteurs négatifs » se manifestent, l'astral est tiré à travers les airs de sa position verticale vers l'horizontale, au-dessus du physique, puis rejeté exactement en lui. La sensation de flotter vient souvent lorsque le fantôme est couché horizontalement au-dessus du physique et qu'un premier éclair de conscience apparaît. Un rêve de vol ou de « flottement » commence alors. Les émotions sont réveillées — encore un facteur négatif — puis une descente rapide se produit. Le rêve se transforme en cette affreuse sensation de chute. Lorsque le fantôme revient avec force en concordance — lorsqu'il « répercute » — le choc est transmis dans le corps physique. Le rêve lui-même peut paraître plus long au sujet que le temps réel que prend le fantôme pour s'intérioriser. Il est connu qu'un rêve qui paraît durer un long moment peut en fait se passer en un laps de temps très court.

Si jamais vous avez vécu un rêve de chute, vous savez alors ce que l'on peut éprouver lors d'une intériorisation rapide. Même si l'on est entièrement conscient, la répercussion du corps astral produira la même sensation. Longtemps avant ma première projection astrale consciente, je faisais presque chaque nuit des rêves de flottement, de chute, de choc violent...

L'une des activités curieuses du corps astral est de s'élever à une certaine hauteur dans la position horizontale, de se déplacer de plusieurs pieds latéralement et de revenir lentement au-dessus du physique, pour repartir à nouveau, toujours à l'horizontale et en parallèle avec la terre *.

Nous en reparlerons, mais je voudrais, bien que partiellement, en accord avec le Dr. Walsh, reprendre en détail son excellente recherche à propos du rêve en extrayant des phrases qui, selon moi, s'appliquent au phénomène astral. Les extraits seront désignés par « W ».

W : « Les rêves de chute sont loin d'être agréables. » —

* « L'avion plane » ? (N.d.T.).

C'est pour cette raison qu'une émotion intense stimule et « répercute » le corps si violemment.

W : « Généralement, ils provoquent un choc qui réveille le dormeur. » — C'est la répercussion du corps astral.

W : « Le rêve de chute peut être associé à celui de vol, venant après ce dernier ou se produisant seul. » — Quand un rêve de vol précède un rêve de chute, comme c'est généralement le cas, la sensation de flotter ou de voler est tout d'abord ressentie parce que le corps astral flotte réellement au-dessus du corps physique, tout en effectuant parfois des déplacements latéraux. La prise de conscience de cette sensation éveille les émotions, le câble et le corps physique en sont affectés de manière identique, et commencent le cas échéant à ramener le fantôme directement au-dessus du physique, d'où surgit une impression de vol. Ensuite le corps astral « plonge » dans le corps physique, créant la sensation de chute. Quand il rentre en coïncidence, il « répercute » le physique : choc violent.

W : « Une personne... peut rêver qu'elle tombe du sommet d'une montagne ou d'un autre endroit élevé, sans qu'au préalable il y ait eu rêve de vol. » — Quand cela se produit, c'est que le premier « flash de conscience » apparaît au moment où le corps astral repose exactement au-dessus du physique. Il « plonge » alors simplement, ou plutôt il est « tiré » brusquement et rapidement vers le bas par la traction du câble.

W : « Dans les rêves de chute, nous nous réveillons toujours avant d'atteindre le sol. Il en est ainsi parce que nous étions effectivement en train de nous réveiller au moment du rêve et qu'ainsi nous nous éveillons avant son accomplissement, ou bien parce que les émotions suscitées par le rêve sont suffisamment fortes pour provoquer le réveil. » — La plupart des autorités en la matière reconnaissent que le sujet s'éveille toujours avant de « toucher le fond », dans un rêve de chute. C'est faux car j'ai souvent « touché le fond » dans de tels rêves, exactement au moment de la répercussion et j'ai examiné très soigneusement les témoignages concordants d'autres personnes sur ce sujet précis. « Toucher le fond » dans le rêve et « choquer » le corps physique se produisent simultanément. On peut atteindre le sol dans un rêve de chute, ne vivre qu'une légère répercussion, se rendormir et recommencer à rêver qu'on est gravement blessé, voire disloqué, par la chute !

W : « Certains observateurs, particulièrement sujets aux rêves de chute et de vol, les attribuent formellement à une mauvaise circulation et disent que leur médecin leur prescrivent des médicaments régulateurs du rythme cardiaque, qui les soulagent et préviennent de tels rêves. » — Prendre un médicament pour régulariser le rythme cardiaque empêche la production de rêves de chute simplement parce que cela empêche la séparation astrale. On peut absorber de la strychnine et supprimer véritablement toute projection parce qu'en régularisant le rythme cardiaque, toute passivité inhabituelle du corps physique est empêchée. — Nous verrons plus tard comment le fait de ralentir le rythme cardiaque peut favoriser la projection. — Or une passivité physique inhabituelle est toujours en relation avec le fonctionnement cardiaque.

W : « Il s'agit de personnes » [sujettes aux rêves de chute] « du type nerveux, bien que la fatigue ou une légère altération de la santé puisse prédisposer à cette sensation. » — La fatigue, la nervosité, etc., favorisent toujours la séparation astrale. Juste avant le sommeil (état hypnagogique) le corps astral a déjà un tant soit peu quitté le corps physique, dans le but de se recharger d'énergie cosmique.

W : « Si, éveillé, vous éprouvez la sensation d'être attiré vers le sol quand vous vous trouvez au sommet d'un building, ou si vous êtes étourdi en faisant une escalade rapide, vous comprendrez le rôle important de cette sensation dans l'explication des rêves de chute. » Il est bien sûr, exact que cela peut aider à la compréhension, et je le sais d'expérience.

En dépit de mes réserves, je trouve que le livre du Dr. Walsh, *The psychology of dreams,* est un ouvrage riche en informations très intéressantes et je conseillerais au lecteur intéressé par le phénomène du rêve de se le procurer.

COMMENT J'AI DECOUVERT LA CAUSE DE NOMBREUX REVES DE CHUTE

Enfant, j'avais l'habitude de jouer tous les jours avec un ami de mon âge à peu près, qui habitait près de chez moi. Il vivait dans une grande maison, immeuble carré en bois, inhabituellement élevé car il était bâti au sommet d'une butte. Sur le toit, qui était plat, il y avait une sorte d'auvent grillagé auquel on avait accès par une volée d'escaliers dans le grenier.

Nous avions souvent essayé de grimper à l'auvent, mais à chaque fois la mère de mon ami avait fait échouer nos plans. Puis vint le jour où notre sentinelle n'était pas de faction ! En jouant aux soldats, nous sommes allés jusqu'à l'auvent que nous avions baptisé « montagne d'observation », pour surveiller nos ennemis. Pendant un moment, je suis resté au centre de l'auvent, puis j'ai rampé sur les mains et les genoux vers le bord et, poussant ma tête à travers les barreaux du grillage, j'ai regardé vers le bas. J'ai eu le vertige et l'impression que quelque chose me poussait à sauter ou à tomber. Je crois que si le grillage n'avait pas été là, c'est ce qui se serait passé. Après un moment, la peur m'a fait ramper vers le milieu de l'auvent et j'ai couru vers la sortie en traversant la maison, jusqu'à l'extérieur ! Je n'y suis plus jamais retourné et le seul fait d'y repenser me met encore mal à l'aise aujourd'hui. Près d'un an plus tard, je commençai à être tourmenté par des rêves de chute ; chaque rêve était toujours pareil : je flottais au-dessus de la maison de mon ami, toujours à l'endroit même où j'avais rampé du milieu vers le bord de l'auvent. Dans le rêve, au moment où j'atteignais le bord (donc juste là où j'avais regardé vers le bas le jour où nous jouions aux soldats), je commençais à tomber et au moment où je touchais le sol, je me réveillais en sursaut. A chaque fois, j'étais adulte et en uniforme.

J'avais déjà vécu plusieurs projections conscientes à cette époque, lorsqu'une nuit le rêve revint. Je flottais donc au-dessus de la maison où vivait mon ami (ceci se passant sept ans après notre jeu), mais ce flottement ne me semblait plus si impressionnant et cette fois-ci je ne tombai pas, je planais calmement dans les airs, au bord du toit. Je repris lentement conscience. Lorsque je fus assez conscient pour comprendre, je me trouvai couché dans l'air — projeté — à peu près à trois pieds au-dessus du corps physique. Il convient d'ajouter ceci : dans le rêve, on peut tomber d'une hauteur apparemment élevée alors qu'en réalité la chute du corps astral ne se produit que sur une courte distance. Vous remarquerez que le corps astral n'était pas en réalité à l'endroit où je me croyais dans mon rêve, mais qu'il se livrait bien à une activité similaire. La sensation dérivée de l'action du corps astral se trouvait, d'une certaine manière, connectée avec l'impression subconsciente reçue, emmagasinée, depuis le jour où enfant, je m'étais penché sur le bord du toit — et qui avait amené le rêve —.

C'est alors que je compris la signification des rêves de chute. Durant la partie du rêve pendant laquelle je volais au-dessus de la maison, le corps astral était au-dessus du corps physique, se déplaçant latéralement. (Un éclair de conscience surgit et comme je flottais réellement, la sensation de flotter vint en un flash.) Les émotions éveillées, le câble commença à tirer, le fantôme à « voler » à travers les airs vers une position située directement au-dessus du physique. (A ce moment, je rêvais que j'étais au bord de l'auvent.) Pendant la descente du fantôme, le rêve allait devenir un rêve de chute et, avec la répercussion du corps, la conscience reviendrait.

En résumé : l'activité du corps astral peut provoquer un rêve (de flottement, de vol, de chute) et le rêve peut ranimer les émotions et les émotions activer le corps physique causant la traction du câble qui ramène le fantôme dans son enveloppe. L'ensemble du processus d'intériorisation provient d'une cause fondamentale : l'émotion. Les actions, sensations, rêves, bruits, sont autant de facteurs favorisant cette émotion.

En soi, l'émotion peut être positive et négative ; si la sensation est agréable, l'émotion sera de même ; elle devient un élément favorable à l'extériorisation. Mais si la sensation est désagréable, l'émotion sera alors négative.

Ce qui cause généralement une émotion négative pendant que le corps astral flotte, c'est le « processus du réveil ». Si le sujet fait un rêve de flottement pendant lequel le corps astral flotte réellement et que ce rêve renferme pour lui une notion de plaisir, celle d'être un aviateur par exemple, la sensation provoquera une émotion également agréable et la conscience ne sera pas si prompte à intervenir. Dans ce cas, le sujet connaîtra à la fois un rêve de vol agréable et la poursuite de l'extériorisation astrale (qui sera donc encouragée).

Les rêves de vol peuvent souvent laisser des souvenirs agréables. Un de mes amis intimes fait des rêves de vol très agréables. Sa sensation de voler est à ce point nette pour lui que lorsqu'il est physiquement réveillé, il peut presque encore se sentir quitter le sol... Il prétend aussi que dans ces rêves, il lui semble toujours qu'il se déplace à plusieurs pieds au-dessus du sol et de la tête des gens...

L'explication communément donnée aux rêves de vol par les psychologues, est qu'ils sont tout bonnement causés par l'action montée/descente du thorax, mais Ellis et d'autres font ressortir que de tels rêves ne peuvent être mis sur le seul compte de l'action respiratoire et maintiennent qu'il faudrait alors perdre totalement le sens du contact avec ce sur quoi on repose. La nervosité est une autre cause souvent avancée. Le Dr. Walsh dit : « Les épileptiques ont parfois la sensation d'être légers et de s'élever dans les airs. Une patiente a déclaré que juste avant une attaque, elle a l'impression de « monter droit au paradis ». La sensation de s'élever peut se produire aussi chez certains mourants, ce qui amène l'idée qu' « on les conduit aux Cieux ». Les dernières paroles d'un moribond : « Ne les laissez pas m'emporter, gardez-moi en bas ! » furent probablement causées par cette sensation. On peut sans fin avancer des théories sur les rêves de flottement, de vol et de chute... Un investigateur suggère que la sensation de chute est une réminiscence de jours préhistoriques, des expériences et des souvenirs de notre état de singe... Cette explication remporte selon moi le prix de l'idée la plus farfelue. Une autre croyance est que la chute symbolise « l'âme tombée », « la femme déchue », etc. Selon moi, la cause sous-jacente se trouve dans les phénomènes astraux ; le mouvement particulier que connaît le corps astral, quand le rêve prend forme, détermine le type de sensation de vol qui est ressenti. Si vous gardez présent à l'esprit l'itinéraire suivi par le fantôme lors d'une extériorisation, il vous sera beaucoup plus facile de saisir la relation entre la projection astrale et le rêve d'aviation. Rappelez-vous que le corps astral s'élève dans une position horizontale soit pour planer au-dessus du physique, soit pour se déplacer latéralement — avant de se redresser. Il est courant que le corps astral s'élève dans la position horizontale, jusqu'à une hauteur d'environ quatre pieds, puis se déplace de quelques pieds de côté, toujours à l'horizontale et parallèle au sol, pour rester dans cette position un certain temps avant de revenir. C'est ainsi que se passent beaucoup de projections astrales et c'est ainsi également que de nombreux rêves d'aviation se produisent au cours de ce genre d'expérience...

Outre l'activité de « flottement avec déplacement latéral », si vous pouviez observer les activités sans nombre du corps astral ou des projections astrales, vous seriez impressionné par un fait marquant : la répétition des mouvements tant que le fantôme reste dans le champ d'activité du câble.

Cela m'a toujours fait penser à une mère (subconscient) qui autorise son enfant (corps astral) à s'éloigner d'elle à une courte distance, puis le ramène ; l'enfant peut ensuite aller de plus en plus loin, mais en revenant auprès d'elle à chaque fois. L'enfant est finalement autorisé à se rendre à une distance telle que sa mère ne peut plus le rappeler (hors de la limite d'activité du câble) et l'enfant peut alors faire ce qu'il lui plaît. Après un moment, la mère part à sa recherche et le ramène à la maison. Mais le subconscient (comme la plupart des mères) peut autoriser l'enfant à quitter la maison sans le rappeler constamment.

La peur provoque de nombreux rêves de chute. On peut être couché horizontalement dans les airs et faire un rêve (non pas celui d'être couché dans les airs mais un rêve quelconque) au cours duquel on est effrayé (bien qu'on puisse ne pas se souvenir du rêve). L'émotion provoquée par le rêve devient si intense que l'intériorisation du corps qui vit le rêve, commence. Le rêve de chute vient de là. Il y a quelque temps, un membre de ma famille a vécu une telle expérience. Cette personne avait d'abord rêvé que la maison était cambriolée, ensuite qu'un des malfaiteurs allait la tuer. Elle en fut à ce point terrorisée que l'émotion accéléra le retour de son « corps de rêve » en coïncidence et qu'un rêve de chute (anachronique dans la suite de son rêve) survint à ce moment-là.

Il n'est pas rare de faire un rêve de chute après une journée au cours de laquelle on a éprouvé une grande peur, car un incident terrifiant, quel qu'il soit, peut revenir à l'esprit durant le sommeil et provoquer des émotions.

TYPES DE CHUTES OU INTERIORISATIONS

Le corps astral a trois façons de s'intérioriser, suivant que le sujet est conscient, inconscient ou partiellement conscient — en d'autres termes, trois « chutes » qui sont :

— la chute en spirale ;
— la chute droite ;
— la chute lente, vibratoire.

(Parfois, le corps astral peut « rentrer par le côté », mais alors il ne s'agit pas de chute ; voir à ce propos le chapitre intitulé *le rêve où l'on se trouve projeté vers un objet fantomatique*).

Dans nos rêves de chute, nous expérimentons les deux premiers types de chute. Le troisième, nous le vivons chaque nuit durant notre sommeil, et c'est lui qui constitue la méthode normale d'intériorisation.

La chute droite aboutit à une répercussion violente, car le corps astral plonge directement dans le mécanisme physique.

Dans la chute en spirale, le corps astral tombe avec un mouvement elliptique et la répercussion n'est pas ressentie aussi violemment que dans le cas de la chute droite. Cependant, la sensation même de cette chute en spirale est très désagréable, beaucoup plus encore que celle de la chute droite.

Dans tous les autres cas (sauf lorsque le corps est ramené de côté) le double redescend lentement dans le corps physique, l'organisme tout entier vibrant de haut en bas pendant qu'il revient avec aisance en concordance. C'est l'intériorisation normale, parfaitement contrôlée.

LES CAUSES DES DIFFERENTES CHUTES

Qu'est-ce qui cause ces différentes chutes ? Cette question m'est venue à l'esprit, il y a de nombreuses années déjà et par l'expérience personnelle, j'ai découvert que la volonté consciente peut amener le corps astral à devenir plus ou moins sensible à la gravitation. J'ai aussi remarqué que la volonté subconsciente peut amener le corps astral à se déplacer assez indépendamment de la volonté consciente. L'émotion amène habituellement l'intelligence directrice à rendre le corps astral plus sensible aux lois de la gravitation et c'est ainsi que, dans le champ d'activité du câble, l'émotion a un double effet. D'abord, elle provoque une plus grande activité vitale dans le corps physique — à travers le câble —, ce qui ramène le corps astral vers le corps physique ; ensuite, elle rend le corps astral très « instable ». Quand le corps astral qui flottait, est tiré vers son enveloppe à la fois par le câble astral (que ce soit « spontanément », par la volonté subconsciente, ou incité par l'émotion dans un rêve) et par la force de gravitation, une chute droite en résultera avec une violente répercussion.

Dans la chute en spirale, nous sommes en présence, non plus d'une conjonction de forces, mais d'une force travaillant contre une autre, en ce sens que le câble ramène le fantôme mais que le corps astral est dans une condition telle qu'il tente de résister à la force de gravitation ; aussi, au lieu de « tomber droit » dans le mécanisme physique, le corps commence à tournoyer alors que le câble le tire vers le bas.

Vous pouvez vous en faire une assez bonne idée en imaginant un enfant tirant sur son cerf-volant. Le cerf-volant représente le corps astral. Quand l'enfant tire sur le fil, le cerf-volant résistant à la gravitation commence à tournoyer avec un mouvement elliptique avant de s'abattre.

Dans la chute en spirale, l'émotion fera qu'en règle générale le corps astral sera attiré par la gravitation un instant avant de heurter le corps physique, mais la répercussion aura été dans une large mesure décentrée par le mouvement en spirale qui l'a précédé. La tête du sujet paraît souvent tournoyer de façon plus prononcée que le corps. C'est simplement dû au fait que la traction du câble s'effectue par la tête. A d'autres moments, la traction à la tête deviendra si intense que le corps cessera sa descente en spirale et se mettra plutôt à zigzaguer.

Dans la chute lente et « vibratoire », il y a un équilibre des forces. Le pouvoir directeur garde un contrôle parfait de toutes les opérations. C'est cet équilibre de forces qui cause le léger tremblement du fantôme, sa « vibration », de haut en bas, car il a presque autant tendance à monter qu'à descendre : c'est un équilibre délicat des forces en présence.

Il est clair que dans les deux premières chutes, quelque chose a bouleversé le contrôle parfait de l'intelligence conductrice, par exemple l'émotion ou la peur dans un rêve.

Il convient de mentionner ici que l'extériorisation est également de trois types : la montée droite, la montée en spirale et la montée normale, lente et vibratoire.

Quand nous avons seulement une poussée ferme du câble, c'est la montée droite ; une poussée du câble alors que le corps astral est affecté par la gravitation, c'est la montée en spirale ; une « ascension » sous contrôle parfait, c'est la montée lente, vibratoire.

Dans la chute comme dans la montée en spirale, le sujet peut fréquemment entendre un « bruissement », comme si des ailes brassaient l'air autour de lui (ou plutôt comme si son corps résistait à l'air pendant qu'il tourbillonne).

COMMENT BRISER LA REPERCUSSION DANS UN REVE DE CHUTE

Après avoir vécu à plusieurs reprises un rêve de chute, lorsque celui-ci se répète, nous le « reconnaissons » dès qu'il s'amorce, et nous en redoutons la conclusion.

J'ai découvert, toutefois, il y a longtemps de cela, qu'on peut briser un rêve de chute simplement « en se laissant aller ».

C'est un fait curieux, et pourtant indubitable, que nombre de personnes à qui j'ai confié ce « remède », s'en sont souvenues pendant leur chute, l'ont appliqué et ont affirmé ensuite que la répercussion était à ce moment-là presque insignifiante.

Ne craignez donc pas de « heurter le fond » ; laissez-vous tomber et la « répercussion », si elle a lieu, sera bénigne. La peur accélère et accentue la chute !

TYPES DE REVE DE VOL

Il y a plusieurs variantes au rêve de vol, presque autant que le corps astral peut prendre de positions et peut effectuer de mouvements pendant qu'il oscille dans l'air au-dessus du corps physique ou de la surface du sol. Rappelez-vous que les « rêves de projection » sont presque toujours des rêves d'action réelle. Si vous pouviez contrôler vos rêves, vous pourriez contrôler les mouvements du « corps de rêve », corps astral. Nous y reviendrons par la suite.

Une des variantes du rêve de vol est le « rêve de nage », avec ou sans mouvements des jambes et des bras. Cela se produit toujours lorsque le corps astral se déplace latéralement dans les airs à l'horizontale. Une autre variante est celle où le rêveur se tient debout et se déplace à grande vitesse dans la rue ou... sur la surface de la terre. C'est ce que nous sommes effectivement en train de faire dans notre « corps de rêve » pendant bon nombre de rêves de ce genre, par exemple en nous déplaçant à la vitesse intermédiaire. Je me suis réveillé plusieurs fois au cours d'un tel rêve pour me trouver le réalisant effectivement dans l'astral. Généralement, ce rêve est agréable.

Il y a aussi le « rêve des pas de géant » au cours duquel le rêveur semble se déplacer très gracieusement à grandes enjambées, comme s'il glissait à la surface du sol, ou bien ridiculement par moments. C'est un autre rêve d'action réelle. A ce moment, le rêveur se déplace dans les airs, dans son corps astral, et bien qu'il y ait le mouvement des jambes, c'est la volonté subconsciente qui le met en marche. Ainsi chaque pas peut couvrir une grande distance car ce n'est pas « le vrai pas » qui conduit le corps vers l'avant.

Cela peut être comparé aux pas faits sur un tapis roulant, le corps parcourant une bonne distance entre chaque pas. Avez-vous jamais vu au ralenti un coureur à pied? je ne connais pas de meilleure comparaison pour le rêve des pas de géant; l'effet de glissement, la grâce, l'absence apparente de poids, etc., comme si le coureur était soutenu par l'air et que chacun de ses pas couvrait avec aisance une grande distance.

LE REVE D'AGITATION

Un rêve typique de ceux réalisés dans le champ d'activité du câble est le « rêve d'agitation ». Dans celui-ci, le rêveur caracole dans tous les sens, alors que son corps semble très mou et relâché, et s'agite de haut en bas assez semblablement au cavalier dont le cheval a pris le mors aux dents...

Dans ce rêve, le corps paraît très léger et les « sauts », souvent gracieux, surviennent à intervalles réguliers et se succèdent rapidement. Le rêveur avancera souvent ainsi dans une rue ou sur une route. A d'autres moments, il semble que seule la tête du rêveur s'agite ou se secoue, et ceci d'une façon très prononcée.

Ce rêve est généralement causé par l'activité du câble — la pression et la traction du câble secouant le « corps de rêve » de gauche à droite. Le rêve peut donner parfois l'impression que l'on saute comme un lapin... L'agitation dans le rêve est généralement exagérée et il peut sembler qu'une éternité s'écoule entre une « agitation » et la suivante.

LE REVE DE « LA TETE QUI COGNE »

Il s'agit d'un rêve communément vécu dans le champ d'activité du câble. Le rêveur imagine toujours que quelque chose ou quelqu'un lui tape sur la tête. Le coup est régulier et très prononcé.

Les psycho-analystes courants (qui appartiennent à l'école soutenant que tous les rêves sont les résultats d'états de conscience préalables) pourraient dire au sujet que ce rêve trouve son explication et son origine dans le fait qu'à une certaine époque, il aurait vu un homme frapper un enfant sur la tête, et que cette scène lui aurait laissé une forte impression. Je pense que l'on peut dire que les rêves ne peuvent pas tous être mis sur le compte d'états de conscience préalables...

Le rêve « de la tête qui cogne » est généralement produit par des battements prononcés du cœur qui se transmettent à travers le câble en contact avec le bas de la tête du corps de rêve. Neuf fois sur dix, quand il ressent les pulsations du câble astral dans la région *medulla oblongata* avant même que sa conscience ne soit suffisamment claire pour lui dire ce qui se passe.

Il faudrait aussi que l'on comprenne bien que je ne prétends pas non plus que tous les rêves que je viens de mentionner sont provoqués uniquement pas les activités du corps astral. Mais beaucoup d'entre eux le sont. Par exemple un rêve de flottement peut trouver son origine dans la gêne causée par un amas de gaz sous le diaphragme perturbant le fonctionnement cardiaque.

LE REVE OU « L'ON SE DEPLACE VERS UN OBJET FANTOMATIQUE »

Nous avons déjà parlé de l'activité de « flottement avec déplacement latéral » du corps astral. Celui-ci peut se trouver sur le côté, au même niveau que le corps physique, à une distance de dix pieds par exemple. Le corps astral peut rester là quelque temps puis, pour quelque raison, le câble commence à tirer le double vers le physique (qui est, donc au même niveau que lui).

Le sujet, bien sûr, rêve ; et il voit plutôt un objet fantomatique que son corps physique ; il est attiré vers ce qui peut être un animal, un Bouddha, ou un monstre hideux, vers ce que son esprit conçoit à ce moment. La réalité ainsi symbolisée est donc bien son corps physique vers lequel il est tiré tout aussi réellement.

Mais c'est souvent l'objet qui paraît se déplacer vers le rêveur, et non ce dernier vers l'objet. Ceci étant un type de rêve « répétitif », l'esprit reverra le même objet lorsqu'il se représentera. Le rêveur est attiré de plus en plus près, jusqu'à être finalement « avalé » par l'objet. Il se réveille alors généralement avec une « répercussion », quand il coïncide avec le corps physique à l'endroit où la forme fantomatique se trouvait dans le rêve. Cette « attraction » peut se réaliser graduellement ou très rapidement.

En fait, ce rêve n'est pas différent des rêves de chute, du moins en ce qui concerne ses causes, la différence étant que dans le rêve de chute, le « corps de rêve » descend, alors que dans celui-ci il revient par le côté.

Chaque fois que j'ai vécu ce type de rêve, j'ai toujours été poussé vers un monstrueux objet fantomatique rappelant un Bouddha et, lorsque j'en cognais le centre, des lumières en sortaient dans toutes les directions ; cela se produisait simultanément avec la « répercussion ». Une amie m'a dit qu'elle faisait ce genre de rêve répétitif. Chez elle, c'était deux yeux monstrueux qui semblaient la dévisager ; ces yeux avançaient inexorablement vers elle en devenant plus grands au fur et à mesure de leur approche jusqu'à ce qu'ils finissent par l'absorber et qu'elle se réveille en sursaut dans son corps physique.

Ma sœur était souvent incommodée par de tels rêves et dans son cas, l'objet était une énorme bouteille couchée sur le côté. Elle était irrésistiblement attirée vers elle puis dedans, par le goulot... Elle se réveillait alors, en sursaut en criant : « Le bouchon veut me tirer dans la bouteille ! »

Il y a d'innombrables variations sur ce « thème », mais l'action du corps de rêve reste la même. Il est évident que c'est le câble qui tire le corps astral dans le corps physique. Je me suis largement documenté sur ce type particulier de rêve et j'ai découvert que ceux qui l'ont vécu l'avaient souvent fait vers l'âge de la puberté. Cela peut-il avoir une signification quelconque ?... je n'en sais encore rien à l'heure actuelle.

LE « REVE D'ILLUSION »

Dans de nombreux rêves, les personnes et les objets apparaissent tels qu'ils sont réellement alors que dans de nombreux autres, ils apparaissent très différents. On voit quelque chose ou quelqu'un en rêve et, immédiatement des idées proches ou des impressions qui y sont relatives surgissent exactement comme une idée en entraîne une autre quand nous sommes réveillés. L'esprit peut concevoir alors quelque chose ou quelqu'un qui n'a plus qu'un vague rapport avec la réalité. En rêvant, vous « voyez » tout ce à quoi vous pensez ; aussi, quand une pensée relative vous vient à l'esprit, vous la voyez en substance bien qu'il ne s'agisse que d'une illusion.

Ainsi, dans le rêve de vol, la position inférieure du corps physique peut être sentie et entraîner des « impressions relatives ». Le corps pourra, « par association d'idées », prendre l'aspect d'une foule, d'un animal ou de quoi que ce soit ; le sujet croira alors qu'il survolait une foule ou un animal... Dans les rêves de chute, le lit peut apparaître comme le sol ou le bas d'une montagne, l'esprit associant le sol ou le bas de la montagne avec la chute. Ce ne sont que de simples exemples de « rêves d'illusion » parmi tant d'autres...

De constantes et secrètes associations d'idées et d'impressions se produisent dans les chambres de l'esprit pendant que nous dormons. Nous ne pouvons pas toujours en avoir conscience, nous pouvons ne pas nous rappeler nos rêves, le flot d'impressions coule cependant. C'est par associations d'idées que de nombreuses personnes et de nombreux objets nous apparaissent différents ou se déforment. Pour un rêveur, un homme qui porte une longue barbe peut évoquer un animal poilu et dans son rêve devenir cet animal ; l'animal, lui, peut évoquer la chasse, la chasse une arme, une arme peut faire naître l'idée d'être tué par quelque ennemi, etc. Au réveil, le sujet pourra n'avoir retenu que la partie où « il se faisait tirer dessus ». En rêvant, on peut voyager dans le corps astral et, au réveil, s'apercevoir que les choses vues dans le rêve n'étaient qu'illusions.

Dans nos rêves, la notion exacte du temps et de l'espace est faussée. Dans le rêve d'agitation, par exemple, il semble parfois qu'un temps considérable se soit passé entre une agitation et la suivante, alors qu'en réalité il ne s'est produit qu'un court laps de temps. Dans le rêve de chute, nous avons souvent l'impression de tomber sur une grande distance alors que la chute réelle du corps astral ne peut guère être comparée à cette distance.

CHAPITRE V

EFFET D'INSTABILITE

J'ai découvert qu'en règle générale, le subconscient libère le fantôme de sa catalepsie à la fin du champ d'activité du câble. Quand la mobilité est rendue au corps projeté dans ce champ, il est presque certain que l'intériorisation se produira instantanément (dans le cas d'un débutant conscient).

Je parlerai plus en détail de ce qui se produit lors de cette libération dans le champ d'activité du câble. Supposez que le corps astral soit projeté et redressé à une distance d'environ huit pieds du corps physique. Il se situe toujours dans le champ d'activité du câble ; or il y a dans ce dernier des tractions et des pulsions. Maintenant, si à ce stade le fantôme est investi de ses pouvoirs moteurs, il agira très semblablement à un ivrogne titubant ou à un enfant apprenant à marcher. Par conséquent, les émotions seraient éveillées et le fantôme redeviendrait cataleptique, ramené à l'horizontale au-dessus du corps physique et rejeté en lui.

Bien sûr, la répétition de tels faits finirait par habituer le projecteur. On doit véritablement apprendre à marcher quand on devient un « projecteur astral » et que l'on reçoit les impulsions à se mouvoir dans le champ d'activité du câble. Un autre fait gênant dans le recouvrement de mobilité à cet endroit est que le sujet se trouve rarement capable de conserver une véritable stabilité ; il est au contraire comme abasourdi ou il a le vertige, ayant l'impression qu'il est immobile et que les choses bougent autour de lui. Cependant le subconscient essaie de conserver le fantôme en catalepsie — et généralement il y réussit — jusqu'à ce qu'il ait dépassé le champ d'activité du câble.

Les fonctions individuelles, complexes par elles-mêmes et travaillant simultanément pendant une projection astrale, sont aussi variées que multiples, mais il faut se rappeler que la plupart de ces fonctions déconcertantes ont lieu dans le champ d'activité du câble, là où le fantôme est séparé du corps physique mais n'en est pas encore libéré.

En fait, une projection ne peut être considérée comme parfaite si l'entité éthérée est entièrement séparée de l'entité matérielle tout en restant dans le champ d'activité du câble.

Ce champ d'activité semble cependant inconnu. A ma connaissance, personne n'en a jamais donné d'explication, ni ne l'a même seulement mentionné auparavant. Je crois même que la plupart des expérimentateurs ne savent pas qu'il existe... et croient que le fantôme est libre dès le moment où il quitte le corps physique.

Il est peu probable que le néophyte qui se livre à la projection astrale soit libéré de la catalepsie, ou retrouve sa mobilité, ou bien devienne conscient avec un parfait fonctionnement des sens dans le champ d'activité du câble. Cela se produit rarement. Le fait que les médiums capables de se projeter consciemment n'ont jamais parlé des particularités du câble, démontre qu'ils n'ont jamais été parfaitement « normaux » tant qu'ils étaient sous l'emprise du champ d'activité du câble.

Je crois que le subconscient a un plan précis pour projeter le corps astral et que si celui-ci se déroule bien, comme le subconscient l'a prévu, la « normalité » n'apparaîtra dans le fantôme que s'il se trouve à la fin ou en dehors du champ.

Il n'existe pas un laps de temps précis entre le moment où le corps astral sort de la coïncidence et celui où il arrive à la fin du champ ; c'est le tempérament de l'individu qui le détermine. Certaines personnes qui possèdent naturellement de puissants facteurs positifs tendant vers la projection, sortent rapidement du champ d'activité du câble, en étant parfois même incapables de s'arrêter. De tels individus expérimentent très souvent des projections non intentionnelles (généralement le soir, à la faveur du sommeil).

D'autres peuvent en sortir, mais plus lentement, soit par l'intervention inattendue de facteurs positifs, soit par la provocation intentionnelle de ces facteurs. Certains encore, quoiqu'ils paraissent parfaitement sains et conscients, subissent, même pendant qu'ils marchent, le déclenchement de facteurs favorables à la projection. Le corps éthéré se met à « vibrer », à « tournoyer » et à se détacher de sa contrepartie physique ; le physique se met à bouger, à trembler et à se tordre. L'éhéré devient ensuite cataleptique, prêt à sortir. Le physique fait de même. L'éthéré se sépare du physique qui tombe en un tas de muscles relâchés. Ce que je viens de décrire est habituellement appelé « épilepsie ». Ces huit dernières années, j'ai connu de près cette maladie qui déconcerte les médecins. Le malade souffre d'un dérangement physique quelconque qui est la cause fondamentale de la séparation du corps éthéré. Des lésions du cerveau ou des troubles sexuels en sont les causes courantes. Des déficiences mentales surgissent toujours avec cette maladie ; mon avis — et pas seulement le mien — est que le déséquilibre de l'esprit — la folie sous toutes ses formes — est dû au fait que l'éthéré n'est pas solidement « attaché » au physique[1].

---

1. *En ce qui concerne la question de la folie, l'auteur anonyme de* The Maniac (*document psychologique inestimable*) *dit dans une note de bas de page : « ... l'ego peut en toute sécurité se retirer du corps physique et le Corps éthéré — lien entre le corps physique et l'ego — doit, pour que le physique ne subisse aucun dommage, s'en débarrasser comme d'une coquille et rester uni malgré tout avec lui. Le problème, dans la folie, est qu'une séparation s'est produite entre les deux enveloppes alors qu'elles ne peuvent être en partie séparées sans causer de sérieux troubles physiques, et sûrement jamais en entier sans causer la mort du physique... Les médecins, qui ont déjà découvert dans les anesthésiques quelque chose qui agit directement sur le Lien/Corps éthéré et le conduit hors du physique, devraient maintenant porter leurs recherches sur les moyens d'agir sur le Lien dans l'autre sens... pour le ramener ou le rejeter à volonté du corps physique dont il*

Quand l'intermédiaire (l'ego) entre le corps éthéré et le corps physique n'est pas normal, comme dans le cas de l'épilepsie, certains sujets peuvent sombrer dans l'imbécillité.

Je connais une femme qui, du jour où elle est devenue épileptique, s'est vue dotée de pouvoirs paranormaux inhabituels. Quelques personnages historiques célèbres tels César, Napoléon et Socrate ont été épileptiques. Des conséquences que peuvent entraîner des anomalies du fonctionnement cérébral, il faut avouer que nous ne savons pas grand-chose...

EXCENTRICITE DES SENS

Les sens, dans le champ d'activité du câble, fonctionnent de façon tellement capricieuse qu'il serait difficile sinon impossible de faire des « calculs de probabilité »! Le mieux est simplement de passer en revue ces fonctionnements curieux des sens, tels que je les ai moi-même expérimentés.

D'abord, le sens de la vue. Quand nous sommes en concordance et conscients, nous ne voyons — à moins d'être doué de clairvoyance — que les objets qui « vibrent en accord » ou qui « sont dans le champ de vibration » avec lequel nos yeux sont accordés. Quand nous sommes hors de concordance et conscients, le sens de la vue ne se reconstitue pas immédiatement; mais quand il le fait, le champ de vision s'est accru et nous ne sommes plus seulement capables de voir les choses matérielles que nous voyions auparavant, mais aussi les « choses astrales ». On appelle cela la « vision astrale »

Durant la séparation à petite distance avec conscience, cette « vision » peut survenir de plusieurs façons. Le câble astral est aussi utilisable pour conduire les sens tout autant que le corps, et les sens peuvent aller et venir

---

a été séparé. Quand ils auront fait cette découverte, alors ils auront trouvé les moyens de guérir les cas de « folie » causés par de semblables « dislocations » (H.C.).

d'un corps à l'autre, ou être en même temps dans les deux corps et dans le câble (dans le champ d'activité du câble). Le fantôme peut être projeté alors que la conscience fonctionne ; le sujet verra le fantôme bouger dans la chambre, debout ou couché dans les airs, etc., avec ses yeux physiques (bien qu'ils soient fermés).

Je crois avoir dit précédemment que le dormeur peut parfois devenir conscient et se voir lui-même dans l'astral, avec ses yeux physiques, couché horizontalement à près d'un pied au-dessus du corps physique. Ce corps, qui repose dans les airs, apparaît diaphane et agité de tremblements. Le dormeur peut s'éveiller presque immédiatement après avoir vu cela, avec une « répercussion ». Il soutiendra qu'il voyait tout cela au moyen de ses yeux physiques car, dira-t-il, « j'ai vu cela avec mon corps physique, j'ai vu l'astral couché au-dessus de moi, donc j'étais conscient dans mon corps physique ». Bien que cela lui parût une vérité évidente, il n'était pas du tout conscient dans le physique ! Il était conscient dans l'astral grâce au « courant de vision » qui se déplaçait à travers le câble vers ses yeux physiques. Le physique n'a pas vu l'astral. Les yeux physiques normaux ne pourraient pas voir le fantôme couché au-dessus du corps physique, d'autant plus qu'ils étaient fermés ! Le siège de la conscience est dans le corps astral. Le courant de vision, au lieu de se concentrer dans les yeux du corps astral, se livrait à l'une de ses nombreuses fantaisies et faisait un circuit à travers le câble vers les yeux physiques.

Prenons le cas de notre vue normale au moment où nous sommes physiquement conscients. Nous disons que nous voyons avec nos yeux parce que le courant va des yeux vers l'esprit conscient. Supposez maintenant que vos yeux et les nerfs qui en partent, soient retirés de leurs orbites, placés à un pied devant vous et tournés vers vous. A ce moment là vous vous verriez, au lieu de regarder à partir de vous-même. C'est ainsi qu'il arrive que le courant astral de vision fonctionne à travers le câble et que le fantôme « se voie ».

Parmi tant d'autres originalités de la vision astrale, il est un phénomène assez déroutant : c'est la vision astrale « double » ! Elle consiste en ceci : le projecteur apparemment voit par ses yeux physiques et, en même temps, par les yeux du corps astral. Quand cela se produit (ce qui est rare), le sujet peut observer le corps astral tout comme s'il était dans le corps physique — le voyant, le cas échéant, évoluer dans la chambre — et au même moment, il est capable de voir sa contrepartie physique couchée sur le lit avec les yeux fermés.

Que penseriez-vous s'il vous arrivait de vivre une chose aussi incroyable ? Que penseriez-vous si vous pouviez voir à partir de deux endroits différents en même temps ? Peut-être — et ce serait logique — penseriez-vous être conscient à chacun de ces deux endroits ? Mais nous avons vu déjà que l'esprit conscient n'est pas une partie du corps physique mais qu'au contraire, il opère dans le corps astral. Cette « double vision astrale » n'est pas nécessairement une double conscience ; c'est en quelque sorte un sens de la vue « à double voie », l'une de ces voies passant à travers la ligne de force vers le corps physique et l'autre vers le corps astral.

La première fois que j'ai expérimenté cela, je croyais qu'il s'agissait d'une double conscience, mais je découvris bientôt qu'il s'agissait plutôt d'une double vision. Ce phénomène ne se produit que dans le champ d'activité du câble (pour autant que je le sache), tout comme « le courant de vision » par l'œil physique. Si la double vision astrale est en train d'opérer et que le fantôme sort du champ d'activité, la vision de l'œil physique s'éteint instantanément. Des autorités en la matière prétendent qu'il est possible de produire la « double conscience », ou conscience dans le physique et l'astral à la fois. En ce qui me concerne, je ne puis décréter la chose impossible car j'ai vu trop de faits déroutants pour me contenter de nier ; seulement, maintenant que je comprends la double action des sens, que je prenais auparavant pour une double conscience, je ne crois pas l'avoir jamais expérimentée.

Dans son ouvrage *Higher Psychical Development*, H. Carrington écrit : « Il est évident que le " corps de rêve " est relié au corps astral auquel il est plus ou moins identique. » Le Dr. Van Eeden, un Hollandais, s'est livré sur lui-même à de très intéressantes expériences avec son « corps de rêve »... Il s'efforçait de transférer sa conscience à ce corps pour se rappeler tout ce qui pouvait survenir durant le sommeil, ainsi que pour contrôler ce corps de rêve, de façon à pouvoir, à travers lui, manipuler des objets physiques du monde matériel. Il n'y parvint pas tout à fait mais presque, puisqu'il arriva à une double conscience complète. Il se rappelait parfaitement qu'il était endormi, couché dans son lit avec les bras repliés sur la poitrine et qu'au même moment, il regardait à travers la fenêtre et voyait un chien courir et aboyer dans sa direction, puis s'enfuir. Il voyait également des détails de ce « personnage ». Il se souvint alors avoir glissé vers la couche où son corps physique reposait, s'être allongé à côté de lui et un instant plus tard, il se réveilla. Il était à nouveau dans son corps physique mais il avait le sens aigu d'une dualité entre la conscience des deux corps.

Vous voyez qu'ici, le Dr. Van Eeden maintient qu'il était conscient dans les deux corps au même moment. Il m'est arrivé souvent de rencontrer des expériences similaires à celle du Dr. Van Eeden et au début, je croyais également que ma conscience se trouvait dans les deux corps simultanément mais après avoir bien creusé l'énigme, j'en ai conclu qu'il s'agissait, comme je l'ai dit, d'un double fonctionnement de la vision. Sa relation ne pourrait-elle pas être facilement expliquée comme étant le résultat d'une double vision avec conscience unique et ligne de force astrale conduisant le sens de la vue à la position occupée par les yeux physiques ?

Même si elle était possible, la notion de « double conscience » me paraît incompatible avec ce que nous avons avancé précédemment. Si la conscience peut réellement se multiplier, si elle peut se trouver dans le corps physique en l'absence du corps astral, alors quelle est l'utilité d'un être interne ? Est-ce que les deux corps peuvent être conscients au même moment pendant la séparation ? Si le câble se brise, est-ce que le physique existera toujours consciemment ? Je ne le pense pas. J'ai de bonnes raisons pour parler plutôt de « double vision »... et j'y reviendrai. En tout cas, on peut être certain que cette dernière existe dans le champ d'activité du câble en de nombreuses occasions. Nous pouvons même dire que pendant une projection consciente dans le champ d'activité du câble, le sens de la vue peut fonctionner de trois façons : par les yeux du fantôme (ainsi qu'il le faudrait), à partir de l'endroit occupé par les yeux physiques et par les deux simultanément[2].

En général, on remarque que le sens de la vue agit à partir de l'œil du fantôme seulement ; mais il y a les exceptions citées plus haut. J'ai donc voulu, outre le processus habituel, étudier et approfondir aussi les faits inhabituels. Je conseillerais quand même au lecteur de ne pas trop s'attarder sur ces choses dont j'ai parlé comme étant des phénomènes inhabituels, de peur que ceux-ci ne se cristallisent dans son esprit et, ce faisant, ne l'influencent puisque dans l'astral « comme l'on pense, l'on est ».

LE SENS DU TOUCHER, DOUBLE

En étudiant plus en détail les notations du Dr. Van Eeden, considérons un fait intéressant : alors qu'il se tenait près de la fenêtre, et qu'il regardait au-dehors, le docteur vit un chien venir à lui et le regarder avant de s'enfuir. Manifestement, ce chien pouvait « voir astralement » puisqu'il était capable de voir le corps astral du Dr. Van Eeden ; du reste, il n'y a pas de raison de croire que les animaux ne puissent le faire aussi bien que les humains. Le chien, plus particulièrement, paraît doté de sens subtils.

J'avais un chien nommé Jack, bâtard mais ami fidèle. J'ai voulu savoir si Jack pouvait me voir quand j'étais extériorisé dans le corps astral ; aussi j'établis ses quartiers dans ma chambre. Je sais qu'il était tranquille et qu'il n'aboierait que si quelqu'un s'approchait de ma chambre.

Il n'y avait qu'un ennui avec Jack, c'est qu'il avait un sommeil de plomb. Quand je réussissais à « sortir », il dormait et ma présence ne le réveillait pas le moins du monde ! Vint tout de même une nuit, par hasard je suppose, où j'étais extériorisé consciemment et où Jack ne

2. *Il arrive que le fantôme projeté puisse voir de différents endroits de son corps, sans utiliser ses yeux... Nous y reviendrons.* (H.C.).

dormait pas... Il se tenait sur le sol, regardant d'un air implorant mon corps physique étendu sur le lit, comme s'il attendait une invitation à venir se coucher près de moi. De l'autre côté de la chambre j'essayais, dans mon corps astral, d'attirer son attention. J'évoluai vers un endroit où ses yeux pourraient rencontrer les miens et je me mis à l'appeler et à lui faire des signes. Ses yeux observaient toujours le corps physique, bien qu'une fois — un court instant — il renifla l'air en levant la tête dans la direction du fantôme. Il paraissait plus absorbé par l'observation de mon enveloppe charnelle que par le fait de voir mon corps astral. Je crois bien qu'il ne sentait même pas que je n'étais plus dans l'enveloppe.

Il se produisit finalement quelque chose qui se révéla intéressant. Jack sauta sur le lit et s'y pelotonna en se blottissant contre le corps délaissé. C'est alors qu'il se passa une chose étrange. Le physique bascula légèrement de haut en bas sous le poids du chien montant sur le lit et à ce moment précis le corps astral bascula de haut en bas dans les airs, en parfaite synchronisation avec le corps physique (ceci indépendamment des positions : horizontale pour l'un, verticale pour l'autre).

Mais la chose qui m'étonna le plus fut que le chien se blottissant contre le corps physique, j'eus l'impression qu'il se blottissait près de moi dans l'astral et j'ai pu sentir son poids contre mon corps astral jusqu'à ce que je sois redevenu « physiquement actif ». Comment se produisit ce transfert de sensation ou du sens du toucher ? On sent n'importe quel élément matériel de la même façon que lorsqu'on est physiquement actif, on « sent » par le canal des sens.

Durant la projection, les sens se trouvent dans le corps physique, dans le câble et dans le corps astral. En d'autres termes, si vous sentez quoi que ce soit de matériel alors que vous êtes dans le corps astral, c'est que vous devez encore vous trouver dans le champ d'activité du câble ; et ce que vous sentez doit toucher la contrepartie matérielle et être transmise par la « ligne de force » dans le corps astral. C'est là que vous le ressentez réellement.

Mais ceci n'est qu'une des bizarreries du sens du toucher, qui tout comme le sens de la vue, peut agir d'une façon désordonnée lorsqu'il se trouve dans le champ d'activité du câble.

Je savais depuis longtemps que parfois dans le champ d'activité du câble, une sensation sur le corps matériel peut être ressentie au même endroit du corps astral. Que le contraire fût également possible était nouveau pour moi ; certaines autorités éminentes semblent cependant vouloir l'établir.

« Dans certaines expériences que j'ai conduites, j'ai réussi à dissocier partiellement les deux organismes au moyen de la suggestion hypnotique alors que le sujet était en transe profonde, et l'existence indépendante du corps astral ou éthéré a été prouvée par des phénomènes de sensibilité et de mobilité. Ainsi, après que le corps intérieur ait été libéré jusqu'à un certain point, j'ai piqué ce corps avec une épingle ; or, bien que la piqûre ait été distante de quelques pouces de la surface du corps réel, matériel, le sujet ne la sentit pas moins que si elle avait eu lieu sur le corps réel. Je piquai la surface du corps éthéré, à quelques six à huit pouces du corps matériel, mais par un phénomène connu des chercheurs spirites sous le nom de « répercussion » (de la sensibilité), le corps matériel réagit de façon telle que le sujet ressentit réellement la piqûre dans le corps même. »

D'autres expériences renforcent ou corroborent ces tests ; dans son livre, *Higher Psychical Development* H. Carrington poursuit : « Des chercheurs français ont dirigé de nombreuses expérimentations sur ce qu'ils appellent " extériorisation de la sensibilité et de la mobilité " (pouvoir sensoriel et pouvoir moteur).

Si, la main placée au-dessus d'une boîte d'allumettes, je veux faire bouger celle-ci, je dois la toucher. Cependant si je suis un médium, il se pourra que, la main placée de la même façon, la boîte bouge sans que je la touche. La théorie avancée est qu'en ce cas je peux projeter avec mes doigts une énergie qui relie les doigts et la boîte et met celle-ci en mouvement. C'est une projection de force motrice *. D'un autre côté, si je me pique le doigt, je n'ai de sensation qu'à la condition que mon doigt soit touché directement. Mais lorsque la sensibilité est projetée hors

---

* On appelle ce phénomène *télékinésie* (N.d.T.).

du corps — comme cela se produit, semble-t-il, dans certains cas de profonde hypnose et de transe — vous pouvez vous piquer un demi-pouce au-dessus du doigt, et vous le sentirez. »

J'aimerais anlayser en détail les expérimentations françaises dont parle H. Carrington à propos de l' « extériorisation de la sensibilité ». Au cours de ces expériences, le colonel de Rochas et d'autres prétendent avoir sorti entièrement le corps astral du physique, l'avoir « mis de côté » pour ainsi dire, et avoir remarqué qu'en piquant l'astral, chaque piqûre « répercutait » comme nous disons, ou était sentie dans le corps original, physique, à l'endroit correspondant aux piqûres faites sur le corps astral.

Ceci, bien sûr, présente une ressemblance frappante avec les vieilles pratiques d'envoûtement et de sorcellerie où la sorcière était censée, à certains moments, se transformer en chien ou en chat ; si le chien ou le chat était blessé ou avait un œil arraché, le jour suivant, on trouvait la sorcière avec un œil arraché — répercussion ! Il y a là une similitude troublante et intéressante[3]. Vous vous souviendrez que nous avons parlé de cela auparavant, à propos de la « matérialisation ».

Il faut se rappeler que les chercheurs qui ont découvert cette « répercussion de la sensibilité » sont des scientifiques dignes de foi ; mais sans vouloir mettre en doute l'exactitude de leurs expériences, j'avoue ne pas comprendre comment une aiguille peut piquer le corps astral et être ressentie, puisqu'il est par essence intangible et imperméable aux choses matérielles.

En cherchant à résoudre ce problème, plusieurs explications purement théoriques me sont venues à l'esprit. J'ai remarqué, en lisant ces témoignages, que le sujet était sous hypnose et je me suis demandé si cette répercussion n'était pas, d'une certaine manière, provoquée par cet état. Je me suis également demandé si une telle expérience

---

3. *On peut trouver une importante et curieuse documentation sur la répercussion dans le livre de Adolphe d'Assier,* Posthumous humanity, *essai sur la relation possible de tels cas avec certaines manifestations de sorcellerie. — Voir aussi ce que j'ai écrit sur le même thème dans* the Problems of psychical Research, *chap.* Witchcraft : its facts and follies *(H.C.).*

pourrait être réalisée de la même façon quand la projection se produit sans suggestion extérieure ni hypnotisme.

LE FANTOME PEUT ETRE TRAVERSE D'AIGUILLES, SANS LES SENTIR

Il y a environ deux ans, j'ai voulu tester moi-même cette fameuse « répercussion de la sensibilité » causée par des piqûres d'aiguilles. J'ai construit un « matériel piquant » rudimentaire : un panneau assez long pour aller de la tête au pied de mon lit avec quelques aiguilles plantées dedans, pointes dirigées vers l'extérieur. J'attachai cela aux extrémités du lit — à environ dixhuit pouces directement au-dessus de l'endroit où je dormais — avec les aiguilles pointées vers le bas.

Je réussis à produire une projection et j'en vécus une autre qui, elle, était non intentionnelle, durant les semaines que je passai à tenter cette expérience. Bien que les aiguilles fussent assez rapprochées, je passai au travers du panneau sans la moindre sensation. C'est à partir de ce moment que je me mis à croire que la répercussion de la sensibilité produite par les chercheurs français peut d'une certaine façon être mise sur le compte de l'hypnose. J'admets toutefois bien volontiers que je puis me tromper, car je ne m'estime pas compétent dans le domaine de la projection astrale provoquée par l'hypnose.

Voyons maintenant comment cela pourrait peut-être constituer une hallucination hypnotique des sens. Je cite le professeur L.-A. Harraden :

HALLUCINATION DES SENS DURANT LA TRANSE HYPNOTIQUE

« Lorsque cet état (*la transe hypnotique*) est réalisé, l'esprit du sujet reste endormi jusqu'à ce qu'il soit ramené en activité par quelque suggestion que l'opérateur lui aurait transmise et à laquelle il répondrait aussi automatiquement qu'une locomotive obéit aux manipulations de son conducteur. Il n'est en fait à ce moment qu'un simple automate. Il est livré à la suprématie de toute idée qui peut être émise pour le posséder et il n'a aucun pouvoir de juger de sa valeur face aux faits réels, parce qu'il est incapable de la mettre en comparaison avec ceux-ci.

« Ainsi on peut en jouer comme d'un instrument de musique. Il pense, ressent, agit, de la façon dont la volonté de l'opérateur veut qu'il pense, ressente ou agisse, — non pas tel qu'on l'a présenté, parce que sa volonté a été amenée dans un état de soumission directe à celle de l'opérateur, mais parce que sa volonté est « en suspens » et que toutes ses opérations mentales sont dirigées par les suggestions que l'opérateur peut choisir pour impressionner sa conscience. Son esprit ayant perdu son pouvoir d'auto-direction, ne peut secouer le joug d'une idée dominatrice, toute tyrannique qu'elle soit et doit en exécuter les commandements. Il ne peut l'analyser, il doit l'accepter ; il ne peut faire référence à aucun fait, même le plus familier, qui soit au-delà de sa portée immédiate. »

A un autre endroit, le professeur Harraden écrit : « Les organes des sens et de la perception sont autant de canaux pour la conduite de toute suggestion faite au sujet. D'un simple regard ou mouvement, l'hypnotiseur est capable de transmettre au sujet une suggestion qui sera aussi efficace que s'il faisait appel aux mots. »

Avec un sujet en profonde transe hypnotique, on pourra introduire une aiguille dans sa chair en lui suggérant soit qu'il ne ressent rien du tout, soit qu'il ressent une violente douleur (disproportionnée) et il se passera la chose suggérée. Le sujet est-il normalement conscient quand il est sous le contrôle d'un opérateur ou est-il soumis à des hallucinations, des illusions des sens ?

Si la piqûre de l'aiguille entrait réellement en contact avec la sensibilité du corps astral et que le sujet fût normalement conscient, c'est là qu'il la ressentirait. Je me demande si cette même répercussion de sensibilité se produirait si l'opérateur donnait au sujet la suggestion contraire, telle que la piqûre ne soit pas ressentie lorsque l'on piquerait l'espace occupé par la contrepartie astrale. Pour ma part, je ne comprends pas comment un sujet peut être « lui-même » pendant son extériorisation, comment il peut saisir la véritable signification de ce qui se passe et être toujours sous contrôle hypnotique... La plupart des expériences françaises ont été conduites au moyen de l'hypnose et je ne suis pas prêt à dire que le corps astral peut être amené dans un état normal par ce procédé. Personnellement, je n'ai jamais expérimenté de répercussion de la sensibilité, de l'astral vers le physique, qui soit provoquée par le contact d'un objet matériel avec le corps astral — alors que la répercussion du corps astral est très fréquente. Une aiguille — matérielle — pourrait-elle atteindre, entrer en « contact violent » avec un corps astral — non matériel ?...

Une entité astrale devrait alors être continuellement sur ses gardes pour éviter tous les objets matériels pointus ?

Il y a en tout cas une chose dont je suis sûr : si la « répercussion de la sensibilité » se produit, c'est dans le champ d'activité du câble — champ de « quasi séparation » qui n'est pas exactement un « champ libre » et dans lequel bien des anomalies peuvent exister. C'est un état dans lequel le fantôme, bien que distinct, est toujours relié à sa contrepartie physique — au moyen de la ligne de force — plus ou moins fermement en fonction de l'individu qui se projette.

SENSIBILITE DOUBLEE ET OBSESSION

Reportons à nouveau notre attention un moment sur la transmission de sensibilité du corps physique vers le corps astral au moyen du câble astral.

On sait depuis longtemps que des victimes de mort violente, et plus particulièrement lorsque la mort a été très douloureuse, se sont manifestées peu après à des médiums et se sont plaintes de ressentir encore la douleur de leur corps physique au moment de la mort. La plupart des médiums — croyant le corps astral immunisé contre la souffrance — ont dit à ces fantômes tourmentés, pendant qu'ils communiquaient avec eux, qu'ils étaient désormais morts, avec un corps immunisé contre la souffrance et que par conséquent, l'ego, dans l'astral, ne pouvait souffrir que de douleurs purement imaginaires. Or, au départ, ces entités désorientées ne font pas qu' « imaginer » leur agonie, même si leur esprit ne cesse d'être obsédé par cette idée bien longtemps encore après que le câble soit rompu.

Voici ce qui se passe dans un tel cas. Le fantôme, au moment de la mort, était extériorisé et dans le champ d'activité du câble, pendant que la sensibilité était transmise du corps physique au corps astral — tout comme, pendant que j'étais extériorisé, et dans le champ d'activité, je pouvais sentir le poids du chien à mon côté. Cette douleur, jointe à la stupeur provoquée par une telle expérience, le rend véritablement fou, obsédé, l'obsession continuant bien après la rupture du câble. Ce n'est pas un simple « état d'âme » qui met le fantôme dans ces fâcheuses dispositions, c'est le véritable transfert de sensations à travers la ligne de force, transfert de la douleur réelle, je dis bien : réelle.

Souvent, dans sa folie, la victime vit continuellement, même des mois plus tard, la mort qu'il a connue ; en d'autres termes, il continue à « vivre sa mort » et sa douleur.

Mme M.-E. Hess, une amie personnelle, spécialisée dans la guérison des obsessions et vivant à La Salle dans l'Illinois, a fait un rapport qui illustre bien ce qui précède et que nous appellerons :

LE CAS DE « 89 »

Une patiente — une dame d'environ trente-cinq ans — a été amenée à Mme Hess parce qu'elle s'imaginait être une locomotive. Elle faisait tous les bruits propres à ce qu'elle croyait être. Elle traversait la maison « tchouc, tchouc... », soufflait la vapeur, sifflait, suivait des rails au travers de contrées imaginaires...

Par ses recherches, Mme Hess découvrit qu'une entité de l'astral suivait constamment la pauvre femme et qu'il s'agissait d'un mécanicien de locomotive ! Mme Hess entra alors en communication avec l'esprit obsédant et apprit qu'il avait été tué de façon violente par sa locomotive, la N° 89. C'est ainsi — 89 — qu'il s'appelait lui-même ; il était dans un tel état de choc qu'il se croyait encore en dessous de la locomotive, ne pouvant réaliser qu'il était mort et se trouvait dans l'astral.

En faisant entrer en scène la mère du mécano, qui était morte bien avant lui, l'esprit obsédant eut quelque éclaircissement et réalisa qu'après tout son corps ne le faisait pas souffrir.

Mais au départ, il ne s'agissait pas de simple imagination. « 89 » a été pris de cette démence par le fait qu'il était réellement conscient, dans le corps astral placé dans le champ d'activité du câble, quand la sensation doublée existait et il a pu sentir la machine sur lui ainsi que la douleur qui l'accompagnait.

Vous vous interrogez à propos de ces victimes astrales qui deviennent ainsi obsédées et pour tout dire folles ? Une telle expérience mettrait n'importe qui dans un état pareil... Heureusement, les facteurs au moment de la mort ne sont pas toujours aussi tragiques que dans ce cas-ci. La conscience ne se manifeste pas toujours au même moment ni au même endroit ; la sensibilité ne circule pas toujours dans les trois organismes en même temps (corps physique, câble, corps astral) ; les morts ne sont pas toujours violentes et accablantes. Cependant, ce cas révèle qu'il y a après tout une raison pour laquelle certains esprits reviennent et se plaignent d'une douleur qu'ils « vivent » encore et qui est pour eux plus que simple imagination.

Ne pensez pas que cette douleur dans l'astral est anormale. Elle est réelle car la sensibilité reste la même qu'au moment où les corps étaient en concordance et bien que le fantôme soit insensible aux choses physiques, s'il reçoit la douleur du corps physique par le câble, c'est une douleur bien réelle qu'il éprouve et qui perdure après la rupture du câble, jusqu'à ce qu'il en soit guéri par l'esprit. Il est difficile, je le comprends, de concevoir que la sensibilité puisse exister séparée des nerfs du corps, mais le simple fait que cela paraisse incroyable n'est pas une raison suffisante pour affirmer que c'est faux.

Par ailleurs, cela pourrait d'une certaine façon expliquer

pourquoi certaines personnes qui ont eu un membre coupé, prétendent continuer à « sentir » leur bras ou leur jambe après que le moignon s'est cicatrisé. Cela ne pourrait-il provenir de la sensibilité présente dans l'astral, dans l'espace occupé préalablement par le bras physique ? Dans *Psychical Phenomena and the War,* H. Carrington cite un cas semblable à celui du mécano « 89 ».

LE CAS DOULOUREUX DE LA BAIONNETTE

Le jour du nouvel an 1916, trois amis se livraient à une séance de spiritisme lorsque l'esprit d'un soldat vint à eux, se plaignant de ce que la baïonnette (qui l'avait tué) était toujours dans son corps (astral) ; cela lui était pénible et il voulait qu'on la lui retire. Après une conversation intense entre l'entité astrale et les trois amis, ceux-ci en apprirent davantage sur le fantôme. Il était Canadien, marié à une cuisinière au service de Mme Weston, qui vivait à Herne Bay (près de Londres) et d'autres détails encore. Mais ce qui le tracassait le plus, était que la baïonnette le faisait souffrir depuis ce jour de Noël où il avait été transpercé par un Allemand ! Un des assistants dit : « Vous vous trompez ; si vous êtes mort, vous êtes dans un nouveau corps. La baïonnette peut être plantée dans l'ancien, mais elle n'est plus en vous maintenant. » Le fantôme répliqua à cela : « Essayez vous-même ! » Il semblait que l'être astral était entièrement conscient de la douleur et qu'il n'admettait pas qu'il s'agisse d'une illusion. Où le soldat prit-il donc cette idée de douleur ? Par sa transmission du corps physique au moyen du câble astral pendant qu'il était conscient. Finalement, la souffrance a pu être supprimée par « concentration d'esprits », mais cela ne prouve pas qu'elle n'existait pas.

Mais, direz-vous : « Comment expliquez-vous la baïonnette, car il n'y en avait sûrement pas dans le corps astral du fantôme ! » Si, il y en avait une. Non pas une « baïonnette physique », mais une « forme astrale de baïonnette », créée par l'esprit traumatisé du soldat fantôme. Nous verrons plus loin comment l'esprit peut créer son environnement.

MOBILITE DOUBLEE ET DEPLACEE

Une force extraordinaire opère dans le câble astral. J'ai souvent désiré un système de mesure pour traduire cette force en termes physiques, c'est-à-dire pour que l'on puisse arriver à déterminer exactement quel poids matériel pourrait être déplacé par cette force si le câble pouvait établir un contact avec ce poids.

Je suis fermement persuadé que, en étant projeté et me trouvant dans le champ d'activité du câble, si je pouvais saisir quelque objet physique, la force dans le câble pourrait le déplacer — même si cet objet pesait une tonne ! Du fait de mes expériences, j'ai de bonnes raisons de croire qu'un câble libre peut s'étendre d'un corps physique sans corps astral à son extrémité et que ce câble libre peut exercer une action de poussée/traction et transmettre une mobilité qui, sous certaines conditions, peut provoquer des *raps* * et faire bouger des objets.

DES RAPS PRODUITS A VOLONTE DURANT L'EXTERIORISATION DE LA MOBILITE

J'ai moi-même produit des *raps* alors que je me trouvais dans cet état. Je me souviens très nettement m'être éveillé un matin, privé de mobilité ! Je suivis alors ce raisonnement : « Si ma mobilité s'étend hors de mon corps

---

* Cf. note page VII (*N.d.T.*).

* *Raps* ou *rappings* : mot anglais introduit en France par Maxwell ; désigne les coups frappés ou bruits supposés produits par les esprits. Si cela est juste, donc s'il est possible que la « mobilité » du corps du sujet se déplace en dehors du corps le long de la « ligne de force » avec sa mobilité corporelle ainsi extériorisée, le sujet serait à ce moment-là, paralysé bien que son corps astral soit toujours en concordance et qu'il puisse être conscient. On a souvent remarqué qu'il y avait un médium dans cette condition d'impuissance quand des *raps* se produisaient. (*N.d.T.*).

et que je suis actuellement conscient, pourquoi ne pourrais-je pas vouloir qu'un " *rap* " se produise ? » J'ai voulu avec force que ce *rap* se produise sur le buffet. Le *rap* se produisit. En règle générale toutefois, quand on se trouve dans cet état de mobilité extériorisée, on est trop énervé pour penser à faire une chose pareille et, au lieu de vouloir sa mobilité loin de soi, on est anxieux de la retrouver.

Il en va de même pour déplacer des objets quand le corps astral lui-même est projeté à la fin de la ligne de force. Cela peut se produire, sous certaines conditions que nous verrons plus tard ; pour le moment, ce que je veux démontrer, c'est que la mobilité peut se déplacer au travers du corps astral, tout comme la sensibilité. Elle peut opérer des déplacements lents ou rapides.

Durant la projection astrale (dans le champ d'activité), une « double mobilité » peut exister jusqu'à un certain point. De cela je suis sûr. Lorsque cela se produit, chaque mouvement du « bout » projeté de la ligne de force provoque une réaction sur l'anatomie du sujet, généralement de façon légère, en fonction du potentiel de mobilité existant toujours en cet endroit et qui, en général, est très faible. Dans ces conditions de « double mobilité », un mouvement du bras astral produira une crispation dans le bras physique, tout comme vous voyez les pattes d'un chien s'agiter quand il rêve.

La « double mobilité » est bien moins fréquente que la double sensibilité et certaines personnes y paraissent plus sujettes que d'autres. On la rencontre davantage dans l'état inconscient et de rêve que dans l'état conscient. Bien qu'il y ait là une sorte de mystère trop profond pour moi, je sais que c'est vrai, que l'on peut faire bouger un objet dans un rêve et que l'objet en réalité ne bouge qu'après deux secondes. J'ai en effet vécu une expérience de ce genre. Tout cela me rappelle ce que Sir Oliver Lodge avait déclaré en discutant du phénomène produit par Eusapia Paladino *.

« Le fait... que le corps du médium subit des mouvements semblables ou correspondants, est très instructif et intéressant. Parfois, lorsqu'elle [le médium] va déplacer

---

* Médium italienne qui fut célèbre au début du siècle. (*N.d.T.*).

un objet éloigné, elle fera avec la main un petit mouvement de poussée dans la direction de l'objet et immédiatement après, l'objet bougera. Cela fut réalisé, pour mon édification, toujours avec le même objet, à savoir un bureau dans le coin de la pièce.../... Lorsqu'elle se trouvait éloignée de six à sept pieds, l'intervalle [entre la poussée et le mouvement de l'objet] était d'environ deux secondes. Lorsqu'un accordéon se met à jouer, les doigts du médium bougent d'une façon parfaitement appropriée. Tout se passe comme si Eusapia rêvait qu'elle joue de l'instrument et qu'elle le rêve si fortement, que l'instrument joue réellement. C'est comme si un chien rêvait de chasse avec une telle énergie qu'un lièvre lointain soit réellement capturé et tué comme par un chien fantôme. Aussi absurde que cela puisse paraître pour le moment je serais, je le reconnais, plus que disposé à faire des investigations dans une telle direction pour y trouver des clés. Dans une conception idéaliste de la nature, de nombreux philosophes ont considéré que la pensée était la réalité et que le *substratum* matériel n'était qu'une conséquence de la pensée.

« Ainsi, plus modestement, cela apparaît ici. C'est comme si le rêve de la personne en transe était physiquement « vivace » au point d'affecter les objets environnants et de produire réellement des résultats objectifs : causer non seulement des mouvements réels et permanents d'objets ordinaires, mais aussi de nouveaux agrégats temporaires de particules matérielles dans des objets extraordinaires — ces agrégats étant suffisamment objectifs pour être sentis, entendus, vus et probablement même, photographiés. »

Si par conséquent je dis qu'on peut rêver de faire bouger un objet physique (et que dans le cas où cet objet bouge réellement, un décalage de quelques minutes se produira entre le mouvement rêvé et le mouvement réellement exécuté), je pense exactement ce que je dis, sans me soucier du fait que le « sens commun » nierait certainement la chose. Qui sait, cette particularité du « décalage » et d'autres encore, auront-elles un jour une explication claire et satisfaisante ?

Quand le corps physique remue dans un rêve, c'est souvent parce que le corps de rêve bouge et la « mobilité doublée » provoque la réaction du premier. Le fantôme peut reposer au-dessus du corps physique durant le sommeil et des actions doublées involontaires peuvent se produire, telles que par exemple : des secousses nerveuses ou des mouvements inconscients, semblables à ceux du corps physique.

Il est plus facile de faire bouger un objet physique avec une ligne de force libre qu'avec le corps astral projeté sur la ligne de force du câble, car dans le premier cas la mobilité est concentrée en un point alors que dans le second, la mobilité est requise pour manipuler le corps astral et diffusée à travers lui si elle lui est rendue.

J'ai souvent parlé de l'extraordinaire traction magnétique exercée par la ligne de force durant l'intériorisation. Il est intéressant de noter que cette force de rappel est dans le cabinet noir spirite *. De nombreux expérimenta-identique à la force qui « rappelle » l'esprit matérialisé teurs qualifiés ont découvert qu'au moment où il arrivait quelque chose à la forme matérialisée, cela provoquait une réaction sur le corps du médium dans le cabinet ; en d'autres termes qu'il existait une ligne de force entre le corps physique du médium et la forme matérialisée.

On peut avancer la théorie que c'est (en beaucoup d'occasions du moins) le corps astral du médium qui se matérialise, constituant ainsi un « corps matériel double » du médium, hors du cabinet. Si cela se produisait — et cela se produit — que dirait le secptique ? Il dirait que cette manifestation est frauduleuse et qu'en réalité, il a vu le corps du médium « en chair et en os ». Et pour prouver ses dires, il planterait une épingle dans le poignet de la forme matérialisée, ce qui provoquerait bien sûr une réaction sur le corps du médium dans le cabinet (un cri ?) démontrant au sceptique (qui ne connaît rien de la répercussion) la « tricherie » du médium. Je ne prétends pas que tous les médiums sont rigoureusement honnêtes, mais une pareille expérience, avec un tel « contrôle » serait susceptible de discréditer même le plus intègre des médiums.

---

* Cabine faite souvent de simples tentures, servant à isoler le médium en transe lors d'expériences spirites (*N.d.T.*).

Si le câble psychique venait à être endommagé pendant que le corps astral est projeté, la mort du corps physique en résulterait. C'est apparemment ce qui a dû se produire lors de certaines séances où le corps — qui s'avérait être le corps astral du médium — était « saisi » (et en quelque sorte empêché de s'intérioriser) et l'on a dû enregistrer des cas où le médium est mort dans le cabinet noir. Je connais bien un vieil occultiste, Carl Pfuhl, qui me raconta qu'une fois, une petite fille qui dormait dans un hamac en dehors de la pièce où se déroulait une séance de spiritisme, se matérialisa dans la pièce de la séance et prétendit être la fille, décédée, à peu près au même âge, d'un membre du cercle. Or la forme était celle de la fillette endormie à l'extérieur et n'avait été transformée d'aucune façon pour représenter la fillette qu'elle prétendait être. A son réveil, la fillette qui dormait toujours dans son hamac, n'avait connaissance de rien de ce qui s'était passé.

Nous savons que la pensée peut affecter la forme du corps astral, et il serait possible à certains esprits qui veulent se manifester, de donner leur propre forme au corps astral inconscient du médium, puis de l'utiliser pour communiquer.

C'est là toutefois un sujet dont le développement nous entraînerait trop loin, et nous avons — pensant que cela en valait la peine — déjà suffisamment discuté de « mobilité doublée ».

CHAPITRE VI

LE BUT DU SOMMEIL

La « séparation » et la « sortie de concordance » ont été employées jusqu'à présent plus ou moins indifféremment bien qu'il y ait véritablement une différence dans leur signification par rapport aux phénomènes astraux. L'entité astrale peut se trouver hors de concordance avec le corps physique et ne pas en être séparée au point de laisser un espace entre eux, c'est-à-dire que les corps peuvent se trouver en décalage plus ou moins prononcé.

Chaque fois que vous dormez, votre corps astral sort légèrement de concordance, peut-être d'une fraction de pouce, peut-être plus... En tout cas, il y a « discordance » durant le sommeil, même si cette discordance peut être infinitésimale et de peu de rapport avec une projection astrale. En somme la projection est une extension de la discordance. On peut être tout à fait « immunisé » contre toute projection astrale et pourtant le corps astral sortira toujours un peu de sa concordance durant le sommeil.

H. Carrington était sur la bonne voie quand il écrivait : « Diverses théories ont été avancées dans le passé pour expliquer le sommeil, mais aucune qui soit vraiment satisfaisante n'a jamais été retenue. Nous avons les théories dites « chimiques », qui tentent d'expliquer le sommeil en affirmant que certaines substances malignes se forment dans le corps durant les heures de veille et sont éliminées pendant le sommeil. D'autres ont suggéré que le sommeil est dû à des conditions particulières de la circulation sanguine dans le cerveau ; d'autres encore, que la cause en est l'action de certaines glandes ; d'autres enfin que la relaxation musculaire ou le manque de stimuli externes, suffisent à provoquer un profond sommeil.

« Toutes ces théories se sont avérées incapables d'expliquer vraiment les faits. Nous n'arriverons jamais à une théorie satisfaisante et sûre du sommeil tant que nous n'admettrons pas la présence d'une force vitale et l'existence d'un esprit humain individuel qui se retire plus ou moins complètement du corps pendant les heures de sommeil et qui puise de la force et de la nourriture spirituelles durant son séjour dans le monde spirituel. »

Il y a une chose à propos du sommeil qui nous échappe complètement, c'est le « processus d'inconscience ». Nous ne savons pas comment l'inconscience est amenée. Nous ne savons pas où l'esprit conscient semble « s'évaporer ». Nous connaissons cependant le but du sommeil. Vous ne récupéreriez jamais l' « énergie nerveuse » si le corps astral coïncidait sans cesse parfaitement avec le physique. Nous pourrions appeler cette discordance naturelle que chacun vit « la zone de quiétude », car il n'y a là aucune activité des deux corps, sinon les fonctions naturelles. Si vous pouviez « observer astralement » un dormeur, vous verriez la forme physique et au-dessus de celle-ci (à une fraction de pouce peut-être), vous verriez la silhouette du corps astral. Notez que je ne parle ici que du sommeil naturel.

Normalement, l'astral sort de la concordance et y rentre imperceptiblement pour le sujet qui s'endort ou s'éveille d'une façon lente et calme. Il peut le faire à une vitesse telle que nous ne pouvons consciemment pas saisir cette durée. Cela se produit habituellement dans l'état hypnagogique. Rappelons ce que Walsh disait à ce sujet : « Le sommeil vient progressivement, les muscles se détendent lentement et l'acuité des sens s'émousse. De nombreuses personnes sur le point de s'endormir éprouvent le sentiment de glisser dans un trou ou sur un plan incliné et parfois se réveillent effrayées. Il s'agit de personnes du type nerveux, bien que la fatigue ou une légère altération de la santé puisse prédisposer à cette sensation. En y prêtant attention, il est possible de noter l'association du relâchement des muscles et de l'impression de se noyer ou de glisser quand on se trouve dans l'état hypnagogique. »

Maintenant, si dans l'état hypnagogique, vous pouviez garder conscience jusqu'au dernier moment, vous pourriez « sentir la discordance », comme les gens nerveux et fatigués la ressentent souvent, eux qui ont un impérieux besoin de « se recharger »[1]...

Chez les personnes nerveuses, fatiguées, le condensa-

---

1. *A propos de cette théorie suivant laquelle le corps humain se recharge d'énergie durant les heures de repos et de sommeil, je l'ai moi-même longuement défendue du point de vue purement physiologique dans mon livre* Vitality, fasting and nutrition *(p. 225 à 350) et ailleurs* (Journal A.S.P.R., *avril 1908 ;* Annals of psychic science, *août 1908 ; etc.*).

J'avançais que le corps humain est plus proche du moteur électrique que du moteur à vapeur et que la théorie ordinaire (suivant laquelle la combustion chimique de nourriture produit l'énergie vitale du corps) est une erreur. Plutôt, le système nerveux se recharge d'énergie vitale durant les heures de repos et de sommeil, et la nourriture sert à régénérer les tissus détruits.

Des arguments en faveur de cette théorie furent alors avancés, résultant de cas de jeûne et d'observations quotidiennes qui nous montrent que quelle que soit la quantité de nourriture que nous puissions absorber, il arrive malgré tout un moment où nous devons nous reposer, dormir, dans le but de retrouver notre énergie. Aucune quantité de nourriture ne remplacera jamais le sommeil — différenciant en cela le corps humain de toutes les autres machines. Il était également démontré que tous les faits de physiologie acceptés (expériences calorimétriques, etc.) pouvaient être expliqués aussi bien par cette théorie que par celle couramment reconnue. Qui plus est, si une telle théorie est juste, elle nous permet d'accepter et d'expliquer de nombreux phénomènes psychiques qui seraient autrement inexplicables par la méthode ordinaire et matérialiste.

L'idée de M. Muldoon — que le corps astral est le « condensateur », l'accumulateur ou le véhicule de cette énergie — est une extension de la théorie postulant que le corps astral est le lien entre le système nerveux et la Réserve Cosmique d'Energie, où l'énergie est puisée. Nos théories s'accordent au mieux et je ne peux que pressentir que les doctrines de la physiologie orthodoxe devront être fondamentalement modifiées, dans le but d'inclure les phénomènes physiques paranormaux, de même que la réalité et le fonctionnement du corps astral. (H.C.).

teur/corps astral est grandement déchargé. C'est cela en fait, la nervosité. Le corps astral sort plus facilement, plus tôt, alors que l'inconscience suit un moment plus tard ; de ce fait, le sujet expérimente le « mouvement » du corps astral.

Ici, une autre sensation « excentrique » est ressentie. L'astral, où l'esprit se trouve réellement, a souvent la sensation de couler ou de glisser, parce que la sensibilité est dans les deux corps et le physique semble descendre, alors qu'en réalité, c'est l'astral qui s'élève. Le sujet pense, bien sûr, qu'il est dans le corps physique alors qu'en réalité, il est en discordance avec lui, très légèrement.

Vous vous demandez sans doute : « « — Est-ce que le sujet peut vraiment ressentir ce détachement de l'astral pendant l'acte de projection ? » Le sujet, bien sûr, devrait être conscient pour avoir quelque notion de ce qui se produit et s'il l'est, il y a certaines sensations qu'il reconnaîtra toujours comme des « signes » de détachement astral une fois qu'il se sera familiarisé avec elles et leur signification. Il n'est pas nécessaire de faire une vaste projection pour savoir à quoi ressemblent ces « signes ». On peut les expérimenter et les examiner, si on s'entraîne à garder l'équilibre entre la conscience et l'inconscience — en favorisant quelque peu la première — sans tension de l'esprit et que l'on conserve cette conscience dans l'état hypnagogique. On sentira la discordance lorsque le fantôme entrera dans la zone de quiétude, généralement comme une impression de chute ou bien comme une soudaine accumulation d'air au centre du corps, principalement sous l'estomac. Une légère répercussion du corps suit généralement, s'il y a conscience, à cause de l'émotion.

Voici un point sur lequel je voudrais attirer l'attention : quand le subconscient envisage une projection lointaine, le fantôme astral est placé sous l'influence de la catalepsie. Ceci peut se produire soit en état de parfaite concordance, soit dans la zone de quiétude. Si le corps astral devient cataleptique durant la concordance parfaite avec le physique, le corps physique sera cataleptique, mais si cela se passe alors que le fantôme est dans la zone de quiétude, le physique ne deviendra pas cataleptique. Ces conditions ne se développent pas brusquement mais s'insinuent de façon telle que le sujet doit être très impressionnable pour les percevoir.

Quand vous expérimentez la sensation de chute ou de glissement, dans l'état hypnagogique et que vous vous effrayez (généralement en sursautant), vous pouvez croire que vous avez été légèrement conscient jusqu'à ce moment, mais si vous pouviez observer les changements psychologiques très soigneusement, vous découvririez que la conscience n'a pas cessé, lentement, de diminuer. Elle diminuait lentement, elle était presque partie, alors le sentiment de glisser a concordé avec le sursaut d'étonnement et vous vous êtes retrouvé conscient. Si vous y réfléchissez davantage, vous admettrez que, pour un moment, vous n'étiez pas sûr d'être conscient. C'est durant ce très bref moment « d'ignorance » que la volonté subconsciente a fait bouger le fantôme.

LE CONTROLE DES REVES

De nombreux rêves sont provoqués par un état d'esprit à ce moment précis et vous pouvez acquérir la capacité de faire un certain rêve et, dans ce rêve, garder souvent le corps astral en mouvement au lieu de l'arrêter dans la zone de quiétude. Nous verrons, avant la fin de cet ouvrage, comment un projecteur astral peut rêver, devenir brusquement conscient et trouver son corps projeté dans un environnement adapté au rêve (je l'ai fait plusieurs fois). Avec de l'exercice, vous pouvez donc « produire » un rêve déterminé. Cela est appelé « rêver réellement » et le contrôle des rêves constitue une méthode pour produire la projection du corps astral... et une méthode agréable.

A ce sujet, H. Carrington écrit : « Une expérience pratique peut être réalisée par laquelle des « rêves vrais » peuvent être induits. Il est très important de vous observer pendant le processus au cours duquel vous « tombez » dans le sommeil, d'observer la conscience quand elle passe dans l'état de rêve [2]. Si vous conduisez vous-même des

---

2. *Je me demande si l'expression « tomber endormi » est due au hasard ou à la sensation de chute.* (*H.C.*).

expériences de ce genre sur votre propre personne, vous deviendrez graduellement capable de garder un contrôle constant de vous, jusqu'au moment où vous tomberez endormi, et cette auto-observation — la conscience de s'endormir — est extrêmement intéressante.

« Lorsque vous aurez appris à le faire, construisez devant vous mentalement une scène bien précise que vous garderez fermement à l'esprit. Puis, comme vous tombez endormi, gardez la scène toujours bien devant vous et au tout dernier moment, tout juste avant de vous endormir, « transférez-vous » consciemment dans cette scène ou, en d'autres termes, « sautez dans l'image ». Si vous vous êtes amené au point voulu, vous serez capable de conserver une conscience ininterrompue dans l'état de rêve et de cette façon, vous aurez une parfaite continuité de pensée ; il n'y aura pas de « rupture de conscience », vous passerez dans l'image du rêve et vous continuerez à « rêver consciemment ». Tel est le processus de « rêver réellement » ; une fois le rêve entièrement déroulé, vous devriez vous rappeler parfaitement tout ce qui a pu se passer pendant la période de sommeil. »

Un pas de plus, au-delà de ce que H. Carrington expose (sait-il à quel point ses instructions se trouvent en accord quasi parfait avec la méthode de contrôle des rêves pour amener la projection ?), et nous trouvons l'art de placer le corps astral dans une scène que le subconscient atteindra à l'aide d'un rêve formulé par la conscience. Plus tard, quand vous apprendrez la méthode pour provoquer une projection et la façon d'engager des facteurs positifs, favorables à la projection, vous serez capable de faire réellement sortir le corps astral dans le rêve et vous vous souviendrez au réveil de tout ce qui s'est passé, ou bien vous vous réveillerez tout à fait pendant le cours du rêve (dans ce cas le rêve s'évanouit et vous vous trouvez là, projeté). C'était aussi, rappelez-vous, la formule qui avait procuré des résultats si probants au Dr. Van Eeden...

Il faut toutefois se montrer très prudent au cours de l'élaboration du rêve. Le rêve doit être entièrement imaginé par l'esprit conscient et cette construction souvent répétée, avant que le subconscient puisse le reproduire fidèlement. La nature du rêve à produire est importante, elle devrait être construite sur des lignes d'action correspondant aux actions que le fantôme astral fait naturellement en s'extériorisant de façon à ce que la sensation dans le rêve soit en accord avec la sensation produite par l'action du fantôme si celui-ci venait à s'éveiller.

La nature du rêve se doit nécessairement aussi d'être plausible, de façon à ce que la sensation produite soit appréciée du rêveur et soit également en harmonie avec la sensation d'extériorisation vécue. Si la séparation se produit, les sensations et les émotions seront alors agréables pour le fantôme qui en prendrait éventuellement conscience. Un rêve qui est en accord en action et sensation avec les actions et sensations produites par l'extériorisation aura tendance à « pousser le fantôme à sortir ». Par action, j'entends l'action du moi dans le rêve. Il doit y avoir des mouvements de conscience de soi dans le rêve et une participation active, pas simplement une observation.

Des facteurs encore plus favorables à la projection se produiront si un tel rêve est de plus centré sur un désir ou un désir refoulé. Vous trouverez plus loin des directives spécifiques pour produire la projection astrale par la méthode du contrôle des rêves. Mais, un mot d'avertissement ! Si vous êtes névrosé, facilement influençable, si vous manquez de volonté, si vous êtes impressionnable, si vous avez des raisons de vous supposer sujet aux obsessions, si vous vivez dans une atmosphère énervante et de discorde, n'essayez pas de pratiquer la projection du corps astral. Si vous appartenez à cette catégorie de personnes, ne « pensez jamais en vous » et ne vous observez jamais durant le processus où vous tombez endormi ; tournez-vous vers la culture physique plutôt que vers la culture psychique.

LES PERSONNES DE « TEMPERAMENT NERVEUX » CONVIENNENT MIEUX AUX EXPERIENCES PSYCHIQUES

Le tempérament joue un grand rôle dans la projection astrale. Les « névrosés » sont le moins fortement attachés à leur corps physique ; ils sont les meilleurs sujets pour la projection, bien que d'autres types ne doivent pas être considérés comme « réfractaires »...

H. Carrington, ce grand « chercheur de l'occulte », que je cite largement dans cet ouvrage, dit, résumant les expériences d'un autre grand savant et occultiste, le Français Charles Lancelin : « Le tempérament exact ou adéquat doit être choisi pour l'expérience et s'il n'est pas trouvé, celle-ci est susceptible d'échouer ou de ne réussir que partiellement. Le " tempérament " ne doit pas être confondu avec le " caractère " ou l'acquis mental. Le tempérament est un état psychologique produit par la prédominance d'un élément, organe ou système dans le corps humain [3].

« Il y a quatre types principaux de tempérament : le nerveux, le bilieux, le lymphatique et le sanguin. De ces types, le tempérament nerveux est le mieux adapté aux expériences psychiques de tout genre, le bilieux est le plus réceptif, le sanguin, sujet aux hallucinations, à la fois subjectif et objectif, alors que le lympathique est le moins adapté à tous points de vue.

« Bien entendu, le tempérament d'un individu est plus souvent une combinaison de plusieurs types — que l'on trouve rarement à l'état pur — ; mais un tempérament à prédominance nerveuse sera donc le mieux adapté à ce type d'expérience, comme du reste à toutes les autres expériences psychiques. Il y a à tout instant l'émergence d'une certaine force nerveuse ou « extériorisation de neuricité » comme on l'appelle, chez tous les individus, mais celle-ci est très prononcée chez ceux que l'on appelle médiums ou spirites. Chez eux, cette force irradiante peut être mesurée au moyen d'instruments construits spécialement tels les biomètres, sthénomètres, etc.

« Plusieurs instruments de ce genre ont été inventés par des chercheurs français. Ils montrent qu'il y a une force répulsive générée d'un côté du corps et une force attractive de l'autre côté. Chez les êtres humains normaux, ces forces devraient s'équilibrer. Quand elles ne le font pas, des choses étranges risquent de se produire dans

---

3. *Le lecteur doit garder à l'esprit que cette citation ne concerne qu'un aperçu de la théorie de M. Lancelin.* (H.C.).

leur environnement immédiat. Leur pouvoir relatif peut être testé au moyen de ces instruments. »

Bien que, durant les heures de veille, comme Lancelin l'a montré, il y ait réception et émission d'énergie cosmique chez tous les types, l'émission est supérieure à la réception spécialement dans le type nerveux. Aussi, au moment du sommeil — qui constitue la manière de la nature de recharger le condensateur —, le condensateur astral se sépare du physique et le type nerveux requérant une plus grande quantité d'énergie pour se recharger, il le fera plus facilement, plus vite et plus fort que les autres types.

HORS DU CHAMP D'ACTIVITE DU CABLE LE FANTOME EST LIBRE

Le fantôme est libre et soumis à sa propre volonté dès qu'il est sorti du champ d'activité du câble. Il n'est plus question alors d'excentricité des sens, d'instabilité du corps ou de toute autre complication qui peut se manifester avant qu'il n'ait atteint ce stade supérieur.

Ces complications ne disparaissent pas toutes en un instant mais peu à peu, à mesure que le corps avance et, à un certain point finalement, le câble a diminué jusqu'à son calibre minimum ; il ressemble à un long fil d'araignée et ne montre plus aucune activité.

Indépendamment de l'inertie et du relâchement apparent du câble, il y a un affaiblissement dans le flot d'énergie cosmique qui relie de l'intérieur l'astral (l'animé) au physique (l'inanimé).

PROJECTION PROLONGEE

Dans le type de projection distante et prolongée, le corps physique peut prendre l'aspect d'un cadavre, l'énergie cosmique qu'il reçoit étant réduite. On connaît de nombreux cas de personnes qui ont été considérées mortes alors qu'elles étaient en état de projection astrale. C'est rare, bien sûr, mais le corps physique peut présenter toutes les apparences de la mort. Quand la projection est de ce type, la température du corps inerte peut chuter de façon incroyable ; cet état ressemble fort à l'hibernation des animaux.

LE PROJECTEUR NE PEUT PAS SE PERDRE

Vous pouvez vous demander si, après tout, cette projection astrale n'est pas une pratique dangereuse. Vous pouvez vous demander si le fantôme, une fois libéré, ne risque pas de se perdre, s'il ne pourrait pas, en restant trop longtemps à l'extérieur du corps physique, amener celui-ci à expirer. En règle générale, le pouvoir contrôleur subconscient sait très exactement ce qu'il fait. Il est un bien meilleur détecteur de « bonnes et mauvaises conditions » que l'esprit conscient.

Imaginez-vous que l'on puisse se projeter dans le « champ libre », en dehors du champ d'activité du câble, être là, conscient, et refuser de revenir, en laissant ainsi mourir le corps physique ? Il est plutôt naturel que quelqu'un qui ne s'est jamais projeté puisse penser une chose pareille, mais il découvrira que s'il essaie de rester trop longtemps hors du corps physique, il ne peut pas demeurer conscient.

Certaines autorités en la matière croient qu'un projecteur peut se perdre pendant qu'il est hors du corps physique ; ce n'est pas vrai. Ces mêmes autorités diront aussi que le corps astral peut se projeter par un effort de volonté dans des endroits distants et inconnus. Ça, c'est vrai et, parce que c'est vrai, le projecteur ne saurait se perdre car il peut retourner au corps physique, justement par le même effort de volonté !

L'esprit subconscient peut intervenir en un clin d'œil et ramener le fantôme instantanément de n'importe quel endroit dans le champ d'activité du câble d'où il sera réintégré dans le corps physique. En fait, c'est le pouvoir subconscient qui envoie le fantôme à toute vitesse dans des endroits éloignés et le ramène, même si on ne perd jamais conscience un seul instant.

On peut déambuler en dehors du champ d'activité du câble, parfaitement conscient et tout à coup, se trouver sous le contrôle subconscient et se diriger vers le corps physique afin de s'intérioriser. Même si l'on sort du champ d'activité du câble, dites-vous bien que l'on est toujours sous le contrôle de la volonté subconsciente et que, où que vous soyez, elle vous ramènera dans le corps physique avant même que l'idée de revenir n'ait pu être entièrement formulée. Vous pouvez croire que l'esprit conscient est en lui-même merveilleux, vous pouvez vous imaginer pensant et agissant avec une extrême rapidité mais dès que vous aurez été conscient dans le corps astral, vous réaliserez que cet esprit conscient travaille à une allure d'escargot en regard de la « superintelligence » subconsciente.

Ainsi, j'y insiste encore : si vous entreprenez de développer la projection du corps astral, vous ne devez pas craindre de vous perdre dans l'astral.

COMMENT LE CORPS ASTRAL SE RECHARGE DURANT LA PROJECTION

A différentes occasions, j'ai remarqué que lorsqu'on est dans l'état de liberté — peu importe que ce soit dans l'environnement immédiat de la coquille ou beaucoup plus loin — on est ramené par intervalles dans le champ d'action du câble ; à ces moments-là, le corps physique se met immédiatement à respirer plus fortement. Il est clair que le subconscient « tient à l'œil », si j'ose dire, la condition du corps physique, et que le condensateur d'énergie cosmique (le fantôme) est ramené pour recharger le corps physique par l'intermédiaire du câble, dont le volume croît quand les deux corps se rapprochent l'un de l'autre en transportant un potentiel de force plus élevé.

Dans son ouvrage *Higher psychical development*, H. Carrington écrit : « Cette question de la projection du corps astral est très importante, tout d'abord parce qu'il s'agit là d'une des expériences psychiques les plus intéressantes ; en un sens, c'est aussi le but que trois écoles visent à réaliser : le yoga, l'occultisme et le spiritisme, qui tentent toutes trois d'arriver à un résultat assez proche par des moyens différents et l'atteignent à différents degrés de conscience de soi.

« Quand le yogi a atteint le degré de perfection qui lui permet de se projeter astralement à volonté, il peut voyager très loin, voir et entendre des événements éloignés — ce qui explique le pouvoir extraordinaire qu'ont les Hindous de connaître des choses qui se passent à distance et de subir des internements volontaires pendant de longues périodes (inhumation, etc.), une fois que le corps astral a quitté le physique.

Le « corps de sensation » étant tout à fait séparé du corps physique, celui-ci conserve simplement les fonctions végétatives durant cette période de façon à permettre le maintien de la vie. Le corps physique est supporté par un courant de vie continu qui vient à lui du corps astral via le câble astral — la connection à l'astral. Quand il est à nouveau « bien vivant » et libéré de l'état de transe, le yogi prétend se souvenir d'expériences vécues pendant sa période d'internement, alors qu'il était apparemment " mort " au monde extérieur. »

Dans *My experience while out of my body*, Cora L.-V. Richmond dit : « Je devins consciente d'être conduite là où la forme terrestre respirait toujours, étant prise en charge et alimentée en air par un esprit protecteur et par des amis dévoués du monde humain. » Voilà que nous apprenons (ce qui est vrai) que « des amis dévoués » peuvent donner un coup de main — ils le font souvent — au médium projeté ; ce qui, naturellement, l'aide beaucoup pour atteindre cette phase. Il y a toutefois une inexactitude dans le témoignage de Cora Richmond. Elle prétend que son « esprit protecteur » fournissait la respiration au corps insensibilisé. Or, nous avons déjà vu que la force qui conditionne cette respiration est transmise par le corps astral au moyen du câble. Maintenir la vie dans le corps physique est la fonction ultime du câble astral. Que des amis du monde invisible puissent aider, je n'en doute pas, mais c'est le câble astral qui nous permet de respirer et la projection astrale ne dépend pas des

« esprits ». Elle peut se dérouler loin de tout mortel ou de tout esprit. Le pouvoir directeur se trouve dans l'individu même. Cependant, par la suite Cora Richmond révèle qu'elle avait conscience de la ligne de force entre les deux corps, car à un autre endroit, elle dit que « ces périodes où mon attention était attirée et où je rendais visite à mon corps étaient brèves, juste suffisantes pour garder vivante l'étincelle vitale... »

Un débutant ne devrait jamais oublier dans le déroulement de cette phase, que la superintelligence qui réalise cette espèce de miracle est en lui-même. Il ne doit absolument pas supposer qu'en réalisant ce développement il confie sa vie à l'intelligence consciente d'une autre personne, qu'elle soit mortelle ou esprit. Cela n'empêche qu'il puisse être reconnaissant de toute aide que les autres pourraient lui apporter. L'idée qu'il dépend des autres en esprit ne l'aidera jamais à réaliser une projection. En effet, si vous voulez obtenir des résultats dans ce domaine, ne sortez pas de vous-même, « entrez en vous ». « Je suis un Dieu jaloux », lit-on dans la Bible. Le dieu en vous est pareil ; si vous ne vous fiez pas à sa sagesse, et croyez qu'elle est à chercher dans d'autres « esprits », il n'agira probablement pas.

PAS MORT, MAIS ENDORMI !

Il y a bien sûr des exceptions à toute règle, mais dans le cours habituel de la vie nous dépendons de la tendance générale et non de l'exception ; bien que pendant une projection le subconscient se conduise quasi invariablement avec une dignité personnelle toute-puissante, une complication reste toujours possible. L'intelligence qui contrôle peut commettre des erreurs occasionnelles, mais des influences étrangères en sont la cause.

Si l'on a enregistré en effet des cas de médiums qui ont connu des résultats malheureux voire la mort, il faut dire que c'est tout à fait exceptionnel. Cora L.-V. Richmond est supposée être « restée dans l'astral » plusieurs jours.

Hamid Bey, « le plus jeune fakir égyptien », dont les merveilleuses démonstrations de son pouvoir de l'esprit sur le corps ont stupéfié le monde occidental, a entrepris plusieurs séances publiques d'inhumation. Il est resté enterré une heure à Atlanta, trois heures à Englewood, sept heures à San Diego, etc. — sans cercueil, à même le sol, la terre couvrant son visage et son corps — en présence de journalistes sceptiques. Des rapports sur ces inhumations ont été publiés dans la presse de l'époque et sont disponibles pour tout lecteur intéressé.

Bien que ces performances puissent surprendre le spectateur moyen et lui paraître presque incroyables, de telles démonstrations sont courantes en Orient et des centaines de cas semblables ont été relatés par des voyageurs revenant d'Inde, d'Egypte et d'autres régions orientales. Nombre de ces inhumations se sont passées dans des conditions excellentes, le processus complet étant contrôlé par des témoins rigoureux.

Il y a quelques années, un célèbre fakir de la province de Lahore, en Inde, a été enterré pour une période de trente jours, sous la supervision du prince Ranjeet Singh et de Sir Claude Wade. Après être entré dans un état de catalepsie, le fakir a été placé dans un sac solidement lié. Ce sac fut ensuite placé dans une caisse fermée à clé — les clés étant conservées par le général britannique. La caisse fut ensuite déposée dans un caveau en briques dont l'ouverture fut scellée du sceau de Ranjeet Singh et une garde de soldats britanniques fut détachée pour la garder jour et nuit. Au bout de trente jours, le caveau fut ouvert ainsi que la caisse et le sac, et le fakir — très amaigri mais toujours vivant — fut « ressuscité » par ses amis.

Si une projection de ce genre n'avait pas été guidée par une intelligence omnisciente, le corps aurait sûrement été « négligé » et si l'exceptionnel s'était produit, c'est-à-dire si le corps astral n'avait pas été ramené dans le champ d'activité du câble de temps en temps pour recharger le physique, la mort eut été la conséquence logique pour le fakir.

Il est évident que durant une projection lointaine et prolongée, la contrepartie matérielle peut affecter les caractéristiques d'un cadavre ; la température peut tomber excessivement bas, à tel point que les gens mal avertis de la chose déclareront le sujet « mort ». Après une étude sur ce sujet particulier, je suis arrivé à la conclusion — importante, je crois — que le cœur peut réellement cesser de battre quelque temps sans que le câble astral soit déconnecté. Naturellement cette condition spéciale ne pourrait exister longtemps sans qu'à la fin le câble ne se brise. Dans un récent article de presse, le directeur de l'*American medical association* a noté que la résurrection est possible après quatre heures de mort apparente.

H. Carrington a écrit plusieurs livres sur la mort et a recensé de nombreux cas d'inhumation prématurée. « Il ne fait aucun doute, dit-il, que des centaines de personnes ont été enterrées vivantes au cours des siècles qui nous ont précédés. Des sociétés pour la prévention d'inhumations prématurées ont été formées en Angleterre, en Amérique et ailleurs. Des cas de transe, de catalepsie, « d'animation suspendue », etc., ont été confondus avec la mort avant que nos méthodes modernes de diagnostic aient été introduites. »

Des rapports historiques et les témoignages de « revenants » — si ces témoignages peuvent être acceptés — semblent indiquer que la ligne de force astrale lors de la mort se détruit plus rapidement chez certains individus que chez d'autres. Il est probable que nous montrons trop de hâte pour appeler les services d'inhumation quand quelqu'un est déclaré mort et, selon l'expression, « nous n'attendons même pas que le corps soit froid »...

Il existe de nombreux rapports sur des personnes qui sont revenues à la vie alors qu'elles avaient été déclarées officiellement mortes ; c'est toujours possible — bien qu'exceptionnel — si le câble astral est resté intact. Une projection astrale peut se produire, le corps physique prendre l'aspect d'un cadavre ; un embaumeur pourrait avoir terminé son travail avant la fin de la projection astrale prolongée !

Dans un ouvrage qui a l'approbation des spirites les plus éminents, un « esprit » raconte avoir été « attaché à la terre » et maintenu dans cet état parce qu' « un simple fil » le retenait à sa contrepartie physique, et cela durant de nombreux mois après son inhumation. J'ignore la part de vérité qu'il peut y avoir dans cette déclaration.

Dans la Bible, il est fait mention à plusieurs reprises d'individus qui auraient été ramenés à la vie. Voyez par exemple la résurrection de Lazare par son ami Jésus. Si Lazare était réellement mort et si le câble astral était déconnecté, alors le Christ a réalisé un miracle, mais si le câble était toujours relié, alors ce miracle n'en était pas un et la « résurrection » n'était autre qu'un simple retour à la normale. Le Christ était un extraordinaire occultiste et médium, et Lazare était son ami. Ne serait-il pas possible que Lazare ait été un projecteur astral ? Il semble qu'il y ait eu quelque méprise de la part des disciples sur le point de savoir si Lazare était réellement mort. Jésus-Christ a commencé par dire à ses disciples que Lazare n'était pas vraiment mort : « Cette maladie ne mène pas à la mort, elle est pour la gloire de Dieu, afin que le Fils de Dieu soit glorifié par elle. » Il leur a dit ensuite : « Notre ami Lazare repose, mais je vais aller le réveiller... » Alors Jésus, frémissant à nouveau en lui-même, se rend au tombeau. C'était une grotte, avec une pierre placée par-dessus. Jésus dit : « Enlevez la pierre.. » Cela dit, il s'écria d'une voix forte : « Lazare, viens dehors ! » Le mort sortit. Une telle démonstration ne pourrait-elle être réalisée aujourd'hui par un hypnotiseur et un projecteur astral ?

Un autre exemple de résurrection dans la Bible est celui de la fille d'un chef de synagogue (nommé Jaïre) : « Tous pleuraient et se frappaient la poitrine à cause d'elle, mais il leur dit : " Ne pleurez pas, elle n'est pas morte mais elle dort. " Et ils se moquaient de lui, sachant bien qu'elle était morte. Mais, lui, prenant sa main, l'appela en disant : " Enfant, lève-toi. " Son esprit revint, et elle se leva à l'instant même*. »

C'est par ces démonstrations que le Christ acquit la réputation de ressusciter les morts, mais dans chaque cas Jésus lui-même dit que les sujets n'étaient pas morts, mais endormis. Si les personnes avaient réellement été décédées — si la ligne de force avait été réellement détruite — et qu'elles aient été ainsi ramenées à la vie, on peut alors se demander pourquoi un plus grand nombre

---

* Ces textes ont été repris respectivement de l'Evangile selon saint Jean et selon saint Luc (*N.d.T.*).

parmi les gens suppliant qu'on leur rende un être cher n'aient pas vu leur requête exaucée par Jésus qui fit par ailleurs tant de miracles. De nombreux éléments poussent à défendre l'hypothèse que ceux qui furent « ramenés à la vie » étaient toujours vivants sur le plan astral.

Mais il n'est pas nécessaire de remonter aux temps bibliques pour trouver des rapports sur des personnes prétendues mortes et qui ont été « miraculeusement » ramenées à la vie. Chaque génération voit se passer de telles choses, occasionnellement bien sûr. La réalité de la chose ayant été bien établie, à une certaine époque en France, les corps des personnes déclarées mortes étaient d'abord transportés à la morgue où ils reposaient sous surveillance pendant un temps défini avant que le permis d'inhumer ne soit délivré. On espérait ainsi écarter le risque d'enterrer prématurément de malheureuses victimes.

Il n'y a guère longtemps, dans une petite ville de l'Iowa, se déroulait un service funèbre. La défunte reposait dans l'église et au moment où ses amis venaient la saluer une dernière fois, on vit du sang couler du nez du cadavre. La dame revint à la vie et vécut encore de nombreuses années après cet événement ! Je connais des gens dignes de foi qui peuvent garantir la véracité de ce fait.

Tout ceci, bien sûr, est directement lié aux phénomènes astraux. Une fois que le câble astral est détaché du physique, ce corps est sur le chemin qui retourne à la poussière d'où il est venu.

Ce qui vient d'être dit de la projection astrale dans les paragraphes précédents ne doit pas effrayer celui qui cherche à en réaliser une. Les risques que le subconscient « fonctionne mal » sont vraiment infimes. De graves maladies mettant la vie en danger sont généralement la cause des résultats désastreux auxquels il est fait allusion. Dans ces cas, la projection astrale est involontaire. Bien que la maladie soit un élément favorable à la projection du corps astral, il paraît évident toutefois qu'on ne devrait pas être dans une condition physique trop faible quand on cherche à réaliser une projection.

LE CABLE ASTRAL EST PAREIL AU CORDON OMBILICAL

Maintenant que nous avons comparé la projection astrale avec la mort, comparons-la un moment avec la naissance. Le corps astral et le câble astral n'offrent-ils pas des similitudes frappantes avec le corps physique nouvellement né et le cordon ombilical ? Quel est le processus le plus mystérieux ?

Il m'a toujours paru curieux que le sceptique considère la naissance comme naturelle et la projection astrale comme « surnaturelle », sous prétexte qu'il n'est pas familier de ces phénomènes. Ni l'un ni l'autre ne peut être expliqué. Ce que nous appelons « naturel », n'est naturel que parce que nous y sommes habitués, car bien souvent le « naturel » est inexplicable lui aussi. La naissance physique, avec ce corps relié à un cordon, n'est-elle pas une chose aussi énigmatique qu'une projection astrale[4] ?

Il ne fait aucun doute que le « surnaturel » n'existe pas ; c'est ce qui n'est pas familier qui est appelé de cette façon. L'esprit humain est ainsi fait. Un grain de sable est aussi mystérieux qu'une planète, un corps humain qu'un corps astral, un cordon ombilical que le câble astral. Aussi, quand nous pensons à ce merveilleux organisme qu'est le câble astral et que nous nous émerveillons de sa capacité à maintenir la vie, il pourrait y avoir une certaine satisfaction, ou frustration, à savoir que le câble astral et le cordon ombilical sont très semblables.

---

4. *A l'aide de placenta, un ovule fertilisé est capable de former un nouvel organisme complètement autonome ; on pourrait penser qu'en soi, cela constitue un fait suffisamment extraordinaire.* Sir Oliver Lodge, Journal A.S.P.R., *janvier 1928, pp. 43-44* (*H.C.*).

CHAPITRE VII

POINTS DE CONTACT DE LA LIGNE DE FORCE ENTRE LES CORPS

Les opinions sont divergentes à propos de l'endroit où la ligne de force établit le contact entre le corps physique et le corps astral. Tant de facteurs entrent en jeu qu'il est assez normal que les expérimentateurs puissent en arriver à des conclusions dissemblables.

Pour l'un, c'est le plexus solaire, situé juste derrière l'estomac, pour l'autre, c'est plutôt le front, entre les yeux. D'autres encore défendent l'idée — et ils semblent constituer la majorité — selon laquelle le point de contact se situe dans la région *medulla oblongata.* Personnellement, je penche pour cette dernière théorie.

La vérité ne serait-elle pas que le câble astral peut s'étendre de n'importe quels centres vitaux du corps humain ? Une autorité bien connue en la matière, dont l'avis est d'un grand poids, est un fervent adhérent de la théorie suivant laquelle le câble astral trouve son point de contact au plexus solaire, du corps physique s'entend. Mais trouve-t-il également son aboutissement au plexus solaire du corps projeté ? Si c'est le cas, le projecteur astral conscient doit certainement se trouver dans une position très inconfortable quand il est dans le champ d'activité du câble !

Voici ce que mon expérience personnelle m'a révélé : je n'ai jamais trouvé « mon câble » établissant le contact avec le corps physique au plexus solaire, je l'ai plutôt observé au front, sur le côté et derrière la tête, mais l'extrémité astrale adhérait — invariablement — à la région *medulla oblongata* du fantôme.

La raison pour laquelle le câble astral se rattache à différents endroits du physique est due à la position du corps physique au moment de la projection. Les corps — astral et physique — étant en coïncidance, le corps astral émergera dans la position dans laquelle le corps physique repose. Si le physique est couché le visage vers le haut, dans la position horizontale, c'est avec le visage vers le haut que le corps astral sortira. Le câble sortira donc du physique par le front, entre les yeux et viendra s'attacher au fantôme derrière la tête, dans la région *medulla oblongata*. Je pourrais ajouter que c'est la position idéale pour la projection.

Par contre, si le corps physique a le visage tourné vers le bas, en étant dans la position horizontale, le corps astral sortira également dans cette position, le visage vers le bas. Le câble astral opérera un mouvement de rotation et sortira de la *medulla oblongata* du corps physique, en passant par-dessus la tête du corps astral pour rejoindre la région *medulla oblongata astrale.* Si l'on est conscient quand une projection de ce type se produit, on sentira le câble astral contourner la tête dans l'astral comme un morceau de tuyau flexible dans lequel il y aurait des pulsations régulières. Il y a quelques années, j'ai fait l'expérience suivante, qui illustre ce fait.

RETOURNEMENT DANS LES AIRS

La première perception que j'eus dans cette expérience, c'est que ma tête était tirée vers le bas jusqu'à ce que le menton touche la poitrine et que quelque chose me frappait sur le sommet et à l'arrière de la tête. Un moment plus tard, je m'éveillai dans l'astral et vis que ma tête était tirée vers le bas, le menton vers la poitrine. Ce qui « me frappait » était en réalité les pulsations du câble astral. J'étais couché dans cette position dans l'air, juste en-dessous du plafond de la chambre. Je ne pouvais pas bouger de moi-même et j'avais l'impression d'étouffer. Physiquement, j'étais couché sur le ventre et j'étais de la même façon tourné vers le sol dans mon corps astral. C'était donc le câble astral qui tirait ma tête vers le bas et je pouvais le sentir longer ma tête depuis la région *medulla oblongata* jusqu'au sommet, aussi nettement que s'il se fut agi d'un simple tuyau d'arrosage.

Cette expérience me prouva de façon concluante que le câble astral est toujours attaché à la région *medulla oblongata* du corps astral, car c'était là l'occasion de le voir s'attacher ailleurs ; or il établissait quand même le contact à ce point-là, ce qui n'était pas la solution idéale !

Après quelques instants dans cette position, je remarquai que je commençais à tourner sur le côté, au point que je crus que ma tête allait « se dévisser » de mon corps ! Le mouvement de « retournement » se poursuivit jusqu'à ce que je me retrouve couché sur le dos, dans les airs. Cela fait, le « pouvoir de contrôle » commença à m'éloigner du corps physique, tout en me ramenant vers la position debout. Pourquoi « l'intelligence directrice » jugea-t-elle nécessaire de me retourner dans les airs avant de continuer la projection, je l'ignore encore. Mais le processus se déroula à l'envers, lors de l'intériorisation. Je fus d'abord tiré de la position debout vers la position horizontale, directement au-dessus de mon corps physique. Cette manœuvre se déroula alors que je reposais dans les airs, le visage vers le haut. Je fus alors retourné et doucement ramené le visage vers le bas dans le corps physique qui n'avait pas changé de position et reposait toujours sur le lit. Si cette expérience peut être considérée comme significative, il faut en conclure qu'être couché sur le dos est la meilleure position pour se projeter.

LES QUATRE « CERVEAUX » DE L'HOMME

L'endroit où le câble astral semble en contact avec la tête et celui où il se termine réellement sont deux choses différentes. Le câble peut paraître au projecteur fixé à la *medulla oblongata,* au front ou sur le côté de la tête physique, suivant la position dans laquelle il repose ; le câble astral pourrait cependant pour autant que je le sache, se terminer en réalité dans la tête, dans la glande pinéale (ou épiphyse).

Il y a quatre grands centres nerveux ou psychiques dans le corps de l'homme, quatre « cerveaux » tels qu'on les appelle parfois : le cerveau, le cervelet, la moelle épinière ou *medulla oblongata* et le plexus solaire. En plus de ceux-ci, il y a la glande pituitaire (hypophyse) et la glande pinéale (épiphyse). Du fait que la projection astrale dépend d'une certaine façon de la concentration sur un ou plusieurs de ces centres, il nous faut brièvement les examiner plus en détail.

Le *cervelet,* divisé en deux hémisphères, est la partie frontale du cerveau au sens large (encéphale).

Le *cervelet* se situe derrière et en dessous du cerveau. Ils sont reliés par une « petite queue » : le tronc cérébral (cerveau médian).

Le *plexus solaire* (cerveau abdominal) se trouve derrière l'estomac, dans l'abdomen. Sa composition complexe est faite d'une matière semblable à celle des deux autres cerveaux.

La *medulla oblongata* est une continuation bulbeuse de l'extrémité supérieure du cordon médullaire qui aboutit au cerveau [1].

C'est un agencement particulier de membranes, de cordons et de glandes relié aux deux centres vitaux voisins. Il est établi que dans la *medulla oblongata* se trouvent certains nerfs exerçant un contrôle sur les fonctions respiratoires *.

Je laisse au lecteur le soin de déterminer si cet endroit ne serait pas idéal pour la connexion de la ligne de force astrale avec le corps physique, auquel elle pourrait alors donner « la force » de respirer...

---

1. Pour plus de détails sur les fonctions de la *medulla oblongata,* voir *Brain and mind* de Berry, pp. 158-193 (H.C.).

* Les cellules motrices de la moelle peuvent déterminer la contraction des muscles, indépendamment de l'intervention du cerveau (N.d.T.).

LA GLANDE PINEALE

La glande pinéale située dans le cerveau, est un organe assez particulier. Jusqu'à ces dernières années elle était source de mystère, d'ailleurs les Orientaux ont de tous temps considéré cette glande comme ayant une relation avec l'occulte. L'importance de la glande pinéale, outre ses fonctions physiologiques, est maintenant reconnue par de nombreux chercheurs en parapsychologie, aussi bien Occidentaux qu'Orientaux, comme constituant le lien entre les mondes physique et spirituel.

Swami Bhakta Vishita écrit : « La glande pinéale est une masse de substance nerveuse qui se situe dans le cerveau à un endroit proche du centre du crâne, presque directement à l'extrême sommet de la colonne vertébrale. Elle se présente sous la forme d'un petit cône de couleur gris-rouge face au cervelet, attachée au troisième ventricule du cerveau. Elle contient une petite quantité de particules sablonneuses communément appelée « sable du cerveau ». Elle tire son nom scientifique de sa forme, qui la fait ressembler à un pin.

Les occultistes orientaux prétendent que la glande pinéale, avec son agencement particulier de corpuscules de cellules nerveuses et ses grains minuscules de « sable du cerveau », est intimement associée à certaines formes de réception et de transmission de vagues de vibrations mentales.

Des chercheurs occidentaux ont été frappés par la remarquable ressemblance entre la glande pinéale et une certaine partie de l'appareil récepteur employé dans la télégraphie sans fil, ce dernier contenant également de petites particules qui présentent des analogies avec " le sable du cerveau " de la glande pinéale.

LA GLANDE PITUITAIRE

La glande pituitaire située en face et en dessous de la glande pinéale, est un organe également considéré comme ayant une signification occulte. Un lien existe entre ces deux corps — glande pinéale et glande pituitaire — sur lequel on prétend qu'une force subtile opère.

Le Dr. W.H. Downer dit à ce sujet : « Les mouvements moléculaires dans la glande pinéale provoquent la voyance spirituelle, mais pour amener cette clairvoyance à illuminer le champ de l'univers, les feux de la glande pituitaire doivent s'unir à ceux de la glande pinéale ; cette union signifie que les sixième et septième sens sont devenus Un ou en d'autres termes, que la conscience individuelle est à ce point intériorisée que les sphères magnétiques de la mentalité supérieure et de la spiritualité supérieure sont conjointes. »

Considérant les fonctions importantes de quelques-uns ou de tous ces centres vitaux, on pourrait sans crainte affirmer que le câble astral peut délivrer le « souffle de vie » à n'importe lequel d'entre eux, pendant que le fantôme est projeté et que l'énergie se trouve répartie de la bonne façon car le système nerveux est somme toute en harmonie avec le mécanisme physique tout entier.

Certains chercheurs qui font autorité ont découvert que la concentration intense sur la glande pinéale facilitera la projection du corps astral ; il ne fait aucun doute qu'une ligne de force sera créée à l'endroit sur lequel le sujet se concentrera. La force n'est pas une création du centre nerveux physique, le centre nerveux physique est au contraire « mis en marche » par la force.

L'ENERGIE COSMIQUE

Aucun des centres vitaux mentionnés précédemment ne peut créer la force qui opère en eux ; ils n'en sont que les dispensateurs, rectificateurs, transformateurs, les constructions mécaniques compliquées à travers et sur lesquelles l'énergie vitale opère.

Ce n'est pas parce que le corps physique est détruit que la force qui opère en lui le sera, pas plus que le fait de casser une ampoule électrique ne supprime l'énergie qui opérait en elle.

Il est intéressant de savoir que des parties de cerveau ont été retirées à certaines personnes sans que cela leur cause de troubles apparents. Dans son livre *From the unconscious to the conscious*, Geley cite maintes opérations chirurgicales de ce genre réalisées sur des soldats en France pendant la guerre.

Les « physiologistes », partant du principe que c'est le corps matérialisé lui-même qui crée son énergie, ne croient pas que l'énergie vitale — la conscience, la sensibilité, la motricité — puisse exister sans le mécanisme physique ; leur principale « argument » est que le contraire n'a jamais pu être prouvé. Comme il ne peut pas non plus être prouvé que le corps physique crée cette énergie, le bien-fondé de cette conviction n'est pas évident.

Le corps physique ne peut même pas garder « l'énergie de vie », cette énergie étant conservée dans le condensateur astral et déversée à travers le physique durant la projection au moyen de la ligne de force/câble astral, menant à un centre vital du mécanisme physique. Discuter des phénomènes astraux — même de la vie en soi — sans discuter de l'énergie qui est derrière tout cela, reviendrait à construire une maison sans fondations ou à discuter de phénomènes électriques en ignorant la force qui les met en action.

Peut-être ne vous est-il jamais apparu que l'énergie que vous utilisez est cosmique, omniprésente, qu'elle n'est pas créée par vous, mais que vous l'attirez et la condensez dans votre corps astral (qui se recharge, comme vous le savez, durant le sommeil). Les questions de nutrition et de diététique ne sont pas néanmoins à négliger dans le phénomène de la séparation du corps astral.

L'opinion généralement répandue au sujet de l'énergie est qu'elle est donc créée par le corps ; si cette idée était juste, nous pourrions facilement remplacer le sommeil par la nourriture et à la minute où nous ressentirions de la fatigue, de la faiblesse ou de l'énervement, nous « mangerions un petit morceau » et nous n'aurions jamais besoin de sommeil. Des scientifiques ont découvert que « gaver » des invalides ne fait qu'aggraver leur condition. La nourriture est matérielle comme le corps physique, et aide à construire ce corps parce que la force cosmique agit sur elle, et non parce que l'énergie est produite en elle.

LES THEORIES DU Dr. LINDLAHR SUR L'ENERGIE

Portons maintenant notre attention sur ce que le Dr. Henry Lindlahr, diététicien fameux et spécialiste de cures naturelles a dit en réponse à la question « Pour quelle raison mangeons-nous et buvons-nous ? » : « La majorité des gens répondrait : " Eh bien, chacun sait que nous tirons nos forces de la nourriture et de la boisson ! "... En êtes-vous bien sûrs ? Croyez-vous vraiment que la somme de chaleur animale et d'énergie vitale que le corps humain produit et dépense toutes les vingt-quatre heures provient des quelques livres de nourriture absorbées au cours de la journée ? Chaque travailleur, chaque athlète, dépense chaque jour une somme énorme de force et d'énergie. Un individu sain peut continuer à le faire durant plusieurs semaines sans pour autant prendre de nourriture. »

« La meilleure preuve que toute la chaleur et l'énergie musculaire du corps ne sont pas le produit de la combustion des matériaux nutritifs est fournie par un jeûne prolongé. Depuis ces dernières années, depuis que le jeûne est devenu populaire comme remède naturel, plusieurs milliers de personnes ont jeûné de quatre à six semaines sans discontinuer. La majorité de ces marathoniens du jeûne n'a montré qu'une petite perte d'énergie physique. Beaucoup d'entre eux ont prétendu qu'ils se sentaient plus forts à la fin qu'au début du jeûne. La perte de chaleur animale est négligeable. Dans certains cas, la température peut descendre d'une fraction de degré ou d'un degré, dans la majorité des cas elle reste normale. Nous avons vérifié cela pour des centaines de cas, dans nos institutions. »

« Pour citer un cas d'observation personnelle, un de mes patients, atteint de fièvre typhoïde n'a pris aucune nourriture, juste de l'eau, pendant sept semaines. A la fin de cette période, la température de son corps était normale. Durant les deux dernières semaines de jeûne, il ne perdit que deux livres. Un autre de mes patients, atteint de cancer à l'estomac, vécut deux ans avec quelques onces de nourriture par jour, constituée principalement de blanc d'œuf et de jus de fruits. Sa température est restée normale presque jusqu'à la fin. Sous le soleil tropical ou dans le froid arctique, la température du corps est exactement la même. Si elle baisse ou monte de quelques degrés à peine, la mort s'ensuit. »

« La régulation de la température animale — indépendamment de la température environnante et, dans certaines limites, indépendamment de la quantité et de la qualité de la nourriture consommée — est un des plus grands mystères de notre merveilleux organisme humain. Si la nourriture était la seule source de chaleur animale et d'énergie, le jeûne sur une longue période serait impossible, la température devant logiquement descendre en dessous de la normale. Mais on peut dire que, quand il s'abstient de nourriture, le corps « vit sur lui-même » (ceci sans tenir compte de la production de chaleur et d'énergie durant le jeûne). »

Poursuivant sur ce sujet, le Dr. Lindlahr écrit : « Si elle [la nourriture] ne donne pas la vie, quel est alors son rôle — qu'elle soit solide ou liquide — dans l'économie du corps ? Tout ce qu'elle peut faire, c'est fournir les matériaux pour garder le système organique dans un état tel que la force vitale puisse se manifester en lui et qu'il puisse l'utiliser. La pulsion de vie dans les cellules et les organes du corps, et sa libre distribution au moyen du système nerveux, dépend d'un état normal ou sain de l'organisme. Toute chose qui dans les méthodes naturelles de vie et de traitement aidera à reconstituer le sang sur une base normale, à purifier le système organique des matières malades et des résidus, à réparer les lésions mécaniques, et à harmoniser les états mentaux et émotionnels, assurera de ce fait, un meilleur afflux de force de vie et ses dérivés : énergie, vitalité, résistance et pouvoir de récupération. En d'autres termes, plus l'organisme sera normal, sain et parfait, plus le flux d'énergie vitale sera abondant. »

NOURRITURE, JEUNE ET DEVELOPPEMENT PHYSIQUE

Quand des chercheurs aussi avertis que le Dr. Lindlahr doivent en quelque sorte « sortir du corps » pour trouver la source de son énergie vitale, ne serait-ce pas le moment où d'autres reconnaissent la force omniprésente qui œuvre en eux et à travers eux ? Il ne nous est pas possible d'aborder ici une étude complète de la diététique. L'étude de la nutrition et de ses effets sur la vie constitue une science en soi.

En bref, nous dirons que différentes nourritures amènent le corps à différents états ; certaines paraissent dispenser plus d'énergie que d'autres — suivant sans doute la façon dont elles attirent ou repoussent l'énergie vitale condensée dans le corps astral. Il est probable que les charges positives et négatives présentes dans toute nourriture, affectent d'une façon encore inconnue le corps astral. Le corps physique est construit par la nourriture parce que les éléments de base de la matière, constituant à la fois la nourriture et la chair, sont liés (alors que l'énergie cosmique, elle, se manifeste dans et à travers la contrepartie astrale).

« D'après une doctrine occulte », dit H. Carrington, « un régime végétarien tendrait à rendre les molécules de protoplasme plus courtes et plus sensibles aux longueurs d'ondes plus courtes. On peut concevoir la chose. Nous savons qu'une barre de fer se « magnétise » quand toutes les molécules de sa structure sont en quelque sorte " pointées " dans la même direction.

« Si vous donnez un bon coup de marteau sur cette barre magnétisée ou que vous la chauffez à blanc puis, que vous la laissez refroidir, vous verrez qu'elle aura perdu son magnétisme. Que s'est-il passé ? Il est probable que les molécules de fer qui étaient uniformes dans leur polarité, sont cette fois " pointées " dans toutes les directions et de ce fait, l'énergie qui jouait précédemment sur ou au travers de la barre de fer, dans un courant continu et non brisé, est maintenant coupée et joue dans un millier de directions différentes. Le fer ne sera donc plus magnétisé.

« Il est possible que quelque chose de ce genre se passe dans le corps humain et que ses molécules, quand elles se trouvent minutieusement en harmonie et agissent à l'unisson, puisse permettre dans le corps un flux d'énergies qui seraient autrement limitées ou entravées dans leur action. C'est simplement une idée, qui vaut ce qu'elle vaut. »

M. Prescott F. Hall, dans un intéressant article du *Journal of the american society of psychical research*, avance ceci : « Un régime végétarien tend à libérer la matière vibrique du corps astral et les légumes, les fruits et les pruneaux permettent au corps d'attirer le pouvoir spirituel. Les carottes aussi sont bénéfiques. Les noix et plus spécialement les noisettes sont mauvaises, surtout prises peu de temps avant de réaliser le développement car elles tendent à rendre l'atmosphère personnelle d'une seule couleur. Les œufs crus sont favorables. Les liquides aussi... Le jeûne aide souvent à la libération du corps astral. »

Vous notez que, d'après M. Hall, les liquides seraient favorables au « développement », sans préciser toutefois de quelle manière ils sont bénéfiques, ni à quel type de développement. J'émettrais cependant des réserves à ce propos, à mon avis, l'abstinence de liquide constitue un facteur positif important. Toutefois M. Hall a raison d'affirmer que le jeûne aide souvent à la libération du corps astral.

Il est incontestable que la nourriture est l'un des facteurs de vie les plus importants mais, si manger est important, il est encore plus important d'absorber une nourriture adéquate. Je sais qu'en parlant de ces problèmes alimentaires, je vais provoquer la colère de nombreux spiritualistes de l'école de la « guérison mentale » et de « la science chrétienne » qui ont pour devise « Ne vous préoccupez pas de la nourriture, l'esprit s'en chargera. »

Soigner par le pouvoir de l'esprit n'est nullement mensonger, cependant l'idée que l'on peut ignorer les questions de nutrition est ridicule. La nourriture est aussi nécessaire que la respiration. Pourquoi, alors, ne pas cesser de respirer et laisser l'esprit s'en charger ? Au fait, ces spiritualistes mangent-ils ? Si oui, pourquoi ? Ils répondront qu'ils mangent pas nécessité, pour conserver leur vie physique et que ce qu'ils mangent importe peu, du moment que c'est « de la nourriture ».

S'il est nécessaire de manger. il est aussi nécessaire de bien manger. Je me demande si les guérisseurs par l'esprit pourraient manger des déchets et, en utilisant leur esprit, nourrir ainsi leur corps. Ils diraient : « Les déchets ne sont pas de la nourriture. » Savent-ils que pas mal des choses que nous mangeons tous les jours peuvent entrer dans cette catégorie ? Par exemple — et le grand public généralement l'ignore —, la plupart des variétés de « riz soufflé » vendues couramment en Amérique, ne sont rien d'autre que des préparations d'épis de maïs de qualité inférieure contenant parfois près de trois quarts de ce que les porcs refusent de manger ! Le Dr. Ward et d'autres, ont établi la chose après des recherches sérieuses.

La seule chose sensée finalement est de dire que « bien » manger, respirer et dormir, sont des lois de la nature. Nous ne pouvons en ignorer aucune sans en subir les conséquences, dans cette vie terrestre du moins.

LE JEUNE ACCROIT L'INFLUX D'ENERGIE COSMIQUE

Des trois sources d'énergie, le sommeil est la plus importante et on voit clairement que si nous pouvions manger, boire et respirer comme il le faut, nous devrions moins dormir et conserver pourtant la somme d'énergie nécessaire ; si nous dormions davantage, nous n'aurions pas besoin de la même quantité de nourriture.

C'est l'une des raisons pour lesquelles le jeûne est un « promoteur » de la projection astrale. Au cours du jeûne, l'une des « sources secondaires d'énergie » est coupée et, dans le but de conserver dans l'organisme la somme d'énergie nécessaire, le corps astral, la nuit, est envoyé plus loin hors de la concordance, dans le but de récolter une plus grande quantité d'énergie cosmique, afin d'équilibrer la dépense. C'est pourquoi certaines personnes peuvent se livrer à de longs jeûnes sans perte d'énergie et parfois même dans certains cas, en arriver à accroître leur potentiel d'énergie.

On pourrait me dire « Comment se fait-il que pendant le jeûne le patient ne dorme pas plus longtemps et fasse cependant une telle provision d'énergie qu'il arrive à rétablir l'équilibre et à combler son manque ? » La réponse est que cela ne dépend pas de la durée du sommeil mais de la distance de séparation des corps, astral et physique, au cours du sommeil. Plus le sommeil est profond, plus le corps physique est inactif et plus grande sera la distance que la contrepartie astrale pourra parcourir. C'est pourquoi le sujet peut tirer autant de bénéfice d'un très court sommeil hypnotique que d'un long sommeil naturel.

Les Orientaux ont saisi, il y a bien longtemps, la signification de cette force cosmique ; ils l'appellent *prâna.* Swami Bhakta Vishita la définit ainsi : « C'est une forme subtile d'énergie imbibant l'univers, mais se manifestant sous une forme spéciale dans l'organisme de l'être humain. On considère que cette force subtile ou *prâna* est transmissible d'un organisme à l'autre et qu'elle est un pouvoir énergétique produisant de nombreux phénomènes occultes et magiques. »

Le *prâna* est assez proche du « magnétisme humain » des occultistes occidentaux et les propriétés attribuées à ce magnétisme sont comme les propriétés essentielles du *prâna.* On trouve ainsi un accord pratique entre les écoles d'occultisme orientale et occidentale, en dépit de leur terminologie différente.

Cette énergie cosmique a de nombreuses facultés. L'une d'elles est le « pouvoir curatif » ; toute guérison de maladie est attribuée à l'énergie cosmique : la médecine, la chiropractie, la « science chrétienne » * et toute autre méthode curative dépend du *prâna* pour amener la guérison. Tout ce que la méthode peut faire, c'est soutenir son action. Si vous jeûnez quand vous êtes souffrant, non seulement vous accroissez automatiquement l'influx d'énergie cosmique — l'énergie curative — mais vous assistez également la nature en éliminant les toxines du corps.

* A propos du pouvoir curatif de la « science chrétienne », S. Muldoon parle-t-il de l'invocation faite aux saints pour leurs pouvoirs particuliers et des guérisons miraculeuses ? (N.d.T.).

Un des plus grands maîtres du yoga en Amérique, H. Carrington, dit dans son *Higher Psychical Development* : « Les Hindous ont tout un système mythique de physiologie.../ ... Ils prétendent qu'il existe certains transporteurs, véhicules d'énergie, qu'ils appellent *nadis*. Il y en a soixante-douze mille et chacun a d'innombrables ramifications.

« Si vous disséquez un corps humain, vous ne trouverez pas ces *nadis*. Les Hindous disent : " Oh ! ils ne sont pas composés de matière physique mais astrale, c'est pourquoi, n'ayant aucun sens astral, vous ne pouvez les voir ! " Ces porteurs d'énergie sont les centres de stockage et les voies de circulation principales du *prâna*.

« Les médecins disent que nous avons besoin de beaucoup de sommeil (environ huit heures). Si vous dormez huit heures par jour, vous passez un tiers de votre vie à dormir ! Cela paraît du gaspillage ! Les Hindous se sont dit : " Ne pouvons-nous empêcher ce gaspillage ? Ne pouvons-nous atteindre un état dans lequel nous n'aurions plus besoin de sommeil ? " En suivant les exercices de ce système de vie et de diète [que H. Carrington expose en détail], ils sont capables de réduire considérablement leur nombre d'heures de sommeil. En pratique, nous découvrons que le processus du sommeil se présente ainsi :
« Nous commençons avec ce que nous appelons le " seuil de la conscience ' qui disparaît lorsque nous ' tombons endormis ' ; ensuite, il s'élève à nouveau graduellement, de telle sorte qu'immédiatement après que nous nous soyons endormis, nous nous trouvions à son point le plus profond ; à partir de là, il décrit une courbe ascensionnelle progressive jusqu'au réveil. La question qui se pose alors : " N'est-il pas possible de modifier cette courbe de façon à ce que nous puissions entrer dans un sommeil plus profond et que nous ayons de ce fait besoin de dormir moins ? " Les Hindous croient avoir trouvé une méthode pour approfondir artificiellement le sommeil et éviter en quelque sorte de " le faire traîner en longueur " ; en Occident, nous avons partiellement fait de même par le moyen de l'hypnotisme. »

Tout cela est d'une grande importance pour le sujet de notre étude, la projection astrale. Je pense être le premier à avancer la thèse suivant laquelle la profondeur du sommeil et la somme de récupération d'énergie dépendent de la distance entre les corps physique et astral quand celui-ci sort pour se « recharger », que plus la distance de séparation des corps est grande, plus libre sera le flux de l'énergie cosmique — ou *prâna* — en circulation entre eux. Tout cela ne nous montre-t-il pas, par un autre biais et de façon convaincante, que plus l'individu est faible, plus il est susceptible de projeter loin son corps astral ; la maladie est donc un facteur positif pour une projection du corps astral (même s'il s'agit d'un facteur plus « dangereux »).

Ne croyez pas maintenant que je vous conseille de développer une maladie volontairement parce que c'est un facteur positif à la projection ! Je cherche simplement à démontrer qu'il est ridicule de prétendre qu'une bonne santé est nécessaire dans l'art de la projection astrale. Si cela était vrai, plus on approcherait de la mort (et que l'on s'affaiblirait), plus il serait difficile de mourir, autrement dit de se projeter de façon permanente ! Le bon sens nous montre qu'il n'en est rien...

Une autre opinion répandue est que nous brûlons notre énergie. Mais ce que nous faisons réellement, c'est l'extérioriser ; l'énergie neuronique s'extériorise du corps astral. Chez l'individu du type nerveux, cette extériorisation est très prononcée et c'est pour cette raison que l'individu est « névrosé » (cette extériorisation d'énergie a pu être mesurée, nous l'avons vu). Si vous pouviez faire cesser cette extériorisation excessive, le tempérament nerveux disparaîtrait. Il est évident que le nerveux doit se recharger davantage que les autres durant son sommeil.

Un ensemble d'exercices et de positions du corps amènera l'énergie cosmique à s'extérioriser, un autre ensemble l'amènera à s'intérioriser. On a découvert que la peur « empoisonnera » le courant sanguin presque instantanément ; on prétend que c'est pour cette raison qu'une victime de la peur devient sans défense. Je prétends, moi, que la peur extériorise l'énergie nerveuse du corps astral, affaiblissant automatiquement la victime. Rien ne provoque cette « extériorisation de l'énergie nerveuse » aussi complètement et aussi rapidement que la peur. S'il était vrai que l'énergie est « brûlée », il ne pourrait y avoir pire que ce que nous éprouvons quand nous sommes dans l'étau de la peur. Mais l'énergie est omniprésente et indestructible ; elle n'est pas plus créée qu'elle n'est brûlée et elle se trouve condensée dans le corps astral pour y être intériorisée ou extériorisée.

Quand on est projeté astralement et que l'on est conscient, on peut observer cette énergie nerveuse ; j'entends bien qu'on peut voir sa couleur et sa condensation dans le corps des autres. Elle est lumineuse comme une lumière blanche. C'est cette énergie qui donne au corps astral son apparence phosphorescente. C'est le scintillement de cette énergie condensée qui traîne derrière le fantôme quand ce dernier se déplace à la vitesse intermédiaire.

Bien que la lueur de l'énergie nerveuse puisse être vue dans le corps tout entier, elle est principalement condensée dans le centre du corps. Elle est très lumineuse dans la région du plexus solaire, je l'ai souvent remarqué. Andrew Jackson Davis avait l'habitude de dire qu'il voyait toujours le système nerveux à l'intérieur du corps comme « rempli de lumière ».

Je crois, d'après mes observations astrales personnelles, que le grand réservoir d'énergie condensée dans l'être humain est situé dans la région du plexus solaire. Des indications physiologiques nous le confirment. Je vous ai dit que la peur provoquait l'extériorisation brutale de l'énergie nerveuse et il est assez vrai que nous ressentons toujours les effets de la peur au plexus solaire. Le projecteur astral conscient peut voir l'énergie nerveuse et il est intéressant de savoir que les « esprits » parlent habituellement des médiums comme de « lumières ».

COMMENT LE JEUNE PEUT AIDER A LA PROJECTION ASTRALE

Puisque nous parlons d'une énergie qui est cosmique et non entièrement le produit des aliments que nous ingurgitons, rappelons-nous ce que Jésus-Christ a dit de la nourriture : « L'homme ne se nourrit pas que de pain. » Le Christ était connu pour se livrer à de longs jeûnes et il y a de bonnes raisons de penser qu'il faisait cela dans le but de provoquer des phénomènes spirituels —

peut-être pour s'aider à voyager dans son corps spirituel.

Sommeil, nourriture et respiration sont les trois sources d'énergie corporelle. Le sommeil est la source principale — car, comme le disait Schopenhauer, « le sommeil est à l'homme ce que le ressort est à la montre. »

La nourriture est une source secondaire et nous venons de voir comment son interruption pendant le jeûne influe sur la « qualité » de la projection astrale. Mais ceci n'est qu'une des raisons pour lesquelles le jeûne est un facteur positif dans la projection, l'autre raison — sur laquelle nous reviendrons — peut se ranger dans la rubrique du « désir refoulé ».

On a souvent remarqué qu'après un coup ou quelque chose qui provoque l'inconscience, on verra la victime se sentir curieusement plus énergique après avoir retrouvé sa conscience. C'est parce que le corps astral est sorti à bonne distance dans le courant cosmique d'énergie. Voici une autre observation que j'ai faite.

LA CONSCIENCE EPUISE L'ENERGIE

La conscience — le simple fait d'être éveillé — épuise l'énergie tout comme l'effort le fait. En étant calmement assis ou couché et immobile mais conscient, vous épuisez votre énergie. Voici autre chose que je voudrais imprimer dans votre esprit : bien que le corps astral se recharge quand il sort de sa concordance d'avec le physique ou s'en sépare, l'inconscience est nécessaire pour profiter pleinement du bénéfice de ce « rechargement ». Si vous projetez le corps astral en « gardant conscience » tout le temps, vous ne le rechargerez pas ; l'inconscience est nécessaire en conjonction avec la séparation. J'ai souvent noté qu'après une projection entièrement consciente, je me sentais toujours aussi épuisé quand je réintégrais le physique et même plus qu'au moment où je m'étais couché. D'un autre côté, j'ai remarqué que dans la projection inconsciente (c'est-à-dire quand je me rendais compte seulement dans l'acte d'intériorisation que je m'étais projeté) je me sentais toujours revigoré, parfois même au point qu'en me réveillant, j'avais l'impression de pouvoir m'envoler. Il est très courant d'éprouver une sensation d'éreintement après une extériorisation consciente accompagnée d'un mal de tête à la nuque. Je suis convaincu pour ma part que les esprits dans les plans inférieurs doivent devenir inconscients car la conscience épuise l'énergie, que l'on soit dans le corps astral ou dans le corps physique.

Il y a de bonnes raisons pour soutenir cette affirmation de nombreux occultistes : le sommeil — l'inconscience — n'est pas provoqué par un état du corps matériel mais par une action extérieure au corps physique. Des théories telles que l'anémie ou l'hyperémie * du cerveau et toutes les autres influences matérielles doivent être écartées ; elles ne provoquent pas le sommeil, pas plus que le retrait du corps astral, car même l'entité astrale dort et peut être inconsciente et projetée, ou consciente et projetée.

---

* *Hyperémie :* afflux excessif de sang dans un organe ; l'hyperémie est employée comme moyen de traitement (N.d.T.).

CHAPITRE VIII

LA CONSCIENCE PENDANT LA PROJECTION ASTRALE

Bien que dans la majorité des cas de projection astrale, la présence de la conscience soit pour une grande part une question de chance, je ne doute pas que l'on puisse employer des schémas ou provoquer des influences pour amener l'entité projetée à une conscience complète. Il est évidemment possible d'être conscient dès le début de l'extériorisation, mais ce n'est généralement pas le cas et dans de nombreuses projections où je suis devenu conscient, j'ai analysé les causes qui — je le crois — avaient éveillé ma conscience. Certaines de ces causes ne sont pas différentes de celles qui amènent la conscience quand les corps sont en concordance.

A moins que la conscience ne soit présente dès le début de la projection, elle se manifestera d'abord sous la forme d'un rêve. Elle arrive rarement tout à coup mais plutôt lentement, quand le fantôme est projeté. Elle est toujours précédée par un rêve dont elle se dégage. Si le rêve correspond à l'action du fantôme, la conscience aura plus de chance de se manifester ; c'est pourquoi « le contrôle des rêves » est un facteur aussi important. Je vais maintenant vous raconter un réveil qui illustre ce point ; vous verrez ainsi la différence qu'il y a entre la « conscience de rêve » et la « conscience réelle ».

UNE EXPERIENCE DE « REVE REEL »

Je rêvais que j'étais dans une pièce immense au plafond haut, avec des lucarnes et des fenêtres colorées. Elle m'était apparue grande à mon entrée, mais après un court moment je remarquai qu'elle avait changé. C'était maintenant une petite chambre et il n'y avait qu'un petit trou au centre du plafond pour laisser passer une faible lumière.

Pour autant que je me souvienne bien du rêve, la chambre avait plus ou moins douze pieds carrés et, assis par terre, au centre de la pièce, je regardais à travers le trou du plafond. C'était la seule issue depuis que portes et fenêtres avaient disparu... J'étais là à regarder en l'air en me demandant comment je pourrais bien m'échapper. Je n'avais aucun moyen de grimper jusqu'à la fenêtre car les murs étaient parfaitement lisses, et dans la chambre il n'y avait rien sur quoi j'aurais pu monter. Aussi je restais là à regarder vers le haut à travers le trou. Alors qu'il me semblait être là depuis un moment, je me demandai soudain si je ne pourrais pas m'envoler par là. Je commençais à m'élever dans les airs mais au moment de passer à travers le trou, je restai bloqué. La moitié de mon corps — à partir des hanches — restait dans la chambre, alors que la moitié supérieure en émergeait. Je ne pouvais plus bouger, ni dans un sens ni dans l'autre ! Je m'éveillai à ce moment et réalisai ce qui se passait.

Je me trouvais projeté. Oui, c'était la vieille histoire, me réveiller d'un rêve et me trouver extériorisé mais la chose intéressante, c'est que la position du corps astral correspondait avec la position que j'avais dans le rêve. Lorsque je devins conscient, je m'aperçus que mon corps astral était « coupé en deux » par le plafond de ma chambre réelle. Je m'étais donc élevé directement au-dessus de ma « coquille » ; je m'étais redressé, mais moitié au-dessus, moitié en dessous du plafond.

C'est simplement un des nombreux réveils que j'ai pu expérimenter en sortant d'un rêve et j'ai remarqué que chaque fois que le rêve correspond à l'action du corps astral, cela provoquera toujours l'extériorisation du corps astral et la venue de la conscience vraie.

REVEILLE DANS L'ASTRAL PAR UN BRUIT

Voici un autre exemple dans lequel le rôle du « bruit » apparaît. Un soir avant de me coucher j'avais lu quelque chose à popos d'un massacre d'Indiens. Le chef du groupe d'Indiens s'appelait *Little Priest.* Après m'être couché, je commençais à rêver. J'étais dans une clairière, en une contrée sauvage ; la clairière était assez grande, à peu près soixante pieds carrés.

J'étais armé et dans la clairière, je vis soudain des Indiens passer leur tête à travers les arbres et les broussailles autour de moi. Je levai mon arme et me mis à tirer dans leur direction, visant l'un puis l'autre. C'était un continuel « bang ! bang ! bang ! » Il semblait que l'arme que j'utilisais faisait beaucoup de bruit, un bruit inhabituellement fort qui me secouait chaque fois que je tirais.

Cependant je ne pouvais cesser de tirer, sans quoi les Indiens ne manqueraient pas de m'attraper ! Mais cet horrible « bang ! bang ! bang ! » me transperçait ! Je vis ensuite le chef des Indiens, c'était *Little Priest* qui traversait la clairière pour me tuer et me scalper ! Terrifié, je tournai l'arme vers lui et tirai, mais je ne parvenais pas à l'atteindre et il s'approchait de plus en plus. Comme il était tout près, je jetai l'arme et me mis à courir. Mais le « bang ! bang ! bang ! » continuait ! Il devenait de plus en plus distinct. J'oubliai le chef indien. J'étais conscient. C'était une nuit de grand vent et la porte extérieure battait, d'avant en arrière : « Bang ! bang ! bang ! » Etant conscient, je découvris que j'étais projeté dans l'astral et que je me tenais près de mon fusil, derrière la porte de la cuisine. (Ce ne fut pas tout ; je vis un Indien-esprit qui me dit : « — Vous vous appelez *Little priest ?* »)

Voici deux exemples qui montrent comment on peut devenir conscient quand le corps astral est projeté. Je pourrais en citer bien d autres mais cela demanderait un ouvrage aussi épais que celui-ci. Considérons le dernier cas. Si je m'étais trouvé dans le champ d'activité du câble lorsque ces coups de feu et ce féroce combat commencèrent, l'émotion aurait provoqué une intériorisation. Vous pouvez facilement voir que du rêve au réveil complet il n'y a qu'un pas et que dans un rêve la conscience fonctionne au ralenti.

LE MONDE DU REVE

Il existe un « monde du rêve ». Quand vous rêvez, vous n'êtes pas vraiment dans le même monde que lorsque vous êtes conscient dans le physique, bien que les deux mondes se mêlent l'un à l'autre. Pendant que vous rêvez, vous êtes réellement « dans le plan astral » et, généralement, votre corps astral est dans la zone de quiétude. La distance de séparation n'a aucune importance ; une fois que vous êtes détaché, que ce soit légèrement ou complètement, vous êtes « dans le plan astral ».

Peut-être est-ce la première fois que vous réalisez que vous entrez dans le monde astral chaque fois que vous vous endormez et que vos corps sortent de leur concordance ? Le fait que vous restiez dans la zone de quiétude ne signifie pas que vous n'êtes pas dans le monde astral. Quand vous êtes hors de la concordance, vous êtes « accordé » ou « en harmonie » ou « en vibration » avec les mondes astral et physique à la fois. Vous pouvez être conscient, partiellement conscient, ou inconscient, que ce soit dans ou hors de la concordance.

Dans un rêve, vous êtes partiellement conscient et vous pouvez vous trouver hors de la concordance. Votre esprit est donc un récepteur pour les vagues vibratoires, les vagues « éthérées » qui emportent avec elles pensées, bruits, influences diverses, musique, voix... que sais-je encore, des deux mondes. C'est par la réception de toutes ces impressions que bon nombre de ces rêves sont provoqués. Quand vous tombez (ou plus justement quand vous vous élevez) dans le sommeil, si l'esprit conscient est partiellement « enfermé », il fonctionne cependant en conjonction avec le subconscient et le matériel des rêves est obtenu par les impressions des deux mondes, tandis que si l'esprit conscient est « enfermé » complètement, vous ne rêvez pas ou, devrais-je dire, au réveil vous ne vous rappelez pas avoir rêvé. Quand vous êtes endormi, votre capacité à recevoir des vibrations est plus grande qu'en étant physiquement éveillé. Quand vous dormez, vous n'êtes pas différent d'un médium mais comme vous êtes inconscient, vous ne le réalisez pas. Si vous êtes partiellement conscient, vous êtes ouvert, sensible, aux vibrations des deux mondes. Si vous vous réveillez d'un rêve dans le corps physique, votre capacité à recevoir des vibrations est branchée sur le plan physique tandis que si vous le faites pendant que vous êtes — projeté — dans le corps astral, votre capacité couvrira à la fois les plans astral et physique.

L'état de rêve se situe entre la conscience complète et l'inconscience complète. Vous pouvez en déduire qu'une fois que vous êtes projeté et que vous rêvez, il n'y a qu'un pas vers la conscience complète. Le corps astral a été appelé à juste titre le « corps de rêve », car c'est dans ce corps que nous rêvons, même si nous pouvons être en coïncidence ou légèrement hors de la coïncidence ou bien complètement séparé du physique.

Les rêves n'ont pas qu'une seule cause. Les influences qui les produisent sont si nombreuses, mystérieuses et subtiles qu'il est douteux que nous comprenions jamais la vraie signification de ces fantaisies nocturnes. Mais nous pouvons, en nous servant de ce que nous avons appris, utiliser les rêves pour produire la projection astrale. Pour cela, il est une règle dont on doit se souvenir : QUAND L'ACTION DU SUJET DANS LE RÊVE CORRESPOND A L'ACTION DU CORPS ASTRAL, LE RÊVE AMÈNERA LE CORPS ASTRAL A S'EXTÉRIORISER.

Le sceptique dira : « — Comment le savez-vous ? » Il n'y a qu'une réponse : « L'expérience le prouve. » Alors qu'il ne faut au lecteur que quelques secondes pour lire cette règle, il a fallu des années à l'auteur pour découvrir et prouver sa véracité. Une fois qu'on l'accepte, tout ce qui reste à faire est de pouvoir « rêver réellement », à condition de garder à l'esprit l'itinéraire suivi par le fantôme et d'adapter un type de rêve en accord. (Ce rêve sera naturellement du type « aviation ».)

Vous pouvez donc « rêver réellement », mais il faut que vous connaissiez bien l'itinéraire suivi par le fantôme et que vous l'appliquiez au rêve, sinon celui-ci n'aura pas d'effet favorisant la sortie du corps astral. Seul un rêve approprié peut réussir. L'esprit est partiellement conscient pendant un rêve et le rêve agit comme une suggestion sur la volonté subconsciente, pouvoir qui fait sortir la contrepartie éthérée.

Rappelez-vous la loi fondamentale de la projection astrale (voir le chapitre 2) : SI LA VOLONTÉ SUBCONSCIENTE VEUT FAIRE BOUGER LE CORPS (CORPS COÏNCIDANT) ET QUE LA CONTREPARTIE PHYSIQUE EN EST INCAPABLE, LE CORPS ASTRAL SORTIRA DU PHYSIQUE.

Le corps astral est en quelque sorte « extrait » par la suggestion reçue par la volonté subconsciente de « voler » lorsque vous faites un rêve d'aviation... La suggestion d'un rêve adéquat projettera le fantôme aussi sûrement qu'une suggestion consciente de marcher vous fera « subconsciemment » marcher lorsque vous êtes physiquement éveillé. C'est la même volonté subconsciente qui fait se mouvoir les corps, ou le corps, suivant le cas. Si vous me demandez quel est le moyen le plus agréable de produire la projection astrale, je vous répondrai : « Le contrôle des rêves. » Il y a plusieurs méthodes pour produire cette espèce de « miracle », mais chaque méthode doit reposer sur la même loi fondamentale. Pour ceux qui voudraient essayer de se projeter par ce moyen, voici les instructions nécessaires. (Je développerai plus loin d'autres méthodes.) Toutefois, mon premier conseil est que le lecteur n'essaie aucune méthode avant d'avoir lu entièrement cet ouvrage.

LE CONTROLE DES REVES : METHODE DE PROJECTION ASTRALE

Après vous être couché et pendant plusieurs nuits — plusieurs semaines, devrais-je dire — observez-vous durant le processus par lequel vous vous endormez. Essayez de concentrer vos pensées en vous-mêmes ; essayez de ne penser à rien ni à personne d'autre qu'à vous-même. Essayez de vous observer très attentivement pendant que vous vous endormez. Essayez de vous rappeler que vous êtes éveillé, mais en train de vous endormir. Vous saisirez mieux la signification de mon insistance quand vous le ferez (bien mieux que maintenant à me lire). Quand vous aurez appris ainsi à garder conscience dans l'état hypnagogique, et cela jusqu'à ce que vous soyez littéralement « enveloppé par le sommeil », alors il vous faut faire un pas de plus : construire un rêve adéquat à garder à l'esprit pendant que vous vous endormez. Rappelez-vous bien que le rêve doit être construit de façon à ce que vous y jouiez un rôle actif et de plus, de façon à ce que l'action que vous y vivez corresponde à l'itinéraire suivi par le fantôme quand il est projeté.

Alors, qu'aimez-vous faire ? Nager ? Voyager en avion ? Vous élever en ballon ? Dans un téléférique ? Monter en ascenseur ? Soyez confiant, et faites dans votre rêve ce que vous aimez faire. Si vous avez choisi quelque chose que vous n'aimez pas, la sensation vous intériorisera puisque l'effet sera désagréable. Faites donc ce qui vous procurera la sensation que vous apprécierez le plus et si vous devenez complètement conscient — une fois projeté — vous aimerez la sensation que vous éprouverez venant du fantôme évoluant dans les airs. Ceci vous rapprochera beaucoup du succès ultime.

Supposons maintenant que vous aimez monter en ascenseur (c'est la formule que j'utilise). Vous avez déjà appris à rester conscient jusqu'au moment de vous endormir. Couchez-vous sur le dos. Pensez bien « en vous-même ». Vous êtes couché sur le plancher de l'ascenseur. Vous êtes couché, vous allez rester ainsi et vous endormir ; et comme vous entrerez dans le sommeil, l'ascenseur commencera à monter . Vous allez prendre grand plaisir à la sensation d'élévation alors que vous êtes couché sur le dos sur le plancher de l'ascenseur... Maintenant il tremble un peu et s'apprête à atteindre le dernier étage d'un grand building. Lentement, calmement, il monte, monte, monte ! Vous êtes conscient de vous élever. Vous jouissez au plus haut point de cette agréable sensation. Maintenant, il est près d'arriver. Il s'arrête. Vous allez vous redresser, marcher hors de l'ascenseur et gagner le sol du dernier étage du building. Vous allez regarder tout autour de vous tandis que vous déambulerez en observant tout en détail. Ensuite, vous allez revenir dans l'ascenseur et vous recoucher sur le dos, à même le sol. Doucement, vous descendez, lentement, vous descendez et maintenant, vous voilà couché sur le dos de l'ascenseur à l'étage inférieur du building.

Voilà le rêve que j'ai construit dans le but de pousser le corps astral à sortir du physique. Il est important d'utiliser toujours le même rêve, quel qu'il soit, car si vous en essayez d'abord un puis un autre, le subconscient ne sera pas impressionné par la construction du rêve aussi fortement que si vous répétez, nuit après nuit, toujours le même en entrant dans le sommeil.

Réalisez intensément ce rêve dans votre esprit et gardez-le pendant que votre conscience peu à peu diminue ; placez-vous directement dans l'ascenseur juste au moment où l'inconscience arrive et le corps astral s'élèvera, il se dressera au-dessus de son enveloppe juste comme vous rêvez de vous lever au moment où l'ascenseur atteint le dernier étage ; il sortira juste comme vous rêvez que vous quittez l'ascenseur. Pareillement, quand vous reviendrez dans l'ascenseur, le corps astral se déplacera vers une position directement au-dessus de l'enveloppe ; comme vous vous coucherez sur le sol, l'astral reprendra la position horizontale et comme l'ascenseur descendra, le corps astral descendra aussi.

Le rêve est une suggestion donnée à votre volonté subconsciente et cette volonté agit en accord avec lui. Vous devriez être à même de vous rappeler le rêve après le réveil. Un autre avantage de cette méthode est que le câble astral ne « gêne » pas, comme c'est parfois le cas quand la projection est provoquée autrement. Si l'on peut se projeter au moyen de la méthode du contrôle des rêves et s'éloigner — ne fût-ce qu'un peu — avant de devenir conscient, il est probable que l'on n'aura jamais connaissance du champ d'activité du câble.

Le grand problème réside dans le fait d'acquérir la conscience une fois que l'on est projeté. Rappelez-vous que la conscience de rêve n'est pas la vraie conscience, bien que vous puissiez vous rappeler le rêve.

LE REVE ADEQUAT PROJETTERA TOUJOURS LE CORPS ASTRAL

Il n'est pas nécessaire, bien sûr, d'employer le rêve que j'ai décrit ; vous pouvez construire votre rêve propre et le réaliser de façon à ce qu'il soit en tout point approprié au but fixé en actions et en sensations. Peut-être pensez-vous que vous pourriez faire ce genre de rêve sans que le corps astral fasse, lui, ce qui est prévu ? Ne vous y trompez pas ; il le fera, même si vous n'en êtes pas clairement conscient.

Lorsque je faisais cette expérience au début, j'ai découvert que la répercussion se produisait parfois, mais c'était toujours parce que j'avais rêvé que l'ascenseur descendait trop rapidement. Je découvris aussi que je pouvais produire la répercussion du corps astral à volonté, simplement en m'imaginant tomber du haut d'un building au moment où j'entrais dans le sommeil. Je gardais l'idée à l'esprit et peu après m'être mouché, « je répercutais » ! Tout ce que vous avez à faire pour vous convaincre du bien-fondé de ce que j'avance, c'est de suivre les instructions que je viens de vous donner et de vérifier par vous-même.

Si vous aimez nager, il va de soi que vous allez situer votre rêve dans l'eau, mais l'eau doit vous porter, vous élever. Ensuite, quand vous êtes arrivé à une position où l'eau vous a placé au même niveau que la berge, vous nagez pour sortir de l'eau — ceci pour suivre toujours l'action du fantôme dans la projection.

Certains diront sans doute qu'ils ne seront jamais capables de propulser leur corps astral dans l'espace et qu'ils ne pourront jamais disjoindre un corps de l'autre ; pourtant, chaque fois qu'ils s'endorment, la contrepartie astrale quitte le physique jusqu'à un certain point. Chaque fois que vous faites un rêve de chute, votre corps astral a été projeté et est revenu au moment où vous avez rêvé la chute proprement dite.

Le grand problème, je le répète encore est le suivant :

« Comment peut-on se projeter et acquérir une conscience véritable durant la projection ? » J'ai dit que cette conscience est plus ou moins « une question de chance », mais j'ai essayé quelques expériences par lesquelles j'ai réussi à provoquer cette conscience qui ne serait pas apparue, je crois, en ces occasions bien spécifiques sans le facteur que j'y ai introduit.

A propos du « contrôle des rêves », je ne crois pas inutile de vous donner quelques suggestions supplémentaires d'endroits de rêves. L'action principale sera évidemment toujours le mouvement d'élévation, pour faire sortir le fantôme. Ainsi, même si l'action secondaire n'est pas aussi réaliste, ayez le mouvement d'ascension solidement imprimé dans l'esprit et si possible également avec le corps — dans le rêve — couché dans une position horizontale avant de monter. Préparez votre rêve comme vous le feriez d'un sujet important de votre vie courante ; le simple fait que « ce n'est pas un rêve » ne diminue par son rôle. Voici donc quelques suggestions que j'ai tirées de *Higher Psychical Development* de H. Carrington.

Voyez mentalement votre propre image dans un miroir. Construisez pour ainsi dire, ou imaginez, un miroir d'environ vingt pieds derrière vous dans l'espace et imaginez-vous marchant à reculons dans ce miroir.

Un autre exercice est d'essayer de vous lever hors de votre corps à une hauteur d'environ dix-huit pouces au-dessus de votre propre tête, comme le baron de Münchhausen s'élevant lui-même au moyen de ses propres lacets...

Imaginez que vous vous « évaporez » de votre corps en sortant par tous vos pores, que cette vapeur se rassemble juste au-dessus de vous et forme une réplique de vous-même, puis qu'elle s'élève dans les airs. Monter à l'échelle est aussi un autre bon exercice à construire mentalement, tout comme grimper le long d'une corde. (J'ai connu de nombreuses projections amenées par des rêves où je grimpais à une échelle.)

Un autre — et excellent car il correspond fort bien à l'action du fantôme qui s'extériorise — est d'imaginer un récipient qui se remplit d'eau graduellement et au sommet duquel vous flottez. Le « jeu » consiste à trouver un petit trou par où sortir, sur le côté du récipient en question. Evidemment, si le sujet a peur de l'eau, un tel exercice n'est pas à conseiller ; mais pour celui qui aime l'eau — se baigner, nager —, on ne peut imaginer mieux car l'action est adéquate et la sensation agréable.

Un autre est d'imaginer que l'on tourne sur soi-même. Les « objets tournoyants » sont beaucoup utilisés. Les derviches et d'autres Orientaux utilisent des exercices de tournoiement, ce qui a sans aucun doute pour but principal de libérer le corps astral du physique et de provoquer des états de conscience cataleptiques. Vous vous rappelez ce que je vous ai dit plus haut, à savoir que le vertige est simplement un état de relâchement de la contrepartie astrale. Des épileptiques commencent généralement par tournoyer, c'est le début de la crise. Ils font souvent plusieurs révolutions complètes avant que commence la catalepsie.

L'image d'une « étoile qui tourne » est utilisée pour stimuler l'activité du corps astral, de même que la concentration sur la représentation d'un tourbillon ; la sensation de dilater et contracter le corps est aussi très utile, comme celle de se laisser porter par une vague. La construction de l'image d'un cône, d'une forme ou d'une autre, est encore un bon exercice, très utile, pour atteindre notre but car incluant l'idée de se concentrer vers un point et de se répandre à partir d'un point ; donc passer à travers une gouttière ou un espace en forme de sablier peut en quelque sorte être une image à utiliser. Construire un cône sur pointe avec des cercles allant du plus petit au plus large, puis le retourner comme un gant, ou faire prendre à un disque tournant sur lui-même la forme d'un cône, puis l'aplatir à nouveau pour qu'il reprenne sa forme primitive, en sont d'autres.

Garder à l'esprit l'image d'une flamme ou d'un feu et chercher à s'identifier à la flamme est encore une autre image mentale dont on peut se servir pour stimuler l'activité du corps astral. Si vous pouviez voir un corps astral projeté, il vous apparaîtrait comme une flamme blanche ayant la forme et les dimensions humaines.

De même, fermez les paupières puis roulez des yeux jusqu'à ce qu'ils se fixent sur un point dans le front, entre les yeux, à la façon dont procèdent les yogi. Faites un effort de concentration pour rassembler en ce point toutes vos énergies psychiques, toute la force de votre être, pour vous retrouver là ; quand vous aurez concentré tout votre être en cet endroit précis, ayez alors la volonté de vous propulser dans l'espace, hors de ce point de départ. Cette méthode exige un effort pour les yeux, mais elle s'est avérée très efficace selon de nombreux expérimentateurs.

Voici un autre exercice efficace. Laissez-vous aller dans un fauteuil tout en vous regardant dans un miroir (un vrai celui-là) placé quatre pieds environ en face de vous. Détendez-vous et ne pensez qu'à vous. Maintenant, essayez de vous endormir en continuant à observer, les yeux mi-clos, votre image dans le miroir. Ce faisant, vous allez probablement vous assoupir et votre tête va commencer à ballotter, mais continuez à observer l'image dans le miroir. C'est une façon presque automatique de se projeter car, alors que l'astral aura tendance à sortir, votre tête aura tendance à tomber. Si l'astral sort vraiment, la tête tombera. L'état que vous essayez d'atteindre ainsi consciemment, est donc plus impressionnant, car au moment où vous allez « monter endormi », votre tête commencera à tomber, ce qui va avoir pour effet de vous réveiller légèrement... Le pas suivant est alors de vous « imaginer » hors de votre fauteuil en train de flotter dans l'air de votre chambre.

Vous avez sans doute remarqué qu'au moment où une personne va s'endormir profondément, le corps physique paraît s'affaisser et que, littéralement, « les bras lui en tombent » s'ils ne reposent pas sur quelque appui solide, ce qui a souvent pour effet de réveiller (tout à fait ou en partie) le dormeur. Cette observation peut être utilisée dans le but de stimuler la conscience, lorsque le corps astral essaie de s'échapper — car c'est évidemment la sortie de l'astral qui provoque ce relâchement. Vous remarquez que c'est ce principe qui était employé dans le dernier exercice ; il peut se faire également dans la position horizontale. Il est intéressant d'en faire l'essai et d'en noter les effets. Après vous être couché, gardez votre construction de rêve devant vous et au même moment, gardez votre bras en l'air de façon à ce qu'il tombe quand vous vous endormirez. Maintenant, en entrant dans l'état hypnagogique, le bras va commencer à vaciller puis à tomber ; là vous allez «saisir », forcer la conscience car vous allez vous réveiller un peu, ne voulant pas laisser tomber le bras... Vous entrerez conscient dans l'état hypnagogique. Il n'est pas exceptionnel qu'en pratiquant cet exercice, le sujet se sente à court de respiration dans la région de l'estomac (juste au moment de la chute du bras) et qu'il sursaute légèrement (pour faire cesser la sensation). Ce léger « saut » n'est rien d'autre qu'une petite répercussion du corps. Même des sujets peu doués pour la projection astrale peuvent expérimenter ce que je viens de décrire et ainsi « sentir bouger l'astral ». C'est un excellent exercice car si vous voulèz arriver à « rêver réellement », vous devez être capable de garder votre conscience jusqu'au moment précis où vous vous « élevez » dans le sommeil. Il est vrai que certaines personnes n'ont pas conscience de s'endormir ; elles sont peut-être la majorité. Pourtant, il faut absolument que le sujet développe la conscience de s'endormir, sinon il ne sera jamais capable de rêver réellement.

Il n'est pas aussi difficile que vous pourriez le croire de provoquer la projection du corps astral par cette méthode du contrôle des rêves ! Une fois que « l'éthéré » commence à s'élever, le rêve impressionne l'action du « corps de rêve », tout comme l'action de ce corps impressionne le rêve. Ceci peut paraître dur à comprendre, mais c'est ce qui se passe. Tout l'art réside dans le bon départ, dans le bon état d'esprit au moment du « décollage ». Vous n'avez même pas à « mettre le corps en marche », il le fera de lui-même quand vous entrerez dans le sommeil, mais vous devez bien « entrer dans le rêve », et y garder le corps en mouvement.

Le corps astral sort donc de façon naturelle au moment du sommeil et c'est le moment précis où vous devez mentalement vous projeter dans l'ascenseur qui monte (par exemple) et continuer le scénario, car le « corps de rêve » n'est rien moins que le corps astral dans un état partiellement conscient.

Un rêve bien construit est assuré de faire sortir le corps astral aussi bien que de le faire entrer. La chose curieuse, dans ce genre de rêve, est que vous rêvez ce qui se passe réellement, du moins en ce qui concerne l'action et la sensation. Un investigateur néophyte pourrait penser que le rêve risque de commencer par bien coller à la réalité puis de s'en écarter ensuite. Ce ne sera jamais le cas !

Le rêve « fait corps » avec l'activité astrale qu'il considère comme vraie et, ainsi, il reste « vrai ».

Si vous devenez complètement conscient dans un tel rêve, vous vous trouverez généralement en quelque lieu correspondant à l'endroit de l'action que vous avez vue en dernier lieu dans votre rêve. Si vous avez utilisé le rêve de l'ascenseur et que vous devenez conscient juste au moment où vous atteignez le dernier étage, c'est élevé dans le corps astral, juste au-dessus de la coquille, que vous vous retrouverez conscient.

Même si cela peut paraître incroyable ou absurde, c'est cependant la vérité et, personnellement, j'ai trouvé que cela fonctionnait à chaque fois et que c'était là une façon agréable et sûre de projeter le corps astral dans l'espace.

RESUME DE LA METHODE DE CONTROLE DU REVE

1. Exercez-vous à être capable de conserver la conscience jusqu'au moment précis où vous vous élevez dans le sommeil. Le meilleur moyen est de garder un membre du corps physique dans une position telle que, ne reposant sur rien, il sera tenté de tomber quand vous « entrerez dans le sommeil ».

2. Construisez un rêve où l'action personnelle sera prédominante. Le rêve doit être du type « aviation » et vous devez vous y déplacer vers le haut et vers l'extérieur afin de correspondre à l'action du corps astral qui se projette. Il faut également que le rêve soit agréable à celui qui le fait.

3. Gardez le rêve clairement à l'esprit. Visualisez-le tandis que vous vous élevez dans le sommeil. Placez-vous dedans juste au moment où l'inconscience arrive et continuez à rêver. (Nous avons vu plus haut comment avec l'exemple du « rêve de l'ascenseur », le corps astral agira consciemment en accord avec la construction du rêve... et inversement !)

Voilà la formule simple pour provoquer la projection du corps astral au moyen de la méthode dite du « contrôle des rêves » mais chaque point doit en être rigoureusement et strictement observé. Dites-vous bien que tout cela ne relève pas de la fantaisie, mais qu'il s'agit d'une méthode qui a fait ses preuves.

Quand vous serez devenu plus expert, vous pourrez ajouter d'autres facteurs favorables à ce schéma de base. Vous découvrirez que si, avant de vous coucher, vous lisez une histoire palpitante, qui vous tient en haleine, une histoire d'aviateur téméraire, de hardis montagnards... Vous donnerez de la puissance à vos efforts pour vous projeter ensuite par le moyen d'un rêve. La nuit qui a suivi mon premier voyage en avion, j'en ai rêvé et, en m'éveillant de ce rêve, je me suis trouvé projeté. En me renseignant auprès de personnes qui avaient également connu leur « baptême de l'air », je découvris que la plupart d'entre elles avaient eu un « rêve d'aviation » peu de temps après et que plusieurs avaient eu des rêves de chute avec répercussion.

Vous voyez donc qu'une activité marquante de la journée allant dans le sens du rêve, même si ce n'est que la lecture d'une impressionnante histoire d'aviation, apportera des résultats très positifs la nuit. Si par ce processus vous avez un rêve, il est fort probable que vous vous le rappellerez et vous pourrez en déduire que le corps astral, le corps du rêve, y a participé (ne confondez pas toutefois la conscience de rêve et la conscience réelle).

Le pas suivant — et sans doute le plus difficile — est d'amener maintenant ce corps de rêve à une vraie conscience après sa projection, et de préférence hors du champ d'activité du câble.

COMMENT AMENER LA CONSCIENCE AU CORPS DE REVE

Une projection partiellement consciente est déjà une « avancée » par rapport à une projection inconsciente et la projection entièrement consciente, encore une avancée, c'est évident. Ou bien le fantôme se réveille par hasard — on ignore pourquoi — ou bien vous avez développé les moyens de produire la conscience véritable. Pour autant que je sache, il n'y a que deux facteurs qui produiront l'éveil du fantôme projeté — autrement que naturellement, j'entends. Il y a le « bruit » et la « suggestion adéquate » élaborée avant la projection. Cette dernière est de loin la plus susceptible de réussir, le facteur bruit ne pouvant travailler que le fantôme une fois sorti du champ d'activité du câble, puisque nous avons vu que dans ce champ les sons ont un effet défavorable et intériorisent le fantôme.

On découvrira que, plus on se projette, plus la conscience est susceptible d'intervenir de son propre chef. J'ai également remarqué que l'endroit où la conscience intervient une fois, est celui où elle intervient à nouveau si le fantôme y repasse au cours d'une errance somnambulique dans l'astral. Pourquoi ? Je ne peux qu'émettre une hypothèse.

Vous est-il jamais arrivé en voyageant — disons sur une route, en voiture — de penser en tel endroit à quelque chose de précis et en repassant, même plusieurs semaines plus tard, à ce même endroit, d'avoir repensé à la même chose ? Bien sûr, cela a dû vous arriver. En retrouvant cette pensée, il vous a semblé que c'était comme si ce lieu, cet endroit, vous suggérait la même chose que la première fois, même si les objets n'avaient aucune relation directe avec la pensée en question.

Chaque fois par exemple que je passe à un certain endroit, un tournant de la route à un mile de chez moi, je pense à un cirque, je ne sais pourquoi. Néanmoins, chaque fois que j'y passe, je « visualise » un cirque ! Eh bien, c'est exactement ce qui peut se passer dans l'astral. Si, en étant somnambule, vous devenez conscient à un certain endroit, vous découvrirez qu'en repassant à cet endroit avec le corps astral, vous y redevenez conscient (je peux dire que le corps astral, même s'il peut faire « des voyages différents », a l'habitude d'emprunter le même itinéraire).

Il y a beaucoup de gens qui chaque nuit sont « en dehors » dans le corps astral, somnambules qui s'ignorent... et je parie que l'on serait grandement surpris si l'on savait à quel point la projection astrale inconsciente (et partiellement consciente) est courante. Quand le corps astral se déplace, l'environnement le long de son parcours — si c'est dans un état de rêve — influencera le rêve. Ces rêves vivaces, dans lesquels nous paraissons très actifs, ce rêves que nous faisons sans cesse, peuvent être — et généralement, ils le sont — des rêves astraux somnambuliques. Parfois, pendant un tel rêve, l'itinéraire n'est pas mal reproduit dans la mémoire et durant les heures de veille, si nous sommes amenés à emprunter le même itinéraire physiquement (ou un similaire), nous devrions nous rappeler le rêve.

Mais ce n'est pas tout ! La prochaine fois que nous ferons ce rêve, nous saurons qu'il s'agit d'un rêve... et nous rêverons donc que nous rêvons ! Décidément, c'est un bien étrange phénomène que l'expérience du rêve...

Allons encore un peu plus loin. Quel est le rêve où vous avez une part active, que vous faites le plus fréquemment ? Vous arrive-t-il de rêver que vos rêvez ? Si oui, quel est ce rêve ? Pouvez-vous, durant vos heures de veille, trouver un lieu qui vous amènera à vous rappeler ce rêve ? Je veux dire : où êtes-vous, dans le corps physique, quand vous pensez brusquement que vous vous êtes déjà trouvé dans un lieu semblable, mais en rêve ? Voilà les choses qu'il vous faut observer. Si vous pouvez réunir ces renseignements, essayez de vivre ce rêve dans votre corps physique, suivez l'itinéraire en pensant au rêve et, ce faisant, dites-vous que la prochaine fois que vous rêverez d'atteindre cet endroit précis. vous allez vous réveiller. Si vous vous donnez comme consigne « à cet arbre, devant cette porte, je vais me réveiller », cette suggestion sera suivie quand vous vous trouverez à l'endroit en question dans votre corps de rêve.

Le rêve peut se reproduire assez vite et spontanément mais vous pouvez le produire intentionnellement, en y pensant quand vous entrez dans le sommeil. Si le rêve s'avère être un rêve de « somnambule astral », la suggestion dont nous parlons sera l'un des facteurs les plus forts pour réaliser la conscience complète du corps astral. Cette suggestion n'est guère différente de celle de s'éveiller qui est donnée au sujet hypnotisé. L'opérateur dit par exemple : « — Je vais compter jusqu'à cinq, puis vous allez vous réveiller », ou : « — Marchez droit devant vous et quand vous arriverez à la porte, vous vous réveillerez. » De même, le rêve peut-il donner cette suggestion à l'esprit du somnambule astral dans son état de rêve.

Même si cela implique nécessairement une étude sérieuse de vos rêves, c'est la façon la plus sûre d'amener la conscience au fantôme projeté. Prenez, par exemple, le rêve de l'ascenseur. Dites-vous qu'au dernier étage du building, une fois sorti de l'ascenseur, vous allez vous réveiller. Comme il s'agit d'un rêve et d'une « commande » fabriquée, le moyen est moins sûr et moins efficace que la méthode « par l'étude » que je viens d'expliquer.

Faites toujours un choix judicieux de l'endroit où vous voulez vous réveiller. Ne le choisissez pas très près du corps physique, vous risqueriez de vous réveiller dans le champ d'activité du câble, ce qui doit être évité autant que possible. Supposez que vous dormiez à un étage, n'importe lequel pourvu qu'il y en ait d'autres au-dessus de vous et qu'au moyen d'un rêve d'ascension, vous parveniez au dernier étage pour y déambuler. Une bonne chose à connaître alors est la disposition des lieux à cet étage de façon à ce que vous façonniez votre rêve en conséquence. Trouvez aussi à cet étage, une porte, une fenêtre, quelque chose qui vous fournira « l'endroit du réveil » et qui sera sur votre chemin de rêve bien sûr. Comme vous avez construit votre rêve en vous endormant, suggérez-vous, en outre, de vous réveiller en atteignant l'endroit précis. La suggestion que vous deviendrez conscient dans votre corps astral en atteignant tel endroit précis, sera toujours plus efficace que celle que vous deviendrez conscient « quelque part ». La « suggestion d'endroit » opère de la même façon dans l'astral que la « suggestion de temps » dans le physique. N'avez-vous jamais essayé, pour remplacer votre réveille-matin, de vous suggérer, avant de vous coucher, que vous vous réveillerez à une certaine heure et de le faire ? C'est de cette façon que la « suggestion d'endroit » peut affecter le corps astral si vous le voulez.

Bien que ce soit le rêve d'aviation qui fera habituellement sortir le « corps de rêve », les personnes de tempérament nerveux sont à ce point sensibles que souvent elles se projettent spontanément durant leur sommeil (et un rêve « quelconque » peut leur suffire). Quand cela se produit, on ne peut prévoir ce que le fantôme fera, mais son action se révélera toujours en relation avec le rêve. Le fantôme peut s'être projeté à l'endroit précis dont le sujet rêve et si le lieu est un produit de l'imagination, il le fera dans un lieu similaire.

Le fantôme peut s'attarder sur des objets identiques aux objets vus dans le rêve. Rappelez-vous le rêve dans lequel je tirais sur des Indiens ; devenu complètement conscient dans le corps de rêve, je me suis trouvé près de l'endroit où mon fusil était accroché. Vous pouvez rêver d'un lac ou d'un océan à des centaines de miles et si le corps de rêve sort pour participer, il peut être projeté au bord de l'océan comme il peut seulement l'être près d'une mare de l'autre côté de la rue, non loin de l'endroit où vous dormez.

CHAPITRE IX

LES FACTEURS QUI POUSSENT LA VOLONTE SUBCONSCIENTE A AGIR

A propos des individus qui se projettent spontanément, nous avons dit que le type nerveux réalise cela souvent ; mais ceci n'est pas dû uniquement à son tempérament. La volonté subconsciente doit d'abord décider de faire bouger le corps ; sinon, même le sujet à tempérament nerveux ne se projettera pas. Rappelez-vous la loi fondamentale de la projection astrale (voir chapitre 2).

Il n'y a, bien sûr, aucune difficulté à amener la volonté subconsciente à faire bouger les corps quand ils sont en concordance et que nous sommes complètement conscients et capables d'accomplir cela. Tout ce que nous avons à faire — et que nous faisons couramment — est de nous « suggérer » de marcher, et la volonté subconsciente nous gardera en marche jusqu'à ce qu'elle reçoive d'autres instructions. Elle n'est donc pas si mystérieuse que ça ; nous l'utilisons tous les jours. Comment la volonté subconsciente peut-elle être amenée à faire bouger le corps astral quand nous sommes endormis ? Voilà la question importante que je vais m'employer à élucider. Mais réfléchissons d'abord un peu. Si les facteurs qui poussent la volonté subconsciente à agir peuvent être déterminés, ces mêmes facteurs ne pourraient-ils pas être mis en œuvre intentionnellement et produire le même effet ? Bien sûr que si.

C'est Camille Flammarion qui a dit : « Dans tout problème scientifique, il y a toujours deux méthodes d'investigation : celle de l'observation et celle de l'expérimentation ». C'est exactement ainsi que j'ai acquis ma connaissance de la projection astrale : par des observations minutieuses, des analyses et différentes expériences ; durant des projections conscientes, non intentionnelles, j'ai été capable de déterminer les facteurs qui éveillent la volonté subonsciente.

Je vais tout d'abord énumérer ces facteurs, ensuite les expliquer et montrer enfin comment les mettre en œuvre pour produire la projection du corps astral.

A. LES RÊVES :

1. du type « aviation » ;
2. qui éveillent le désir et l'habitude.

B. LE DÉSIR (de posséder ou de faire quelque chose sans que cela soit une nécessité) :

1. le désir intense ;
2. le désir refoulé.

C. LES DÉSIRS DU CORPS (qui sont des nécessités) :

1. la faim ;
2. la soif ;
3. la faiblesse nerveuse (manque d'énergie cosmique).

D. L'HABITUDE :

1. une vieille habitude ;
2. une routine ;
3. une habitude souhaitée ;
4. une habitude regrettée.

Certains de ces facteurs ne sont pas aussi puissants que d'autres, ainsi que nous allons le découvrir.

Nous avons déjà parlé du premier groupe : « les rêves ». Nous avons vu comment la volonté subconsciente est activée par eux et nous avons également appris à utiliser les rêves pour provoquer la projection astrale.

Nous allons à présent nous pencher sur les groupes B, C et D. La volonté subconsciente ne constitue pas tout le domaine de l'esprit subconscient, ce dernier est si vaste qu'il peut agir en lui-même, seul et pour ainsi dire « en vase clos ». L'esprit subconscient peut suggérer quelque action à la volonté subconsciente — ainsi qu'il le fait pendant le sommeil — si l'un des facteurs que je viens d'énumérer vient à la surface (de l'esprit conscient) ou est suffisamment fort pour s'y maintenir au cours du sommeil. C'est-à-dire que la suggestion faite à la volonté subconsciente de mouvoir le corps astral quand nous sommes endormis, vient de l'esprit subconscient, tout comme la suggestion de mouvoir le corps, quand nous sommes éveillés, vient de l'esprit conscient.

Mais c'est la même « volonté » qui fait se mouvoir le corps, indépendamment de la source où elle prend la suggestion. La seule raison pour laquelle l'astral sort du physique dans le premier cas est que la contrepartie physique se trouve paralysée. En ce qui concerne la suggestion, la volonté subconsciente répond aussi spontanément à la suggestion subconsciente qu'à la suggestion consciente.

Nous voyons aisément que la première condition est d'imprimer un des facteurs « favorisants » d'une façon suffisamment forte sur l'esprit subconscient pour qu'il retienne cette impression durant le sommeil. Ceci peut être réalisé au moyen de l'esprit conscient, par la répétition de certaines actions (routine) ou par des suggestions (désirs) ou, dans certains cas, par une combinaison des deux. Quand nous imprimons l'un de ces facteurs sur l'esprit subconscient, il se produit souvent une projection non intentionnelle pendant que le sujet dort. En voici l'explication :

Vous avez peut-être pris l'habitude de vous rendre à un certain endroit. Vous persistez dans cette habitude et, ce faisant, vous l'imprimez dans votre esprit subconscient. Si cette impression est suffisamment puissante pour venir à la surface pendant le sommeil, l'esprit subconscient va suggérer que vous répétiez l'action et la volonté subconsciente sera pénétrée de cette suggestion. Si d'autres facteurs sont favorables — le tempérament, l'inactivité du corps physique, etc. —, il en résultera une projection du corps astral. Des chercheurs de l'occulte ont parlé de « projections spontanées » du corps astral alors qu'en réalité il existe toujours une cause sous-jacente à toute projection. La raison pour laquelle on les qualifie de « spontanées » est simplement que ces causes agissent et que des conditions favorables à la projection sont produites sans qu'on le sache.

Des habitudes ordinaires, des désirs ordinaires, bien qu'ils soient parfois en mesure de produire la projection chez les « bons » tempéraments, ne seront généralement pas suffisants car ils n'impressionneront pas assez fortement l'esprit subconscient.

Un désir intense et une vieille habitude laisseront une plus forte impression sur l'esprit subconscient et sont de ce fait plus positifs. Il s'enracinent littéralement dans l'esprit subconscient. Des désirs refoulés et des habitudes regrettées agissent de la même manière. Quand une habitude est profondément ancrée dans l'esprit subconscient, celui-ci apprend à la faire sortir de lui-même. C'est justement cela, une habitude. Il semble éprouver le vif désir, une véritable détermination, à exprimer cette habitude. C'est pourquoi les habitudes sont si difficiles à perdre ; elles sont exprimées par l'esprit subconscient dans lequel elles sont enracinées. Par ailleurs, si vous avez une habitude solidement installée et que soudain vous la perdez, la tension pour la retrouver à nouveau deviendra plus intense dans l'esprit subconscient. Vous pourrez sentir cette tension en vous. Aussi pendant votre sommeil, la tension, le désir de retrouver l'habitude, la détermination de l'exprimer — accumulés dans le subconscient — vont se déchaîner et la volonté subconsciente s'efforcera de mouvoir le corps dans le but de réaliser l'acte habituel.

Un désir refoulé agit de façon semblable. Vous avez un désir solidement implanté et comme vous ne pouvez le satisfaire, vous devez vous contraindre par des efforts conscients. Cependant, au fond de vous-même, vous continuez à désirer-désirer-désirer ! Vous apaiseriez ce désir séance tenante, s'il n'y avait la raison frustrante. Ainsi, en ayant un désir et en étant empêché de satisfaire ce désir, vous accroissez la tension dans l'esprit subconscient. Ici aussi, vous pouvez sentir la tension en vous. Vous « bouillonnez » et vous êtes en guerre avec vous-même, tant et si bien que le besoin d'exprimer le désir devient si fort dans l'esprit subconscient qu'il jaillit quand vous dormez et que vous ne pouvez plus consciemment l'empêcher ; la volonté subconsciente est alors poussée à agir.

C'est ainsi que la perte d'une vieille habitude ou le refoulement d'un désir pressant agiront pareillement et seront des facteurs bien plus puissants qu'une simple habitude et qu'un simple désir. C'est donc ce que nous appellerons la « tension d'expression » accumulée dans l'esprit subconscient qui l'amène à suggérer à la volonté subconsciente d'agir.

Certains « expérimentateurs occultes » croient que c'est la volonté subconsciente qui est raffermie et que c'est elle qui jaillit soudainement. Ce n'est pas exact. La volonté subconsciente est très puissante à tout moment. C'est la tension d'expression qui est raffermie et qui jaillit, ce n'est pas la volonté subconsciente elle-même. L'esprit subconscient et la volonté subconsciente sont choses distinctes, et vous ne pouvez pas agir directement sur la volonté subconsciente pour qu'elle « jaillisse la nuit »...

Ce que vous pouvez faire, c'est raffermir l'impression, la tension d'expression, dans l'esprit subconscient qui lui, agira comme une suggestion sur la volonté subconsciente, « exécuteur » de cette suggestion. La routine est n'importe quel déroulement fixe, régulier et machinal d'actions de la vie de tous les jours : travail, plaisir, etc. La routine, une habitude perdue et regrettée, un désir refoulé, sont trois facteurs importants qui « tendent » l'esprit subconscient et peuvent provoquer la projection non intentionnelle — pour autant, bien sûr, que d'autres facteurs soient favorables.

Si vous pouviez observer un projecteur inconscient pendant sa projection, vous verriez souvent que le fantôme suit la routine que le sujet connaît pendant la journée, car l'esprit subconscient l'a très profondément enracinée en lui. Routine et habitude sont du reste plus ou moins mêlées.

Chacun suit quelque routine ; par la répétition, l'action s'enracine profondément dans l'esprit subconscient et, de ce fait, va y provoquer — que vous en ayez conscience ou non — une tension, un « stress » *, si elle ne se trouve

* Le dictionnaire Robert date cet anglicisme de 1953. Une ligne plus bas, on trouve le mot *strette* de l'italien *stretta*, qui remonte à 1831 et signifie « étreinte, resserrement ».

pas réalisée. Le « stress de routine » est l'un des plus forts que l'on puisse subir. Nous avons tous entendu parler de gens qui disent devoir travailler sans relâche, à tout prix, parce qu'ils deviennent irritables s'ils s'arrêtent ou se reposent. C'est que le « stress de routine » est présent en eux.

Aussi longtemps que vous répétez une activité quotidienne, vous échappez au stress et de ce fait, vous ne le remarquez pas. Mais si vous brisez tout à coup la routine, vous ressentirez l'espèce d'excitation qui est en vous. Les fermiers souvent semblent connaître ce stress de routine ; s'ils essayent de rompre la régularité de leur travail et vont à la ville, ils ne tardent pas généralement à retourner à leur ferme car il leur faut libérer comme une agitation interne. Quand une personne se voit brusquement forcée de briser sa routine — du fait d'une maladie par exemple — le stress, parce qu'il n'est pas exprimé, commencera à s'accumuler dans l'esprit subconscient, tout comme le gaz s'accumule dans une bouteille qui exploserait « d'elle-même » si elle n'était pas débouchée à temps pour libérer le gaz. De même, un « stress » peut devenir si puissant qu'il reste ou vient à la surface du subconscient pendant que le patient dort. La volonté subconsciente se trouverait placée sous son emprise et chercherait à faire sortir le corps astral du physique et à réaliser l'action routinière en question. A première vue, il peut paraître curieux qu'une routine et la rupture d'une routine renforcent également le stress. Un peu de réflexion montrera que c'est vrai. Cela recoupe incidemment les découvertes du Dr. Charles Lancelin, savant français renommé, qui utilisait des « routines tenaces » pour réaliser la projection astrale.

Voici ce qu'en substance C. Lancelin dit à ce propos. Mais je tiens à préciser tout de suite que je me trouve en désaccord avec lui quand il avance que le succès de l'expérience dépend du pouvoir que possède la volonté subconsciente, car je maintiens, moi, que c'est la puissance du « stress d'expression » dans l'esprit subconscient qui suggère à la volonté subconsciente qu'il faut développer ladite tension ou stress, et non pas la volonté subconsciente elle-même. Là où nous sommes d'accord, c'est pour reconnaître que des routines tenaces mènent au résultat.

« L'action directe, tout le monde la connaît », dit C. Lancelin, « elle est basée sur l'autosuggestion. L'homme qui se répétera sans cesse en se pénétrant bien du sens des mots : "J'ai de la volonté ! J'ai de l'énergie ! " et qui, à chaque occasion, saura faire passer cette formule dans la pratique, celui-là dynamisera sa volonté ; mais aussi l'homme, qui acquerra une parfaite maîtrise de soi, arrivera à hyperdynamiser sa volonté.../... La volonté ainsi hyperdynamisée créera facilement, avant de s'assoupir, le monoïdéisme qu'emmagasinera la mémoire durant le sommeil *. »

Nous pouvons constater que C. Lancelin avait découvert que la routine tenace est un facteur positif ; mais si je confirme que tel est bien le cas, je pense que C. Lancelin se trompe quand il croit que c'est la volonté qui est renforcée. Si nous examinons la chose de près, nous verrons que c'est l'impression faite par la routine qui est renforcée, c'est la force de l'habitude qui devient plus grande au point de surgir, suggérant donc à la volonté subconsciente d'accomplir l'action (la routine). Imaginez la volonté subconsciente comme une locomotive et le stress comme le conducteur. Pour mettre la locomotive en marche, le conducteur doit l'amener à démarrer ; la locomotive ne bougera pas de sa propre initiative. De même lorsque l'un des facteurs que je viens d'énumérer, vient à la surface durant le sommeil, il suggérera l'action à la volonté subconsciente et c'est elle qui suivra la suggestion.

S'il était vrai que la volonté subconsciente a été « hyperdynamisée » au point de ne pouvoir se contenir, le sujet serait sûrement dans une fâcheuse situation pendant ses heures de veille ; ayant déjà été satisfaites, les suggestions n'auraient plus de chance d'aboutir. Rappelez-vous bien ceci : C'EST LA SUGGESTION QUI JAILLIT, NON LA VOLONTÉ SUBCONSCIENTE. La suggestion peut venir aussi bien de l'esprit conscient que de l'esprit subconscient.

Si la volonté subconsciente pouvait opérer sans recevoir préalablement de suggestion, comment le projecteur astral pourrait-il jamais être capable de contrôler ses mouvements ? Comment, étant conscients, pourrions-nous contrôler nos actions ?

* Nous avons préféré reprendre le texte français original, extrait de l'ouvrage de C. Lancelin, *Méthode de dédoublement personnel.*

Il n'est pas plus nécessaire de dynamiser la volonté subconsciente pour qu'elle fasse bouger le corps astral, que de la dynamiser pour qu'elle fasse se mouvoir le corps physique. C'est la suggestion qui s'en charge et non l'accumulation d'énergie dynamique. Quand nous sommes conscients et que nous nous disons que nous aimerions nous déplacer, nous ne cessons pas, en quelque sorte, de dynamiser la volonté subconsciente. Tout ce que nous avons à faire, c'est de nous suggérer de faire un tel mouvement ; la volonté subconsciente le réalise et c'est ainsi qu'elle fait bouger le corps la nuit quand nous dormons, car elle réagit à une suggestion de l'esprit subconscient, suggestion qui, elle-même, jaillira d'autant mieux qu'une routine tenace sera imprimée fortement.

D'après les calculs de certains chercheurs, le corps astral pèse approximativement deux onces. Supposez que le corps physique d'un sujet pèse cent soixante livres, le physique pèserait donc mille deux cent quatre-vingts fois plus que le corps astral. Pourtant nous pouvons faire bouger le corps physique par une simple suggestion... c'est également une simple suggestion qui va amener la volonté subconsciente à faire bouger le corps astral pendant que nous sommes endormis — même si cette suggestion n'émane que d'un rêve.

La volonté subconsciente obéit à la suggestion de la même façon qu'un sujet hypnotisé obéit aux suggestions de l'opérateur.

COMMENT J'AI DECOUVERT QUE LE DESIR EST UN FACTEUR DYNAMISANT

Examinons les désirs qui sont des besoins, des besoins physiques. Je vous dirai tout d'abord comment j'ai par hasard découvert le fait que le désir « suggère » directement à la volonté subconsciente pendant que nous dormons.

Par une chaude nuit d'été, alors que j'étais couché dans mon lit, je notai que j'avais soif ; je désirais un verre d'eau mais au lieu de me lever et d'apaiser ce désir, je ne bougeais pas de mon lit, simplement parce que — pour être honnête — j'étais trop fainéant pour cela, je devrais dire peut-être « somnolent ». Ainsi, mon désir se trouvait refoulé au lieu d'être apaisé. A plusieurs reprises, j'avais été sur le point de me lever et d'aller chercher à boire, mais je ne le fis pas. Puis finalement, je « sombrai » dans le sommeil. Quand je retrouvai ma conscience, c'était dans le corps astral projeté. C'était le résultat d'un rêve, un rêve très significatif. Je rêvais que je me trouvais près du robinet de la cuisine et que je ne parvenais pas à l'actionner.

C'est à cet endroit que je devins clairement conscient et mes mains — astrales — étaient sur le robinet, incapables évidemment de l'actionner[1].

Voilà qui met l'accent sur la différence entre le rêve et ce que je vivais en réalité. Dans le rêve, je croyais le robinet trop serré pour pouvoir l'ouvrir mais dans la conscience claire de ma projection astrale, je savais que c'était parce que mes mains n'établissaient pas de contact avec la matière. C'est alors que l'idée me vint que le désir/besoin avait dû jouer un rôle dans la projection. Par l'expérimentation, je vérifiai cette idée et découvris qu'elle était juste.

Il ne faut surtout pas croire qu'un désir refoulé n'est plus un désir, car la suppression ne s'exerce que par rapport à l'esprit conscient, alors que le désir réel est toujours présent dans le subconscient. Un désir refoulé est plutôt un désir intensifié dans l'esprit subconscient et il vient donc à la surface et agit comme une suggestion quand nous dormons.

Dans le cas d'un banal désir ordinaire, nous pourrions compter de nombreux jours — voire des mois — avant que l'impression soit suffisamment forte pour s'imposer pendant notre sommeil, mais dans le cas d'un désir qui est un besoin, une nécessité première, telle la soif, une heure peut être suffisante pour l'impressionner dans l'esprit subconscient.

---

1. *Cela constitue à mon sens, l'une des nombreuses indications de valeur montrant qu'une projection astrale ne peut être un simple rêve, car dans un rêve, actionner le robinet serait la chose la plus simple à réaliser et l'on obtiendrait le verre désiré. S. Muldoon a souvent mis en exergue l'impossibilité absolue de faire ce genre de chose lorsque l'on est projeté ; il n'a jamais pu avoir d'action sur la matière ainsi que cela se passe couramment dans les rêves* (H.C.).

Vous n'aviez sans doute pas besoin de ma petite démonstration pour vous en convaincre, mais si tel n'est pas le cas toutefois, la prochaine fois que vous aurez soif, essayez de supprimer ce désir et voyez comme il se renforce en vous, jusqu'à ce que, finalement, vous ne puissiez plus le supporter ! Vous remarquerez avec quelle force alors l'envie de boire s'impose. C'est exactement ce qui se passera pendant que vous dormez : suggérez très fortement que vous désirez de l'eau et la volonté subconsciente sera amenée à faire bouger le corps pour le satisfaire car vous ne pouvez pas supprimer la « pulsion » quand vous n'êtes plus conscient.

De même, si votre corps physique se trouvait paralysé — dans un état où il ne répondra pas immédiatement au moment où la volonté subconsciente s'exercera — le corps astral sortirait du physique.

La soif est le stress le plus fort et le plus rapidement efficace. Après la soif, vient la faim — le besoin de nourriture.

Le jeûne exerce une double influence positive sur la projection astrale. Vous vous souvenez de la raison première, nous en avons parlé à propos de l'énergie et nous avons vu que pendant un jeûne une source d'énergie secondaire est coupée et que par conséquent, l'astral pendant le sommeil est projeté plus loin hors de la coïncidence afin de se recharger plus facilement d'énergie cosmique. La seconde raison en est que le désir de nourriture est généralement présent, au début d'un jeûne, spécialement ; ce désir, supprimé par l'esprit conscient, se trouve intensifié dans l'esprit subconscient, le stress devenant si intense qu'il vient à la surface, s'insinue et s'impose pendant que le sujet est endormi. La volonté subconsciente sera dominée par la suggestion, tout comme dans le cas de la soif. On peut donc voir clairement l'avantage du jeûne quand on essaye de se livrer à la projection astrale.

Je donnerai par la suite quelques directives spécifiques pour provoquer intentionnellement les différents stress.

L'ACTION DU FANTOME INCONSCIENT EST GOUVERNEE PAR LE « STRESS »

Si « la suggestion de routine » vient à la surface de l'esprit subconscient pendant que nous dormons et que nous faisons une projection astrale, à moins de devenir conscient et de diriger nos mouvements, le fantôme sera enclin à faire les mouvements de la routine. Si, dans les mêmes circonstances, la suggestion de quelque habitude profondément enracinée vient à la surface, le fantôme exécutera cette habitude.

Si un rêve (suggestion) d'évoluer dans les airs vient à la surface de l'esprit subconscient pendant que nous sommes endormis et que nous ne sommes pas suffisamment conscients pour diriger nos mouvements, le fantôme vivra le rêve.

La suggestion d'un désir intense agira de la même façon, le fantôme essaiera de satisfaire le désir.

Le fantôme obéit à l'impression dominante qu'il reçoit de l'esprit — conscient ou inconscient — quand il est projeté. Tous ces facteurs n'agissent pas de la même manière et — ainsi que nous le verrons — les trois groupes sont plus ou moins liés, rêves, habitudes et désirs. Nous pouvons par exemple avoir l'habitude de faire certaines choses, nous pouvons aussi désirer les faire et nous pouvons encore rêver que nous les faisons. Un rêve peut causer une habitude ; une habitude peut provoquer un rêve ; un désir peut provoquer une habitude, une habitude peut susciter un désir ; un désir peut inspirer un rêve ; un rêve peut attiser un désir ; etc.

La suggestion que vous désirez faire surgir quand vous dormez, doit être de celles qui induisent des mouvements du corps, de l'ego — qu'elles viennent d'une habitude, d'un désir, d'un rêve, ou d'une combinaisons de quelques-uns, ou de tous ces facteurs. Si l'habitude qui jaillit renferme un mouvement de l'ego, la suggestion sera de ce type. Si le désir qui surgit est de ceux qui demandent également un mouvement de l'ego dans le but d'apaiser ce désir, la suggestion sera également de cet ordre.

Il est clair que la suggestion la plus puissante qui pourrait surgir viendrait d'une impression causée par les différents facteurs mis en jeu pour la réaliser. Le caractère de la suggestion détermine la façon dont la volonté subconsciente agit. Elle peut répondre avec détermination, timidement, impétueusement, faiblement, etc., en fonction du caractère de la suggestion, de l'importance de l'incapacité du physique, de l'importance de l'énergie dans le condensateur, etc.

Pensez à nouveau à la volonté subconsciente comme à une locomotive et à la suggestion comme à son conducteur. De la même manière que la machine obéit aux manipulations du conducteur, la volonté subconsciente obéit aux suggestions de l'esprit subconscient. Le fantôme peut, pendant qu'il est projeté, être conscient, partiellement conscient, ou inconscient. Si le fantôme est projeté inconsciemment, il fera l'action habituelle ou bien il essaiera d'apaiser le désir — quel qu'il soit — et le sujet n'en saura rien.

Si la conscience complète vient au fantôme projeté, il répondra généralement à la suggestion consciente qu'il recevra. Si toutefois une projection partiellement consciente se produit, le fantôme fera l'action — en accord avec la suggestion reçue — et le sujet fera un rêve, plus ou moins semblable à l'action.

La suggestion de la soif ou de la faim, si elle se montre impérieuse durant le sommeil, n'entraînera pas seulement la volonté subconsciente à apaiser le désir, mais c'est elle qui, très souvent, amènera le fantôme à rêver. Une double force est donc ici à l'œuvre : le désir et le rêve. La façon dont la faim, et la soif, viennent à la surface au cours du sommeil était déjà observée par les anciens Hébreux. Ils avaient aussi remarqué que dans le rêve, le désir était apaisé. Nous lisons dans Isaïe (XXIX, 8) : « Et ce sera comme le rêve de l'affamé : le voici qui mange, puis il s'éveille, l'estomac creux ; ou comme le rêve de l'assoiffé : le voici qui boit, puis il s'éveille, épuisé, la gorge sèche. » Emprisonné dans un donjon, le baron Trenck, affamé, eut de nombreux rêves où il se vit faire des festins plantureux.

N'allez pas croire, maintenant, que chaque fois que vous rêvez, le corps astral se projette ! ou qu'à chaque fois que vous le projetez, le corps astral rêve. Un désir puissant peut venir à la surface de l'esprit subconscient et provoquer un rêve « sans effet projecteur » car bien que le désir de sortir existe dans la volonté subconsciente, d'autres facteurs peuvent se montrer défavorables et l'en empêcher. Toutefois, l'esprit conscient doit fonctionner partiellement, ou vous n'auriez pas de rêve. D'autre part, un désir puissant peut venir à la surface, pendant que vous dormez, projeter le fantôme sans que le sujet en rêve. Des désirs puissants et des habitudes viennent à la surface de l'esprit subconscient chaque nuit et l'esprit conscient peut ne pas fonctionner, même partiellement, aussi il n'en résulte pas de rêve, bien qu'il puisse en découler une projection, ce qui a souvent lieu. En d'autres termes, pendant une projection inconsciente, le fantôme dort réellement et pourtant, aussi étrange que cela puisse paraître, il peut déambuler, se tenir debout ou se trouver étendu dans les airs. Vous vous souviendrez que cet état a été qualifié précédemment de « projection immobile » et « somnambulisme astral ».

LE DESIR SEXUEL EST UN FACTEUR NEGATIF[2]

Sachant combien le désir sexuel devient actif durant le sommeil, on pourrait croire qu'il est un puissant « facteur favorable » et peut aider le corps astral à se projeter. C'est pourtant un stress qui, en ce qui concerne la projection astrale, fonctionne contre lui-même. En effet, un tel désir devient émotionnel, le sang dans le corps physique se met à circuler plus rapidement et la « paralysie » du corps physique ne se produit donc pas ; par conséquent, le corps astral ne se projette pas, il aurait même tendance à être tiré plus profondément dans le corps physique au lieu de sortir de la zone de quiétude.

Le sujet est physiquement au repos. L'esprit subconscient ne conçoit pas d'apaiser un tel désir autrement que dans son corps physique ; il a été habitué à cela et à ce

2. Nous ne parlons ici que du désir de copulation ; plus tard, nous discuterons de l'affection (S. Muldoon).

que le corps physique soit dans la position couchée. C'est ainsi qu'en ce cas la suggestion, venant la nuit à la surface de l'esprit subconscient au lieu de le projeter, retient le corps astral dans le corps physique.

LE FANTOME SE PROJETTE PLUS FACILEMENT DANS UN LIEU FAMILIER

Un autre facteur — à ranger dans la catégorie des « habitudes perdues » — qui a un très fort effet stimulant sur la volonté subconsciente, est de dormir dans un lieu étranger ; un lieu où l'on n'a pas l'habitude de dormir. Vous n'avez pas idée à quel point l'esprit subconscient est poussé à ramener le corps à l'endroit où il a l'habitude de reposer quand il dort !

SE PROJETER D'UN LIEU INCONNU DANS UN LIEU FAMILIER

J'avais environ seize ans quand j'allai rendre visite à une tante qui vivait dans un village voisin, à quatorze miles de chez moi. Je passai la nuit là mais avant d'aller me coucher, je me sentais tendu, j'aurais voulu me trouver à la maison et dormir dans la chambre et le lit dans lesquels j'avais l'habitude de dormir.

Finalement je m'endormis et peu de temps après, je rêvai que j'avais des ailes et que je volais dans l'air de ma chambre, chez moi, juste au-dessus de mon lit. La conscience me vint dans le corps astral et je me surpris planant à l'horizontale au-dessus du lit où j'avais l'habitude de dormir, chez moi.

Une autre fois, toujours chez ma tante, je me crus mort, au réveil ! Je ne voyais pas mon corps physique couché sur le lit comme j'en avais l'habitude quand j'étais projeté et conscient dans cette chambre. Ma première idée en remarquant l'absence de mon corps physique fut que j'étais mort, que j'avais été inconscient pendant quelque temps et que pendant cet état, mon corps physique avait été enterré. « Où est mon corps ? » me disais-je, « je veux le retrouver ! » J'avais à peine émis l'idée que j'étais de retour dans la chambre, chez ma tante, où je me trouvais en fait.

De cet exemple, vous pouvez saisir à quel point l'esprit conscient fonctionne lentement par rapport à la vivacité de l'esprit subconscient. Avant d'avoir eu le temps de me rappeler consciemment que je dormais ailleurs que dans ma chambre habituelle, j'étais de retour dans mon corps physique.

Vous remarquerez ici que les trois facteurs : habitude, désir, et rêve, étaient présents. De plus, je souhaitais être en un lieu bien précis et dans le but d'apaiser ce désir, le corps astral m'amena dans ce lieu.

Dans tous les cas de projection astrale, le corps astral se projettera plus volontiers vers un lieu connu que vers un endroit inconnu, en fait, le corps astral quand il est extériorisé et inconscient se trouvera très souvent en train de déambuler en des lieux familiers du sujet, se livrant à des activités qui lui sont familières. Ceci, du reste, ne s'applique pas seulement aux fantômes « projetés temporairement » mais également à des fantômes désincarnés de façon permanente (fantômes des morts).

LES FANTOMES DES MORTS SONT SOUVENT GOUVERNES PAR LE STRESS DU DESIR OU DE L'HABITUDE

C'est une des raisons qui peuvent expliquer les maisons ou les lieux hantés. Les fantômes des morts peuvent avoir des désirs et des habitudes si fortement ancrés qu'ils continueront à y tenir fermement et s'y livreront même après être devenus conscients — dans l'astral — simplement parce que le stress est là et qu'ils doivent l'apaiser. C'est le même stress de désir ou d'habitude — ou les deux à la fois — que le fantôme essaie d'apaiser et de satisfaire quand nous dormons. Sachant cela, nous sommes capables de forcer la volonté subconsciente à faire sortir le fantôme quand nous dormons — en faisant pénétrer un stress puissant de désir ou d'habitude ou les deux (qui en venant à la surface de l'esprit subconscient pendant les heures de sommeil, le corps physique étant « neutralisé », va libérer le fantôme pour apaiser le désir ou l'habitude).

Après « être entrés dans l'astral », les fantômes des morts, pendant un certain temps, ne se conduisent pas différemment des fantômes des vivants[3].

Certains demeurent inconscients un temps, d'autres sont conscients même avant que le câble astral ne se brise et d'autres encore errent dans un rêve ou sont partiellement conscients...

Tant qu'il se trouve dans l'état inconscient ou partiellement conscient, le fantôme peut rester soumis au stress de l'habitude ou du désir et tant que la suggestion reste active, il n'en déviera pas. Une fois conscient, il peut, s'il le veut, briser ce besoin continuel d'apaisement du désir et de satisfaction de l'habitude. Cependant, le stress peut être si puissant que le fantôme, bien souvent, continuera à errer dans ses lieux familiers, se soumettant, même alors qu'il est conscient, à la force du stress.

Après la mort, les habitudes sont perdues, les désirs inapaisés, mais le stress demeure. C'est pourquoi le fantôme suit le processus visant à apaiser certains désirs qu'il avait de son vivant ou à reprendre l'habitude à laquelle il était lié.

LE FANTOME INCONSCIENT FAIT PARFOIS BOUGER DES OBJETS MATERIELS

Nous avons vu que la façon dont la volonté répondait à la suggestion dépendait du caractère de cette suggestion. Sous le stress d'une habitude profondément enracinée, d'une routine, la volonté subconsciente, en certaines occa-

3. Le « plan astral » coïncide avec le plan physique, tout comme le corps astral coïncide avec le corps physique (S. Muldoon).

sions est vraiment déterminée, une motricité puissante la pousse, bien plus puissante encore pendant qu'elle réalise une habitude qu'en d'autres occasions.

C'est la raison pour laquelle il arrive que les fantômes de morts, sous le stress de l'habitude, alors qu'ils se trouvent dans leurs lieux familiers, déplacent souvent des objets que leur volonté consciente ne pourrait faire bouger. C'est « le stress de suggestion », si puissant et si fortement enraciné dans l'esprit subconscient qu'il produit une forte réponse de la Volonté subconsciente. Si le fantôme inconscient peut faire bouger des choses qu'un autre fantôme, conscient, ne pourrait déplacer, c'est que la Volonté consciente ne peut produire « la motricité » comme la volonté subconsciente. Nous voyons par là qu'une simple suggestion consciente n'est pas aussi puissante qu'une suggestion subconsciente profondément ancrée.

Beaucoup de maisons sont ainsi tenues pour « hantées ». Le fantôme dont les activités y sont détectées, est sous le stress du désir ou de l'habitude, et sa « motricité » est telle que des êtres humains résidant en ce lieu peuvent la percevoir. « Celui qui hante » peut être inconscient, partiellement conscient ou conscient.

De nombreux investigateurs, dans les maisons hantées, ont noté que certaines manifestations se produisent à certains moments, régulièrement. C'est que le fantôme est sous le stress de l'habitude.

En voici un exemple :

UN FANTOME SOUS LE STRESS D'UNE HABITUDE REGRETTEE

J'ai connu une vieille dame qui vivait au second étage d'une maison où elle passa les dernières années de sa vie humaine. Elle avait l'habitude, durant les dix dernières années de sa vie, de lire la Bible tous les jours. Chaque matin, entre quatre et cinq heures, elle se levait, s'installait dans un vieux rocking-chair grinçant qu'elle affectionnait particulièrement et elle se mettait à lire sa Bible tout en se balançant, ce qui avait pour effet qu'à chaque balancement le rocking-chair produisait un petit grincement.

A cinq heures, elle fermait sa Bible et descendait. Elle garda cette habitude routinière pendant dix ans, avant de quitter finalement la vie terrestre.

Après sa mort, les occupants de la maison étaient réveillés chaque matin aux environs de quatre heures et pouvaient entendre grincer le rocking-chair que la vieille dame utilisait, comme si quelqu'un s'y balançait.

L'histoire se répandit que la maison était hantée et, non seulement les habitants qui vécurent là immédiatement après la mort de la vieille dame déménagèrent, mais plus personne n'osa jamais venir y habiter par la suite.

Bien que les gens qui déménagèrent ne fussent pas, à ce qu'ils disaient, « superstitieux », « ne croyant pas aux esprits », ils persistaient quand même à prétendre qu'ils entendaient le grincement régulier du rocking-chair entre quatre et cinq heures, chaque matin... Ceci montre à quel point le stress de l'habitude dans l'esprit subconscient est attaché au fantôme et qui plus est, combien la motricité est forte sous le stress d'une habitude regrettée. Le fantôme de la vieille dame conservait toujours le désir, et l'habitude, de lire la Bible régulièrement, à un endroit précis.

UN FANTOME DU PETIT MATIN[4]

Voici un autre cas qui illustre comment un fantôme revient à ses habitudes régulières quand il est projeté.

Un monsieur âgé de soixante-quinze ans vivait avec son fils et la famille de ce dernier. Tous dormaient à l'étage supérieur de la maison, le vieil homme dans sa propre chambre, le fils et sa femme dans la leur, les deux enfants de même.

Le vieux monsieur avait l'habitude de se lever tôt matin et de descendre allumer la chaudière. Il faisait cela quoti-

4. Je connais personnellement très bien toutes les personnes dont il est fait mention dans ce récit (S. Muldoon).

diennement, à six heures trente précises, non parce qu'il y était contraint mais parce qu'il en avait décidé ainsi.

Un dimanche matin, à peu près à cette heure, le fils se réveilla et, du premier étage, entendit le bruit de la chaudière qu'on allumait en bas. Il en fit la remarque à son épouse. Il n'y avait rien de particulier à cela et environ une demi-heure plus tard, le fils et sa femme se levèrent. Descendant les escaliers, ils remarquèrent que la chaudière n'avait pas été allumée. Ils savaient bien pourtant qu'ils avaient entendu le vieil homme — ou du moins quelqu'un — « tisonner » la chaudière à six heures trente. La belle-fille remonta dans la chambre des enfants pour leur dire de ne pas faire trop de bruit en se levant, leur grand-père dormant toujours... Mais les enfants objectèrent qu'ils l'avaient entendu traverser le hall et descendre allumer la chaudière. Les affirmations des enfants confirmant ce que les parents croyaient déjà, le fils et sa femme allèrent à la chambre du vieux monsieur.

Il était allongé comme endormi, mais en y regardant de plus près, ils virent qu'il était mort. Le médecin aussitôt appelé établit que le vieillard était mort depuis certainement cinq heures. Il en conclurent donc que ce ne pouvait être lui que les enfants et eux-mêmes avaient entendu...

Des cas semblables à celui-là sont nombreux à avoir été consignés. Le fantôme projeté était sous le stress de l'habitude et, nous le voyons encore, la « motricité » dans ce cas est puissante. Je reviendrai plus tard sur le point de savoir comment les fantômes peuvent déplacer des objets matériels.

LE FACTEUR « FAIBLESSE NERVEUSE »

Dans la liste des facteurs qui peuvent inciter la volonté subconsciente à extérioriser le corps astral, on peut trouver la « faiblesse nerveuse », l'énervement, une perturbation dans le système nerveux. Il est inutile de consacrer une longue étude à ce facteur car nous avons déjà appris que le « dérangement nerveux » — le manque d'énergie cosmique — amène le corps astral à sortir davantage dans le courant d'énergie cosmique, pendant le sommeil, et que des sujets du type nerveux sortent plus rapidement, plus facilement et plus loin.

La « faiblesse nerveuse » est un état du corps qui aide la projection du corps astral. Si vous vous répétez sans cesse et jour et après jour : — « J'ai de l'énergie, j'ai de l'énergie » — au lieu de favoriser la projection, vous allez en fait attacher votre corps davantage au physique, car plus vous accumulerez d' « énergie », moins le condensateur astral sera enclin à se déplacer à grande distance durant la séparation.

Si le tempérament nerveux est reconnu le mieux adapté à la projection astrale, n'y a-t-il pas alors un paradoxe à prétendre qu'accumuler de l'énergie est la meilleure méthode pour atteindre cette projection ? Je pense que oui... et que c'est plutôt le manque d'énergie nerveuse qui fait le tempérament nerveux. Accumuler de l'énergie ne servira qu'à éloigner le sujet du but visé (en diminuant les qualités de son tempérament).

Le corps astral ne se sépare pas du corps physique la nuit parce qu'il a trop d'énergie mais au contraire parce qu'il en manque, c'est pour cette raison précise que nous dormons. Si c'était la force de volonté et l'accumulation d'énergie qui causaient la projection astrale, un malade serait incapable de se projeter, alors qu'on remarque exactement le contraire.

J'ai le plus grand respect pour les recherches de mes contemporains en ce domaine, mais je me permets de considérer leur théorie de « bonne santé » et « d'accumulation d'énergie » comme truffée de contradictions et je reste fermement attaché à ma théorie du « stress subconscient ».

CHAPITRE X

DETERMINER LE « STRESS » APPROPRIE POUR SE PROJETER

Maintenant que nous comprenons mieux ce qui pousse la volonté subconsciente à faire bouger le corps astral pendant que nous dormons, tout ce qu'il convient de faire, c'est développer un de ces facteurs favorables suffisamment fortement pour qu'il vienne à la surface, ou reste à la surface, de l'esprit subconscient, après que nous soyons allés dormir.

En choisissant le facteur que l'on désire utiliser, on devrait avant tout se livrer à des analyses soigneuses afin de sélectionner celui qui sera le mieux adapté à son cas personnel ; un facteur qui ne serait pas trop difficile à développer dans l'esprit subconscient, qui serait en harmonie avec les lois de la projection et auquel on serait déjà sensible plutôt que d'en créer un tout nouveau, etc. Posez-vous des questions du genre : « — Ai-je un désir que je rêve fréquemment d'apaiser, ou qui me crispe irrésistiblement si j'y pense durant mes heures de veille ? Un mouvement du corps astral sera-t-il requis pour l'apaiser ? » (si c'est un désir d'ordre sexuel, ne l'utilisez pas, il ne permettrait pas la passivité du corps physique, et si c'est un désir de vengeance, n'essayez pas non plus de le développer...) « — Ai-je une habitude que je chéris ? Est-elle souhaitable ? Est-ce que j'en rêve souvent ? » — ceci afin de voir si elle se trouve profondément enracinée dans l'esprit subconscient et si elle peut s'imposer pendant le sommeil « — Est-ce une partie de ma routine ? Est-ce que j'aime, ou pas, cette routine ? », etc.

Si vous avez déterminé les conditions requises pour une projection astrale, vous serez capable de choisir le facteur le plus « scientifiquement » pour ainsi dire. Je ne veux pas vous le dicter mais je vous conseillerais d'essayer « la soif », et cela pour plusieurs raisons. Tout d'abord, pourquoi se fatiguer à développer une habitude de routine tenace qui demanderait probablement des semaines pour s'imprimer fortement sur l'esprit subconscient quand vous pouvez « graver la soif » en quelques heures sans grand effort ? Ensuite, la soif doit être apaisée ; le subconscient le sait et aura recours à n'importe quoi pour amener le corps à l'eau, ainsi il fera sortir l'astral avec détermination, s'il ne peut faire bouger le physique. (Voir plus loin la formule à utiliser.)

« L'INCAPACITE » — LA DIFFERENCE FONDAMENTALE ENTRE LA PROJECTION ASTRALE ET LE SOMNAMBULISME PHYSIQUE

Avant de vous donner des instructions spécifiques à suivre, il est nécessaire que nous étudiions un autre aspect du processus. Nous savons qu'il ne suffit pas que la volonté subconsciente soit pénétrée de l'idée de faire bouger le corps astral, il faut encore que le corps physique soit « paralysé ».

Après avoir appris comment « calmer » le corps physique, nous en viendrons aux instructions pour combiner à la fois « le stress » et « la paralysie », ce qui est nécessaire pour produire l'effet désiré : la projection du corps astral.

Comme vous vous en souvenez, la paralysie du corps physique signifie qu'il est inhabituellement passif et inactif, si passif qu'il ne répondra pas au moment où la volonté subconsciente essayera de faire bouger les corps coïncidants. Quand cela se produit, le corps astral déserte le physique. Si la volonté subconsciente tente de faire bouger le corps — c'est-a-dire si une suggestion surgit — pendant que le fantôme est dans la zone de quiétude mais que le corps physique n'est pas dans un bon état de passivité, le fantôme « se reglissera » dans le mécanisme physique et les deux corps vont bouger en coïncidence. Le sujet peut être partiellement conscient ou inconscient, il peut réaliser ce qu'il rêve (s'il est partiellement conscient), il peut apaiser un désir, réaliser une habitude, etc. C'est le somnambulisme physique et pendant ce somnambulisme, le sujet peut devenir conscient, tout comme c'est le cas dans le somnambulisme astral.

La seule différence entre les deux somnambulismes, est que le corps physique est paralysé et laissé en arrière dans un cas, alors que dans l'autre cas, le corps physique n'est pas paralysé et se déplace également. Une étude du somnambulisme physique aidera à comprendre la projection astrale car ils présentent tous deux de grandes similitudes. Nous pouvons voir qu'il n'y a qu'un seul facteur qui va déterminer si le corps physique bougera, ou seulement le corps astral, ce facteur est la paralysie du corps physique et il existe une méthode spécifique pour la produire à volonté.

Avant d'aborder cette méthode, observons d'abord les similitudes entre la cause et la continuation du somnambulisme physique et la cause et la continuation de la projection astrale. La cause, ainsi qu'il a été montré, est la même dans les deux cas, à savoir l'apparition à la surface de l'esprit subconscient d'une impression — qui agit comme une suggestion sur la volonté subconsciente — la nature de l'impression étant une habitude, un désir ou un rêve.

L' « état d'esprit » est le même également dans l'un ou l'autre cas. Le « somnambule physique » peut réaliser le rêve qui est dans son esprit tout comme le « somnambule astral ». Le mouvement du somnambule est à ce point sûr que si on l'observait, on serait frappé par l' « intelligence » qui le conduit. Si le somnambule rencontre une personne ou bien il n'y prêtera aucune attention, ou bien, s'il est partiellement conscient, il l'intégrera immédiatement à son rêve. Si, dans des conditions semblables, c'est le corps astral qui agit et que le projecteur rencontre dans un rêve d'autres individus — êtres terrestres ou esprits — ils deviendront pareillement des personnages du rêve. (Rappelez-vous le rêve dans lequel je tirais sur des Indiens et ce *Little Priest* qui me parla !)

Un auteur raconte l'histoire authentique d'un homme qui était allé se coucher en se demandant s'il avait fermé la porte de son magasin. Peu après, cet homme se faisait arrêter par un policier près du magasin en question ; il passait par là, dans un état somnambulique. Nous pouvons voir là à quel point son impression était restée à la surface de l'esprit subconscient et a activé la volonté subconsciente pendant son sommeil. S'il avait été physiquement paralysé, le corps astral, seul, aurait pris la route du magasin, plutôt que le corps physique. Dans l'esprit du rêveur, l'habitude de fermer la porte du magasin avait été « apparemment » brisée et il avait, de plus, le désir de savoir si son magasin n'était pas ouvert et, dans ce cas, de le fermer.

Même si en étudiant les actions du somnambule — physique et astral — on ne parvient pas tout de suite à voir d'indication qui amène à accepter l'idée, en cherchant bien, on finira par trouver ce qui rattache son action à un désir, à une habitude ou à un rêve. Une puissante habitude peut projeter le fantôme ou mettre le somnambule en mouvement, mais il en va de même pour une suggestion contenue dans un rêve, même si cela doit l'éloigner de la réalisation de l'habitude. C'est du reste, ce qui se produit assez souvent. Le sujet est toujours dominé par la suggestion présente en son esprit, qui sera la plus forte à ce moment-là.

Pour illustrer cela, supposez que vous deviez aller vous coucher en ayant faim, et que le désir de nourriture vienne — ou demeure — à la surface de l'esprit subconscient. Si le désir est assez fort, la suggestion « manger » sera donnée à la volonté subconsciente.

Si le sujet n'est pas physiquement paralysé — et s'il ne devient pas conscient — il commencera à somnambuler. S'il est physiquement paralysé, il se projettera sous la suggestion dominante « manger ». Si aucune suggestion de rêve ne se produit ou si un rêve suggérant l'action de manger se présente (comme cela se passera en toute probabilité), le sujet continuera sous l'impression dominante et pourra aller vers l'armoire, dans une boulangerie, un restaurant, etc., suivant l'idée relative que la nourriture lui inspire.

Si, sur sa route pour satisfaire son désir, il rencontre dans un état partiellement conscient (c'est-à-dire dans un rêve) quelque chose qui amène une impression différente dans son esprit, il pourra oublier son désir de nourriture et commencer à faire autre chose. Supposons que l'idée relative soit celle de la boulangerie et qu'il s'y rende. Supposons ensuite que sur son chemin il passe près de la banque qui gère ses affaires et garde son argent, où il a souvent l'habitude d'aller déposer ses économies. Cette dernière idée pourrait dominer la suggestion qu'il suivait au départ et il cherchera à entrer dans la banque plutôt qu'à continuer vers la boulangerie. S'il est dans le corps astral, il passera directement à travers la porte de la banque, il pourra aller au guichet déposer son argent, puis ressortir et suivre le chemin habituel pour rentrer. S'il est dans le corps physique en état somnambulique, il pourra aller à la porte de la banque, rêver qu'elle est fermée, s'en détourner et rentrer chez lui. Quoi qu'il en soit, il suivra donc la suggestion la plus impérieuse, reçue de l'esprit qui guide ses mouvements, tout comme cela se passe quand nous sommes conscients.

Walsh écrit : « Chez certaines personnes, la crise de somnambulisme varie très peu. Chaque mot, geste ou acte, se produit exactement au même moment chaque fois tout comme dans une comédie au théâtre. Si la crise est interrompue brutalement, la « comédie de rêve », lors de la crise suivante, commence à l'endroit où elle a été interrompue. Ce point est illustré par un cas de Charcot. Son patient était un journaliste qui pendant ses crises somnambuliques s'imaginait toujours écrivain. Dès qu'il avait écrit deux, trois pages, celles-ci lui étaient retirées et la crise se terminait. Dans la crise suivante, il commençait à écrire là où il avait été interrompu. »

Nous trouvons une fois de plus que le désir (d'écrire) et l'habitude sont des causes « activantes ». Nous voyons donc que le somnambulisme physique et la projection astrale reposent en substance sur les mêmes fondements et la différence réside simplement dans le fait de savoir si le corps physique est suffisamment actif pour rester attaché à l'astral durant l'accomplissement du phénomène.

UNE PROJECTION ASTRALE CAUSEE PAR LA SOIF

D'une façon analogue à la suggestion dominante de la faim, celle de la soif peut amener le sujet — soit en « somnambulant physiquement » soit en étant projeté astralement — vers le robinet, près d'un cours d'eau, ou n'importe où il pourra apaiser ce désir.

Quand j'expérimentai cela pour la première fois, c'est-à-dire quand je provoquai pour la première fois le désir de boire avant d'aller me coucher — je réussis, dès le tout début, à produire une projection astrale. Pour renforcer le « stress-désir », je me retins de boire avant de réaliser l'expérience, et en même temps, j'aggravai ce désir en pensant à boire, regardant un verre d'eau et l'amenant à la bouche tout en me refusant de le boire. Tout juste avant d'aller me coucher, je me forçai à avaler une pincée de sel. Comme vous pouvez l'imaginer, c'était une épreuve ! Mais imaginez aussi le « stress » produit sur l'esprit... Imaginez le désir de boire qui s'accumulait, même après l'intervention du sommeil ! La première projection — au moyen de ce procédé — et dans laquelle je devins conscient, fut une projection sous forme de rêve.

Je rêvais que je marchais le long d'une route poussiéreuse, sous une forte chaleur. J'avais soif mais je ne parvenais pas à trouver un endroit où l'étancher. Je retirais ma chemise, j'essayais d'humecter ma bouche avec la sueur qu'elle avait absorbée... Ma soif devenait de plus en plus vive et je me sentais défaillir, aveuglé par le soleil, quand enfin, j'atteignis un ranch. Il y avait une éolienne ! Je me précipitai aussi vite que je le pus vers le puits... il était à sec ! Je regardai la roue au-dessus de moi et vis qu'elle ne tournait pas. Je me dis que si la roue pouvait tourner, cela pomperait de l'eau et je commençai à escalader la construction, espérant me placer au sommet, sur la plate-forme, pour tourner aisément la roue. Je commençais donc à grimper, mais juste comme j'atteignais le sommet, la roue se mit à tourner rapidement, accrocha mes vêtements et me projeta dans les airs.

J'étais heureux de voler et de me voir précipité vers une rivière proche de ma maison où je pourrais probablement m'abreuver. Je ne tardai pas à me retrouver agenouillé au bord de la rivière, m'apprêtant à boire et c'est à ce moment que je devins clairement conscient. Effectivement, je me trouvais, dans mon corps astral, sur la berge de la rivière située à moins d'une centaine de yards de la maison, à un endroit où je m'assieds souvent pour pêcher.

Vous remarquerez les différents éléments, présents dans cette expérience, qui affectent la projection : le désir d'eau, le rêve d'ascension (au moulin), celui « d'émergence » (quand la roue saisit mes vêtements), le fait de se retrouver en un endroit familier.

En développant le stress de soif, je produisis plusieurs récurrences de l'expérience précédente, celle dans laquelle je m'étais éveillé près de l'évier de la cuisine avec les mains astrales sur le robinet. Rappelez-vous qu'une fois que vous êtes devenu conscient à un certain endroit de l'astral, vous deviendrez probablement conscient au même endroit, dans les mêmes conditions.

UN SOMNAMBULISME PHYSIQUE CAUSE PAR LA SOIF

L'incident qui suit m'a été raconté et illustre bien comment le stress de soif peut causer le somnambulisme physique aussi bien que la projection astrale. Un homme d'âge moyen qui n'avait pas spécialement l'habitude de boire beaucoup d'eau, développa petit à petit un besoin intense de boire. Le jour, il buvait d'énormes quantités et, finalement, il se levait même la nuit pour boire. Il quittait son lit dans un état somnambulique, se chaussait, descendait l'escalier, mettait son chapeau, prenait un seau, le remplissait d'eau au puits, revenait dans la maison et buvait. Il faisait cela régulièrement chaque nuit.

Un médecin appelé pour se prononcer sur le cas diagnostiqua un « trouble nerveux », mais ses « vitamines pour les nerfs » ne firent pas cesser le somnambulisme. Un autre médecin fut appelé, qui vint pendant plusieurs nuit observer les mouvements de l'homme en prenant note avec soin de tous les détails. Il conclut que c'était le désir de boire qui poussait l'homme à se conduire de cette façon et, après l'avoir examiné complètement, il découvrit qu'il souffrait d'une forme grave de gastrite qui s'accompagne toujours de soif intense. En soignant la gastrite, le besoin anormal disparut et les activités nocturnes du malade par la même occasion.

Lorsqu'on éprouve un violent désir de faire le mal, un désir criminel, qu'on est forcé de refouler et qui jaillit pendant que l'on dort, si l'on en arrive à « somnambuler physiquement » ou à se « projeter astralement » on essayera d'apaiser ce désir.

Walsh dit : « En règle générale, les actes du somnambule sont sans danger et en accord avec ses expériences ou sa nature profonde. J'ai lu quelque part qu'un clergyman, quelqu'un de très bien pendant la journée, était, la nuit, un voleur, et qu'un autre ressemblait à Mister Hyde rendu célèbre par Stevenson. Nous pouvons attribuer ces faits à des rêves très puissants ou à des impulsions tout aussi puissantes, que l'individu est capable de réprimer le jour. »

Le Dr. Walsh a raison ; c'est la suggestion qui jaillit pendant que le sujet dort ; qu'il se projette dans le corps astral ou que le corps physique s'attache à l'astral durant l'acte, ne dépend que d'un facteur, la « paralysie ».

COMMENT J'AI DECOUVERT QUE « L'INCAPACITE » EST UN FACTEUR IMPORTANT

Laissez-moi vous parler d'une autre découverte que je fis, en cherchant les causes qui provoquèrent mes premières projections et vous verrez ressortir de cela une des causes principales de la « paralysie ». Etant de nature curieuse, je conclus, après avoir expérimenté plusieurs projections conscientes, que cet apparent miracle ne pouvait être possible que s'il y avait derrière lui certains facteurs pour le provoquer, et j'étais contrarié de ne pouvoir les trouver immédiatement. Plusieurs spiritualistes éminents a qui j'avais écrit, m'informèrent que personne ne connaissait la cause spécifique de la projection astrale, que c'était un « don », que les Hindous étaient particulièrement « doués », etc.

Aussi, la nuit, après m'être couché, je me demandais toujours si j'allais sortir dans le corps fantôme ! Je restais éveillé des heures durant, réfléchissant à cette mystérieuse réalité sur laquelle personne ne pouvait m'éclairer. Je dérivais dans l'état hypnagogique, pensais à la projection et la visualisais ; en fait je crois bien que les expériences que j'avais connues accaparaient toutes mes pensées dès le coucher. Expérimenter une telle réalité sans trouver personne qui le croie, c'était bien là ce que je trouvais de plus consternant ! Mes proches, les membres même de ma famille, ridiculisaient la simple éventualité d'une telle « impossibilité » comme ils l'appelaient. On me qualifiait de « rêveur » et on disait que je « déménageais ». Le mépris que tous m'accordaient, me blessait et je pleurais souvent dans mon lit à l'idée que personne n'accordait le moindre crédit à mes affirmations. « Si je pouvais en trouver les causes, me disais-je et que je puisse les leur faire connaître, peut-être croiraient-ils au phénomène ? » Ainsi se développa en moi la résolution de savoir ce qui pouvait bien provoquer les projections astrales. J'ai déjà pu vous familiariser avec certaines de mes découvertes ; voici à présent comment j'ai trouvé que la paralysie du corps physique est essentielle.

Une nuit, j'étais couché, éveillé dans mon lit et je m'étais concentré, dans une ambiance mentale sereine, sur différentes parties de mon corps. J'en vins à mon cœur et je remarquai qu'il ne paraissait pas battre à la vitesse à laquelle il aurait dû le faire normalement. Le lendemain j'allai consulter un médecin. Mon cœur ne battait que quarante-deux fois par minute, mais il était solide. Le médecin me prescrivit de la strychnine — stimulant cardiaque — en m'assurant que mon « état » serait bientôt corrigé. Il ajouta toutefois qu'occasionnellement, il avait rencontré des cas semblables au mien ; un homme qu'il me nomma, avait un pouls dans les quarante également. J'ai déjà parlé du fait que des personnes troublées par des sensations de « se noyer », « glisser », « s'élever », « tomber », « sauter » etc., en sont délivrées quand leur médecin leur donne un médicament qui régularise l'activité cardiaque. Nous savons qu'avant que le corps physique devienne passif, le corps astral ne peut en sortir. L'inconscience intervient généralement avant que le corps astral n'émerge du physique. Néanmoins, si le cœur bat en dessous de la normale, le corps physique deviendra suffisamment passif pour que le corps astral en sorte peu de temps avant que la conscience ne soit perdue. Donnez au sujet un stimulant cardiaque, le corps physique ne deviendra plus assez passif pour permettre à l'astral de s'élever, sinon longtemps après que l'inconscience ne soit intervenue ; et de plus le corps astral sera maintenu très près du corps physique.

Rappelez-vous maintenant ce qui a été dit à propos de la « faiblesse nerveuse ». Le sujet dit nerveux expérimente des effets semblables à ceux dont le rythme cardiaque est en dessous de la normale, quand il entre dans le sommeil. Un rythme cardiaque en dessous de la normale a le même effet qu'un trouble nerveux — il permet au corps astral de sortir de concordance avant que le sujet n'ait perdu conscience. Imaginez-vous ce qui pourrait se passer si le sujet manquait d'énergie nerveuse et possédait un rythme cardiaque bien en dessous de la moyenne, tout à la fois ! Eh bien, c'était exactement mon cas.

Pendant près d'un an avant de prendre le stimulant cardiaque que le médecin m'avait prescrit, j'expérimentais au moins une projection par semaine, sous quelque forme que ce soit, et le stade primaire de la projection astrale chaque nuit. Je n'avais pas plutôt pris le stimulant cardiaque que toute trace du phénomène disparut, même les stades primaires. J'examinai cela sérieusement, en prenant les pilules prescrites pendant deux mois, et je devins fermement convaincu que « la paralysie » du corps physique est une condition requise pour la production du phénomène de la projection astrale.

Je cessai de prendre les pilules ; en quelques jours j'observai que le rythme de mes pulsations cardiaques baissait et il ne fallut guère de temps pour que j'expérimente à nouveau ce que j'avais connu auparavant. Je fis alors une nouvelle découverte. Je pouvais contrôler par l'esprit mon rythme cardiaque ! Après m'être couché et relaxé, je me concentrai sur mon cœur et en moins de deux semaines, je pouvais accélérer ou ralentir son rythme à volonté.

Sans le secours du stimulant, je ne tardai pas à réussir à garder au cœur son rythme normal, mais la capacité de réduire ce rythme me donna aussi l'occasion et la faculté de produire la paralysie complète du corps physique à volonté. Je vous donnerai plus tard les instructions pour parvenir à produire cet état, vous aussi.

QUELQUES FACTEURS POSITIFS MINEURS

Tout en sachant que les deux facteurs principaux de la projection astrale sont le stress propice à la suggestion et la paralysie physique, pendant que vous vous concentrerez sur ces deux éléments essentiels, vous réaliserez qu'il y a de nombreux facteurs qui viennent s'ajouter aux deux principaux, et vous apprendrez à les provoquer. Je vais en énumérer quelques-uns, et vous serez certainement capable d'en voir d'autres.

La bonne température ambiante est extrêmement importante pour ce genre d'expérience. Si l'atmosphère dans laquelle vous essayez de vous projeter est trop froide, vous allez nourrir un sentiment d'inquiétude mentale. Si elle est trop chaude, vous aurez aussi un sentiment d'inconfort, empêchant de ce fait la passivité et la relaxation. De plus, la chaleur du corps aidera le cœur à faire circuler le sang plus librement, ce qui tendra à empêcher la paralysie. La température idéale est bien entendu celle où le sujet se sent à l'aise.

L'absorption de toute chose qui produit un effet stimulant — alcool, médicaments, nourriture — exercera une influence négative, principalement parce que le stimulant travaille à l'encontre de la paralysie. Bien que les émotions devraient « être au calme », l'esprit ne devrait pas l'être, comme on le croit souvent. On peut se coucher avec l'esprit très tourmenté, et cet état particulier de trouble peut créer le « stress » adéquat qui reste à la surface ou y revient dès qu'on est endormi.

Il va de soi que, sous hypnose, la suggestion venant

de l'opérateur et non du sujet lui-même, la tranquillité d'esprit est essentielle. Dans le type de projection que nous étudions maintenant, l'esprit du sujet agit de la même manière que l'esprit de l'opérateur dans l'hypnose.

Dans l'auto-projection, la suggestion vient de l'esprit du sujet lui-même. En fait, si l'esprit était calme, aucune suggestion ne jaillirait durant le sommeil ; par conséquent, la projection du corps astral ne se développerait pas non plus et nous savons que le facteur capital en projection astrale est le « stress de l'esprit ». Si la passivité de l'esprit est un excellent moyen d'empêcher la projection, en revanche l'endroit où dort le sujet devrait être le plus calme possible, situé loin de toute source de bruits dérangeants. Nous avons vu comment les bruits ont tendance à intérioriser le sujet et à provoquer une alerte physique ; du reste, chacun sait que le meilleur moyen d'éveiller quelqu'un est de faire du bruit. Cependant, si le fantôme a été projeté à une certaine distance hors du physique — et en dehors du champ d'activité du câble — le bruit est aussi susceptible de le réveiller dans le corps astral que de le réveiller dans le corps physique. Le sujet qui n'est pas encore familiarisé avec la projection n'est pas capable de réussir une séparation complète à longue distance d'emblée, de ce fait les bruits sont tout à fait indésirables.

J'ai remarqué que c'est un bruit inhabituel qui réveille généralement le fantôme. Le tic-tac d'une horloge, tisonner un poêle ou une chaudière — les bruits qui sont devenus familiers et passent inaperçus — ne semblent pas affecter l'expérience. Il est évident qu'un environnement campagnard est préférable pour l'expérience à un environnement citadin, pour ce qui est de « l'élément bruit ».

Tout ce qui peut contribuer au confort et à la relaxation devrait être mis en œuvre quand on essaie de réaliser la projection du corps astral. Il est conseillé aussi d'utiliser peu de couvertures car il arrive qu'un poids excessif sur le corps développe des effets psychologiques particuliers durant le sommeil.

Un poids sur le corps peut donner l'idée au sujet endormi qu'il est en dessous de quelque structure massive ou encore qu'il étouffe, provoquant des rêves dans ce sens, ce qui éveille bien souvent les émotions. Plusieurs fois où je me trouvais dans le champ d'activité du câble et conscient, il me semblait qu'une masse indescriptible pesait sur moi comme si j'étais véritablement compressé, comme si ma respiration n'était pas capable de satisfaire mon besoin d'air.

J'eus des rêves dans lesquels je me tenais debout et essayais de marcher alors qu'un poids très massif reposait sur ma tête. Je me réveillais de ces rêves et me trouvais projeté dans le champ d'activité du câble, mais toujours avec le poids qui paraissait me tasser vers le bas. L'observation me convainquit que cette sensation était causée par le poids de la literie sur mon corps physique. Ainsi, non seulement des couvertures trop lourdes sont susceptibles de provoquer un rêve qui empêchera la suggestion (de projection) mais aussi de suggérer au fantôme projeté l'idée qu'il est « accablé sous leur poids »...

En voyant les choses autrement, ne se pourrait-il pas que sous les couvertures lourdes et étouffantes se produise un rêve qui, allant dans le même sens, développe encore le besoin d'air et amène la volonté subconsciente à « faire passer les portes » au corps pour apaiser ce « désir d'air » ? Ce serait évidemment possible, et si la contrepartie physique est paralysée, le fantôme sortira. Cela peut constituer une autre cause de ce que l'on a appelé « projection spontanée », qui est toujours provoquée par quelque loi fondamentale. Il n'est cependant pas à conseiller de tenter de produire une projection par ce moyen car en essayant de s'étouffer dans un « désir d'air », on pourrait bien prendre l'air de façon permanente !

Les vêtements peuvent provoquer des résultats semblables. Il est recommandé de ne porter, au moment de l'expérience, aucun vêtement dont on pourrait se passer. Ne rien porter du tout est de loin préférable. Des vêtements, surtout cintrés, sont indésirables car non seulement ils ne sont pas confortables mais en outre, ils contrarient la circulation du sang et, s'il est bon de ralentir cette circulation, il n'est pas sage de l'empêcher.

Moins il y aura de contraintes de ce genre et mieux cela vaudra. Ce n'est pas que le corps astral ne puisse traverser les vêtements ou les couvertures, puisqu'il passe facile ment à travers un mur de briques ou une voûte d'acier, mais les vêtements et autres contraintes produisent un effet peu souhaitable. Sans ou avec très peu de vêtements couvrant le corps durant l'expérience, il se produit un effet psychologique de liberté et de légèreté, ce qui constitue un facteur non négligeable de renforcement des sensations particulières à la projection.

La projection du corps astral peut se réaliser alors que le sujet est assis, mais il est grandement préférable qu'il soit couché. Ces heures de la nuit qui sont consacrées au sommeil sont probablement les meilleures. Il y a de nombreuses raisons à cela. Quand vous vous couchez le soir, vous rejetez les pensées du monde actif jusqu'au lendemain ; alors que si vous essayez de vous projeter dans la journée, vous risquez de vous dire « — Je vais juste m'allonger un instant et voir ce que je peux faire, puis je me remettrai au travail. » Il y a tellement de raisons évidentes au stade où nous en sommes, de préférer la nuit au jour que ce serait une perte de temps d'essayer de les énumérer toutes. Le jour, tant de choses distraient votre attention que vous découvrirez que vous pouvez penser à votre ego — ce qui est important — avec beaucoup plus de facilité la nuit. Bien que la projection astrale puisse se produire à n'importe quel moment, j'ai remarqué que cela se passe presque toujours quelques heures après que le sujet soit endormi et généralement après minuit. Il est naturel que cela soit ainsi car durant le sommeil, le corps physique devient de moins en moins actif ; qui plus est, l'environnement est davantage susceptible d'être au calme après minuit.

L'un des moyens les plus certains pour réaliser une projection astrale et plus particulièrement une projection consciente dès le départ, c'est que le sujet aille se coucher, dorme plusieurs heures puis commence à se projeter dans le corps astral juste au moment où il devient conscient, c'est-à-dire pendant qu'il est dans l'état hypnagogique, émergeant du sommeil.

C'est le moment où l'on rencontre généralement la catalepsie astrale que nous avons vue en détail dans le chapitre deuxième. Etre couché sur le côté droit ou sur le dos sont les deux positions les mieux adaptées à la projection astrale, bien que celle-ci puisse se produire quelle que soit la position du corps. Pour ma part, c'est la position sur le dos qui a toujours été celle donnant les meilleurs résultats et vous serez probablement de mon avis si vous essayez de produire une extériorisation dans l'état hypnagogique en entrant dans le sommeil.

Les sensations de flotter et de s'élever dans les airs sont plus facilement produites en étant couché sur le dos. Une des raisons à cela, c'est que le sang est empêché de circuler librement dans la région de l'épine dorsale — avec ses nombreuses terminaisons nerveuses — annihilant ainsi la sensation de contact avec le lit. Vous remarquerez également que, lorsque vous êtes couché sur le dos, il vous est plus facile de noter la sensation produite par le corps astral allant dans la zone de quiétude. Beaucoup de personnes sont incapables de s'endormir dans cette position, justement pour la raison qu'elles ont l'impression de flotter au moment de perdre conscience et connaissent de légères répercussions.

Nombreux sont ceux qui, en traversant cette phase, émettront pendant la répercussion un son, un mot ou une syllabe plus ou moins articulée et auront un sentiment de « souffle coupé ». Aussi terrifiante que paraisse cette expérience sur le moment, elle semble d'autant plus amusante ensuite quand on y repense. D'autres personnes seront à ce point effrayées qu'avant de pouvoir s'en empêcher, elles sauteront en bas du lit !

On rapporte le cas d'une dame qui expérimentait le mouvement du corps astral alors qu'elle s'élevait dans le sommeil. Elle répercutait avec un cri déchirant, se précipitait hors de son lit et partait en courant sous l'effet de la plus grande terreur. Elle se levait ainsi, disait-elle « pour prendre l'air » et à chaque fois, elle prétendait que « quelque chose » se glissait sous elle, la soulevait dans les airs puis la laissait retomber. Elle croyait qu'il s'agissait de son corps physique mais elle remarqua que cela ne se produisait que quand elle était couchée sur le dos. Ce qui se passait en réalité, c'était ceci : alors qu'elle allait s'endormir, la dame expérimentait le mouvement du corps astral, cela l'effrayait et elle répercutait, d'où sa frayeur augmentait encore...

Le corps astral semble s'élever plus rapidement quand le sujet est couché sur le dos. Il semble également que l'on a tendance à pousser des cris durant une répercussion ou à émettre des sons du genre de ceux que l'on pousse quand on a reçu un coup vigoureux dans l'abdomen — si vigoureux qu'il force l'air au travers des cordes vocales produisant comme un grognement sourd.

Si vous êtes de ceux qui « ne peuvent tout simplement pas dormir sur le dos » à cause de sensations désagréables telles que celles mentionnées précédemment, il y a de fortes chances pour que vous expérimentiez des projections astrales conscientes. Mais vous devez vous suggérer que vous aimez cette sensation et exercer la projection au moment où vous entrez dans le sommeil, par exemple au moyen du rêve de l'ascenseur, car dites-vous bien qu'il n'est pas aisé de réussir une projection en reposant sur le côté gauche ou sur l'estomac.

BRUITS DE REPERCUSSION

Les répercussions légères, qui accompagnent le sommeil naturel ou même les plus graves — comme celles provoquées par les rêves de chute — seront souvent accompagnées d'un bruit particulier qui paraît proche de l'oreille ou qui semble résonner dans la tête. Ce bruit ressemble souvent à celui que fait un ballon léger éclatant près de l'oreille.

Un autre est une sorte de « sizz » sourd, et parfois un bruit dans le cerveau qui le fait « vibrer » ou encore un craquement guère différent du son émis par une étincelle électrique quand les pôles négatif et positif se touchent. Ce son est souvent entendu au moment précis du « décollage » d'une projection astrale aussi bien qu'à la re-concordance des corps ; il paraît se situer dans la tête, près de la partie postérieure du crâne.

Un autre son couramment entendu au moment de la re-concordance est un « zing », comme si on frappait dans la tête d'une corde très tendue. A d'autres moments, le sujet peut entendre prononcer un mot bien distinctement, il paraît très près de l'oreille et parfois même c'est comme si le mot était prononcé au centre même de la tête. Ce qui surprend dans ces bruits, c'est la façon dont ils peuvent être perçus — oui, véritablement perçus — se déplaçant dans la tête même. le cerveau vibrant comme la peau d'un tambour résonne quand on la frappe[1].

A une certaine occasion, je m'étais projeté et je me tenais à près de dix pieds de mon corps physique. Un chien commença à aboyer dans la rue. J'entendais le chien aboyer avec mes oreilles physiques, mais je pouvais « le sentir » dans ma tête astrale ! C'est très difficile à faire comprendre, mais c'est précisément ce qui se passait : c'était comme si mes oreilles avaient été « projetées » et que je puisse sentir dans ma tête astrale l'aboiement du chien. Vous avez peut-être entendu parler de personnes qui peuvent « sentir » les couleurs. Les bruits peuvent également évoquer des couleurs. H. Carrington a abordé ce sujet dans *Higher psychical development.* Il est également intéressant de savoir qu'à certains moments durant la projection astrale, le sujet peut voir à partir de différentes parties de son corps astral, c'est-à-dire qu'il peut être couché sur le dos, en l'air, et voir ce qui se passe sous lui, alors qu'il regarde dans la direction opposée !

La force de l'habitude amène généralement le projecteur à utiliser ses yeux, mais ceci n'est pas absolument nécessaire dans tous les cas. Bien que ce soit possible hors du champ d'activité du câble, je n'ai cependant jamais vérifié la chose moi-même. Certaines personnes peuvent le faire dans le corps physique et je connais personnellement un homme qui est capable de voir par le front.

En commentant ses premières expériences, A.-J. Davis écrit : « Après m'avoir bandé les yeux, l'opérateur plaça un livre sur le même plan horizontal que mon front et je vis et lus le titre sans la moindre hésitation. Ce test, et de nombreuses expériences du genre, furent tentés et répétés, et ainsi la démonstration de l'indépendance de la vision par rapport aux organes physiques des sens fut claire et indiscutable. »

Lombroso et d'autres ont enregistré de nombreux cas dans lesquels les personnes avaient été capables de voir par le plexus solaire de façon tout à fait indépendante des

---

1. *Qu'on se souvienne ici du « claquement dans la tête » si fréquemment mentionné dans le cas du médium Mme Piper, chaque fois qu'elle sortait de transe, et qui a été étudié en détail par divers chercheurs dans les* Proceedings *et* Journals *du S.P.R. et ailleurs (H.C.).*

yeux. Il y a également des circonstances dans lesquelles le fantôme projeté peut voir des choses qui sont éloignées de plusieurs miles, mais en règle générale le fantôme se déplacera directement vers cet endroit.

LA LUMIERE, UN FACTEUR NEGATIF

Le corps astral se séparera du physique bien plus facilement dans l'obscurité totale. Bien que la lumière ait tendance à attacher l'astral plus fortement au physique, il est vrai que la projection peut être réalisée malgré elle mais, en règle générale, seuls les « étudiants les plus avancés » réussiront dans ces conditions. Peut-être que sachant cela vous pourriez croire qu'il est préférable de chercher à vous projeter dans l'obscurité totale ; il est vrai que de nombreux occultistes le conseillent, mais pas moi, car il y a plusieurs raisons pour lesquelles une obscurité complète n'est pas la meilleure condition pour l'amateur novice.

Une fois que vous êtes extériorisé et que votre sens de la vue fonctionne, la chambre qui était sombre à vos yeux physiques ne l'est plus car vous utilisez vos yeux astraux et il règne partout une sorte de lumière brumeuse comme celle que vous pouvez voir dans vos rêves. Nous pourrions l'appeler « lumière diffuse » ; apparemment elle passe à travers les objets du monde matériel.

Ne vous est-il jamais arrivé de vous coucher dans l'obscurité absolue puis de vous réveiller et d'être incapable de situer l'endroit où vous vous trouviez ? Vous rappelez-vous l'effet déplaisant que l'étrangeté de la situation fit sur votre esprit ? Vous n'aviez plus aucun sens de l'orientation, croyant que votre tête se trouvait là où vos pieds devaient se trouver, ou que le lit avait été tourné, ou que la porte de la chambre n'était pas à l'endroit habituel, etc. La plupart des gens ont connu un réveil semblable un jour ou l'autre. Un de mes amis m'a raconté qu'il s'était éveillé une nuit dans une obscurité parfaite, qu'il avait cherché la porte de sa chambre et, comme il était à ce point désorienté, il était allé dans une direction tout à fait opposée à celle où la porte se trouvait réellement, s'était cogné à l'armoire et n'avait pu retrouver la porte qu'en longeant les murs.

Supposons par exemple que vous alliez vous coucher conscient de votre orientation par rapport au mobilier et de votre position dans le lit. Plus tard, vous vous réveillez dans le noir absolu. Vous pensez que vous vous êtes couché dans une position différente de celle que vous occupez en réalité : vous avez perdu votre sens de l'orientation. Pourquoi votre conscience qui vous a dit votre position exacte au moment où vous êtes allé vous coucher, ne vous dirige-t-elle pas dans la bonne direction ? Pensez-vous que ce soit parce que vous ne pouvez voir dans l'obscurité totale et que cela vous a amené à perdre votre sens de l'orientation ? Auquel cas, pourquoi ne le perdez-vous pas quand vous entrez dans une pièce obscure ? Voici mon explication :

Quand vous allez vous coucher, le corps astral s'élève du physique et peut reposer à un endroit fort différent du physique. Les sens sont aiguisés pendant le sommeil et impriment dans l'esprit l'idée que le corps repose dans un endroit nouveau. Quand vous vous éveillez dans le physique, l'impression laissée par le corps astral est qu' « il se trouvait ailleurs » et vous croyez donc reposer à un endroit différent de celui où vous êtes réellement et étant incapable de voir, vous ne pouvez confirmer ou infirmer cette impression.

Voici une autre façon d'expliquer la chose : placez une personne au milieu d'un chemin, bandez-lui les yeux et malgré cela elle saura de quel côté elle doit aller parce qu'elle était consciente de la bonne direction avant d'être aveuglée. Mais si en plus vous la faites tourner sur elle-même, elle perdra son sens de l'orientation. C'est ainsi que le mouvement du corps astral durant le sommeil peut amener le sujet à penser qu'il est dans le physique, là où il se trouvait en fait dans le corps astral.

Une personne endormie dans une obscurité totale pourrait connaître ce cas malheureux autant qu'exceptionnel (au lieu de s'éveiller, penser qu'elle se trouve dans une position différente mais ne prêter aucune attention à la chose et se rendormir) : s'il s'agit d'une extériorisation lointaine et que quelque chose ramène le corps astral trop brutalement dans le physique — que le corps astral atterrisse à l'endroit où le sujet pensait être et non pas directement à l'endroit réel dans le mécanisme physique. Qu'un rêve de chute accompagne la chute du corps astral et la personne croira qu'elle a explosé, qu'elle est déchiquetée et aura un terrible cauchemar. Je crois savoir qu'il existe quelques rapports faits par des personnes qui ont expérimenté des rêves de chute dans lesquels ils étaient mis en pièces en touchant le sol, ou des « événements » similaires. J'en ai moi-même expérimentés, à cause de ce que je viens d'expliquer.

Un autre résultat malheureux — par le fait d'une accumulation de circonstances néfastes — d'une projection dans l'obscurité absolue pourrait être qu'une sorte de répugnance s'insinue dans l'esprit du sujet ayant vécu l'expérience d'une violente répercussion dans l'obscurité totale accompagnée d'un affreux cauchemar, s'il n'a pa" été capable de voir ou de réaliser sa véritable place de repos après être devenu conscient ; répugnance qui aurait pour conséquence d'intérioriser le sujet dès le premier signe de projection ultérieure. Mon conseil aux « débutants » et plus spécialement aux grands nerveux, est de laisser toujours suffisamment de lumière dans la chambre à coucher de façon à pouvoir immédiatement discerner sa position exacte par rapport aux autres objets dans la chambre au moment du réveil. Vous découvrirez qu'un « demi-jour » est la meilleure clarté possible pour la projection du corps astral.

UNE INTERIORISATION PROVOQUEE PAR UN EXCES DE LUMIERE

Voici une petite expérience que je fis un jour à propos de cet « élément lumière ». La chambre dans laquelle j'ai l'habitude de dormir possède une fenêtre qui donne directement sur un réverbère. Couché sur mon lit, je peux voir la lumière à travers la fenêtre et celle-ci diffuse ses rayons dans la chambre à coucher. Parfois la compagnie locale d'électricité allume ses réverbères à une heure plus tardive suivant l'époque de l'année.

Un soir, j'allai me coucher alors que la lampe n'était pas encore allumée et je réussis à provoquer une projection consciente. Je m'étais élevé au-dessus du physique à une distance d'environ deux pieds et juste à ce moment la lampe s'alluma et inonda la chambre de lumière ! L'astral retomba dans le physique avec un « zing » et une répercussion ! Je crois que ce fut le son le plus long que j'avais jamais entendu et c'était comme si mon cerveau tremblait dans mon crâne, comme si je pouvais *ressentir* le bruit. Connaissez-vous le son produit par un doigt d'acier sur les cordes d'une guitare hawaïenne ? C'est exactement ce son qui accompagne souvent l'intériorisation.

Dans tout ceci, vous pouvez voir l'effet nuisible d'un excès de lumière. Il peut être intéressant d'ajouter que de nombreuses personnes qui souffrent de cauchemars ont découvert qu'en dormant dans une chambre faiblement éclairée, elles étaient capables de les supprimer.

H. Carrington citant C. Lancelin, ajoute les facteurs supplémentaires suivants — qui influenceront favorablement la projection astrale — et, puisque ma propre expérience ne les a pas fait ressortir, je les donne pour ce qu'ils valent, dans le sens de l'influence de votre propre développement (en résumé) :

« *Humidité :* milieu sec — temps parfaitement sec au-dehors.

Pression atmosphérique : lorsque le baromètre monte, il se produit une diminution de l'action mécanique (du fantôme) mais la luminosité s'accroît, les effets contraires se produisent lorsque la pression augmente.

Electricité atmosphérique : neutralité absolue de l'atmosphère au point de vue électrique.

Assistance : il est préférable d'opérer complètement seul et sans aucun assistant.../... En principe plus ce rôle sera effacé, mieux il sera rempli.

Sexe : l'homme pris en général possède plus de sang-froid et la femme plus de sensivité, mais comme la première qualité s'acquiert plus facilement que la seconde, il est à penser qu'une femme répondra mieux à ce que l'on est en droit d'attendre d'un sujet réceptif.../... Avec deux sujets présentant la sensivité de la femme unie au sang-froid de l'homme, l'expérience n'aura que plus de chances de réussite. »

Ce qui vient d'être dit en dernier lieu n'a d'intérêt que lorsque l'expérience est faite en collaboration, c'est-à-dire quand on cherche à apparaître à un médium ou quand le sujet croit que la présence d'un ami sympathique à ses côtés lui sera bénéfique. Vous découvrirez je crois, qu'en règle générale, donner des informations aux autres sur ce que vous allez faire ne vous fera aucun bien. Le seul moment où les autres peuvent être d'une aide quelconque — à moins qu'il ne s'agisse de médiums — c'est sans nul doute quand ils sont endormis. (Ça fait penser à la phrase : « — Tu es un ange, Toto, quand tu dors ! »)

Je ne pourrais pas avancer d'hypothèse certaine à propos du fait que la présence de personnes endormies près du projecteur lui donne de la force dans son expérience, mais je sais avec certitude qu'il en est ainsi ; de même que je sais que la présence de personnes, éveillées celles-là, à proximité du projecteur a tendance à exercer une force de rejet de la projection, aussi calmes qu'elles puissent être (à moins, encore une fois, qu'il ne s'agisse de médiums).

REPERCUSSION TELEPATHIQUE

Voici une expérience que je fis d'abord par hasard puis que je répétai intentionnellement sur deux sujets différents en obtenant les mêmes résultats.

Un après-midi de farniente, mon frère qui avait alors douze ans était couché sur le lit et essayait de faire la sieste. Je me dis que j'allais suivre son exemple et me couchai près de lui. Il y avait un espace d'environ un pied entre nous et nous sombrions tous deux dans le sommeil — moi en pensant inconsciemment à la projection astrale sans chercher à en développer une, mais en songeant, simplement et calmement à cette sorte de miracle que j'avais si souvent expérimenté.

Mon esprit était loin de toute tension, loin de penser à celui qui reposait à mon côté. Je me souviens que je réfléchissais justement à la façon dont le corps astral se projette du physique de façon fortuite. Des idées relatives à la phase se succédèrent tout naturellement. Puis je pensai à la façon dont le corps répercute souvent et cette idée n'avait pas plus tôt pénétré mon esprit que mon frère eut une répercussion violente.

Si cela ne s'était produit qu'une fois on pourrait parler de hasard, mais quand cela se répète on peut croire que l'esprit d'une personne peut influencer le mouvement du corps astral d'une autre. Aussi, pour voir si ce phénomène n'était que simple coïncidence, j'essayai de refaire l'expérience et j'obtins le même résultat.

Puis je tentai une variante de l'expérience en utilisant la concentration mentale. Je me couchai près de mon frère au moment où il était près de s'endormir et, par un effort de volonté, j'essayai de ramener le corps astral dans le physique après m'être suggéré avec force qu'il en était sorti. Mais cela ne marcha pas. Les pensées « énergiques » et conscientes n'ont pas le même effet que les pensées résultant d'un esprit calme, et non provoquées.

J'ai refait l'expérience avec deux amis depuis et j'ai découvert que le résultat allait dans le même sens. Des pensées fortuites de séparation et de répercussion provoquent effectivement la répercussion, tandis que la volonté et la tension ne produisent aucun effet.

Il est possible qu'au moment où il s'endormit, le sujet — mon frère en l'occurrence — fut dans un état réceptif et que l'élévation de son corps astral dans la zone de quiétude étant en harmonie avec les pensées sortant de mon esprit à cet effet, provoqua un « accord » par lequel son esprit dans son corps astral reçut les impressions du mien — par télépathie — et que, quand mes pensées se tournèrent vers la répercussion, le corps astral du sujet revint dans son corps physique.

Je suis fermement convaincu pour ma part que presque tout le monde peut provoquer cette répercussion en faisant exactement ce que j'ai dit. Si le sujet qui essaye une projection astrale souhaite avoir un ami bienveillant pour l'assister, je crois que ce serait le meilleur exercice à essayer en premier lieu, puisqu'il s'observe quand les esprits sont en harmonie — chacun pourrait trouver ainsi accès à des expériences plus poussées. Voici la façon dont cet exercice doit être réalisé :

Le sujet et son « aide » doivent reposer côte à côte sur

un lit ou autre lieu choisi pour l'expérience. Il est préférable de la réaliser la nuit alors qu'on s'apprête vraiment à s'endormir. Le sujet ne doit pas penser à ce qui se passe mais plutôt s'abandonner normalement au sommeil. L'assistant, lui, concentre sa pensée sur le fait que le corps astral du sujet va s'élever du corps physique. Il ne doit y avoir absolument aucune tension dans l'esprit de l'assistant ; il doit simplement visualiser d'une façon détachée le corps astral du sujet sortant du physique à une distance de trois ou quatre pouces — juste au moment où le sujet s'élève dans le sommeil. Il ne doit pas essayer de « forcer l'idée », mais laisser la vision amener ses propres idées concernant le corps astral et éventuellement des pensées ayant trait à la répercussion. A cette dernière idée, le sujet devrait répercuter.

Ceux qui s'intéressent aux choses de l'occulte devraient découvrir qu'ils n'éprouvent aucune difficulté à réaliser ce genre d'expérience. Cette harmonie entre le sujet et son assistant se présente quand le sujet s'élève dans le sommeil, réalisant l'acte précis qui est à l'esprit de l'assistant. Dès ce moment, l'état mental de l'assistant est ce qui importe pour obtenir le résultat escompté. Qu'il garde simplement l'idée et la vision du corps astral dans la zone de quiétude, puis qu'il change cette pensée par celle de répercussion. On verra que la répercussion n'est pas assez forte pour causer beaucoup de désagrément.

Mon avis reste cependant d'essayer de réaliser la projection astrale sans l'assistance de qui que ce soit, une fois que vous savez exactement ce que vous devez faire. Ainsi, on peut développer un plus grand « self-control », une maîtrise de soi et de la situation, et l'on ne sera pas influencé par les pensées conscientes ou inconscientes transmises par les esprits des autres.

J'ai toujours éprouvé des difficultés à me projeter quand il y avait d'autres personnes près de moi. Une des premières pensées que l'on a quand on devient conscient dans le corps astral projeté, est celle du corps physique et la toute première chose que l'on fait quand on sent bouger quelqu'un ou quelque chose près de l'endroit où le corps physique repose, c'est de le réintégrer.

En fait, c'est ce que j'ai toujours fait et je crois que tout projecteur honnête reconnaîtra qu'il se méfie de quiconque s'approche de son corps physique pendant qu'il est projeté. Pendant de nombreuses années, je ne me suis livré à une projection que si j'étais dans une pièce bien fermée et je découvris qu'en agissant ainsi, j'avais un plus grand sentiment de sécurité.

Vous verrez que vous aurez tout avantage à agir de la sorte. S'il vous est nécessaire d'avoir un médium pour partager l'expérience, installez-le dans une pièce voisine et faites comprendre à tous de « garder leurs mains chez eux » (comme le Christ disant à Marie : « — Ne me touche pas ! »). Peut-être ne comprenez-vous pas tout à fait la raison de mon insistance, mais si vous expérimentez une projection consciente, toutes ces choses qui vous paraissent si étranges deviendront évidentes et naturelles.

Ne parlez pas de ce que vous cherchez à accomplir, je crois que c'est un conseil valable... Si vous êtes vraiment désireux de produire une projection, gardez-en le désir au fond de vous, cela en augmentera le « stress » et le stress favorise la projection... En parler le libérerait quelque peu.

CHAPITRE XI

COMMENT PRODUIRE LA « PARALYSIE »

Nous savons que durant le sommeil naturel, le corps physique est plus ou moins « paralysé » ; pour accentuer cette paralysie, le rythme cardiaque doit être ralenti. J'ai déjà expliqué comment je suis d'abord tombé par hasard sur ce fait et comment j'ai pu ensuite développer une méthode pour ralentir volontairement le rythme du pouls. Incidemment, le fait de ralentir son pouls provoque une meilleure relaxation et concentration et élimine la nécessité d'exercices spéciaux pour chacun de ces facteurs.

La première chose à faire au moment d'aller se coucher, la nuit ou à n'importe quel autre moment, est d'adopter une position horizontale confortable, de préférence sur le dos. Si vous ne supportez pas d'être couché sur le dos, couchez-vous alors sur le côté droit. Supposons donc que vous soyez maintenant couché dans une position horizontale sur le dos, les mains reposant à vos côtés.

Tout d'abord, prenez une profonde inspiration, gardez-la une seconde, puis essayez de forcer cette respiration dans le creux de votre estomac de façon à ce que le diaphragme se bombe à cet endroit. Ensuite, expirez en forçant tout l'air à sortir de vos poumons. Répétez cela six à huit fois, ceci dans le but de relaxer le plexus solaire.

Un conseil dans ce sens, extrait du livre de H. Carrington sur le yoga, aurait sa place ici : « La décontraction du plexus solaire est essentielle, de façon à ce que vous puissiez nettement le sentir " s'ouvrir comme une fleur ", juste en dessous de l'endroit où les côtes se divisent ; si le plexus était tendu, cela arrêterait votre développement, jusqu'à ce que vous puissiez complètement le relaxer. La chose à faire pour cela est de vous concentrer et d'acquérir assez de contrôle pour que vous puissiez réellement le sentir et par là, vous détendre à fond. Le plexus lui-même, est comme une grande tortue ; c'est le plus grand centre nerveux du corps avec le cerveau et il dirige le système nerveux sympathique, les fonctions digestives, la vie organique et végétative ; aussi pour cette raison l'estomac ne devrait pas être plein quand les exercices de yoga sont pratiqués, car cela compresse le plexus et le cœur. C'est une des raisons pour lesquelles il importe que la nourriture soit très légère et l'estomac vide. »

Ensuite, fermez les yeux et imaginez-vous vous-même en esprit. En commençant par le sommet de la tête, pensez à votre cuir chevelu et essayez de le tendre en actionnant les muscles qu'il faut ; pensez à votre mâchoire et tendez-la, puis relâchez-la plusieurs fois. Pensez à votre nuque, tendez et relaxez-en les muscles plusieurs fois, le haut de vos bras, puis le bas de vos bras ; serrez les poings, relâchez-les. Puis, en commençant à la base de la nuque, descendez en pensant à chaque partie de votre corps pour essayer de tendre les muscles à chaque endroit particulier, jusqu'à ce qu'enfin, vous tendiez et relâchiez vos orteils, comme un chat qui tend et relâche ses pattes en ronronnant...

Maintenant, concentrez-vous sur votre cœur, sans tension dans votre esprit. Vous en remarquerez alors les pulsations et vous serez capable de les sentir véritablement à cet endroit de votre poitrine. Gardez votre esprit concentré sur ces pulsations jusqu'à ce qu'elles soient très prononcées, jusqu'à ce que vous puissiez à la fois les sentir et les entendre distinctement[1].

Ce sont les mêmes pulsations que vous ressentez dans le bas de la tête quand vous êtes projeté et dans le champ

1. Rappelez-vous que vous ne devez pas sentir « manuellement » ces pulsations ; vos mains doivent reposer à vos côtés. Vous devez sentir votre cœur « battre en vous ». (S. Muldoon).

d'activité du câble, et elles constituent en fait les seules sensations physiques naturelles que vous possédez pendant que vous êtes projeté (à moins que vous ne ressentiez le poids de couvertures sur votre corps, etc.). C'est-à-dire que, quand vous êtes dans le champ d'activité du câble, une « sensation doublée » permet de sentir les pulsations telles qu'elles sont dans la contrepartie physique et telles que vous pouvez maintenant les sentir quand vous vous concentrez sur votre rythme cardiaque (un moyen simple est de reposer sur le côté gauche, mais ce n'est pas le plus souhaitable).

Quand vous aurez acquis la capacité de rester couché calmement et, à la fois, de sentir et d'entendre votre rythme cardiaque dans votre poitrine — ce que vous pouvez sans aucun doute réussir à faire après un ou deux essais — la phase suivante est d'être capable de ressentir et d'entendre les pulsations cardiaques dans chaque partie de votre corps en vous concentrant sur la partie concernée.

Supposons que vous êtes couché comme précédemment et que complètement détendu, vous êtes à même de sentir et d'entendre les pulsations de votre cœur dans votre poitrine. Ecoutez très attentivement : ça cogne, ça cogne, ça cogne. Maintenant déplacez votre centre de concentration vers la nuque et « sentez votre cœur battre dans votre nuque », dirigez vos pensées vers vos joues et bientôt vous y sentirez les pulsations. Juste comme vous les sentez dans vos joues, passez au sommet de votre tête et concentrez-y votre pensée. Maintenant, vous les sentez là. Quand vous pouvez bien sentir les pulsations dans votre cuir chevelu, renvoyez à nouveau votre pensée sur chaque point particulier : les joues, la nuque, la poitrine et continuez à descendre. Vous pouvez maintenant les sentir au creux de l'estomac. Ne déplacez pas votre concentration avant qu'elles soient très prononcées. Les voici : ça cogne, ça cogne, ça cogne. Vous pouvez vous concentrer un peu plus bas, dans le creux inférieur de l'abdomen. C'est un endroit où il est relativement facile de saisir les pulsations, presque aussi facile que de les sentir dans la nuque. Quand elles sont parfaitement perceptibles, vous pouvez alors vous concentrer sur vos cuisses, les deux à la fois, sur vos mollets et dès que vous pouvez y sentir les pulsations, régulièrement et nettement, concentrez-vous sur vos pieds, la plante même de vos pieds, vous serez capable de sentir les pulsations cardiaques très précisément dans vos pieds. Revenez à vos mollets, voilà que vous y sentez les pulsations ; revenez à vos cuisses, et voilà les pulsations. Concentrez-vous maintenant sur votre cuisse droite en oubliant la gauche. Vous voyez, vous pouvez sentir les pulsations de votre cœur où que vous vous concentriez. La prochaine fois que vous aurez — littéralement * ! — les pieds froids, essayez donc d'augmenter la circulation dans vos pieds en utilisant cette méthode[2] !

Si vous vous concentrez sur la région *medulla oblongata* et que vous amenez les pulsations à être ressenties là, vous saurez exactement comment les pulsations à cet endroit peuvent être ressenties par le fantôme projeté (au moyen du câble astral).

Un petit conseil avant d'aller plus loin. Si vous souffrez de troubles cardiaques sérieux, ne vous risquez pas à la projection astrale car le cœur y joue un grand rôle, un rôle vital et, bien souvent, il bat très lentement durant une projection. Ainsi que vous le savez à présent, le bien-être du mécanisme physique pendant la projection dépend du bon fonctionnement de la respiration. D'un autre côté, si votre cœur est relativement « sonore », il n'y a rien là qui doive vous inquiéter.

Maintenant que « vous avez le truc », grâce à la concentration vous pouvez ressentir vos pulsations cardiaques dans chaque partie de votre corps. Le pas suivant consistera à être capable de réduire le rythme des pulsations, ce qui n'est pas si difficile. Ce qui est souhaitable dans une projection astrale, c'est un rythme cardiaque *lent* et *régulier*. Durant votre concentration sur cet organe, supposez que *vous* êtes une intelligence et qu'*il* en est une autre, et qu'il peut comprendre votre pensée et lui obéir, car c'est, en fait, presque cela. Le cœur est contrôlé par une intelligence, qui est l'intelligence subconsciente. Vos pensées, votre concentration, peuvent être considérées comme

---

* En anglais « avoir les pieds froids » signifie également « avoir peur », c'est pourquoi S. Muldoon précise « littéralement ». (*N.d.T.*).

2. Il est possible également avec une concentration adéquate, de chasser le sang de différentes parties du corps. (S. Muldoon).

formant une autre intelligence. Aussi, si vous souhaitez réduire ou augmenter la vitesse de vos pulsations cardiaques, supposez que votre cœur est « gouverné par une intelligence ».

Peut-être avez-vous déjà essayé de diriger vos pensées et de donner des instructions à votre esprit subconscient et vous êtes-vous dit ensuite : « — Comment puis-je être vraiment sûr que mes suggestions ont convaincu l'intelligence intérieure ? » Avec le cœur, vous pourrez le vérifier. Si vous vous concentrez sur ce cœur en pensant suivant le cas qu'il bat plus lentement ou de plus en plus vite et qu'il obéit à votre suggestion, vous saurez alors que votre suggestion a atteint son but. De plus, si vous savez dans quel « état d'esprit » se trouve votre esprit conscient quand il est capable de contrôler votre cœur, vous savez alors comment il doit être quand vous désirez y introduire des pensées.

De nombreuses personnes sont contrariées si leur esprit subconscient n'obéit pas à la toute première direction consciente qu'il reçoit. Impatientes, elles n'aiment pas à répéter sans cesse une injonction avant que l'esprit subconscient ne s'y plie. Mais réfléchissons une minute. Que se passerait-il si l'intelligence qui contrôle réagissait à la toute première injonction ? Imaginez que vous pensiez que votre cœur s'est arrêté et supposez que l'intelligence intérieure obéisse immédiatement à cette suggestion. Heureusement, l'esprit subconscient n'est pas aussi facile à dominer, bien qu'il ne soit guère malaisé de le persuader de réduire ou d'accélérer le rythme cardiaque.

Résumons-nous. Nous supposons que vous reposez sur le dos, détendu, avec les bras de chaque côté du corps et que vous avez acquis la faculté de sentir les pulsations de votre cœur dans chaque partie de votre corps. Maintenant, vous vous concentrez à nouveau sur votre cœur et si son rythme n'est pas régulier, vous devez lui dire en esprit qu'*il l'est* et vous devez saisir le rythme adéquat et « battre la mesure » dans votre esprit en vous concentrant sur ce rythme de battements jusqu'à ce qu'il soit parfaitement régulier.

Qu'il ait d'abord été irrégulier et que vous l'ayez rendu régulier, ou qu'il ait été naturellement régulier et sain, vous êtes maintenant prêt à vous concentrer sur le ralentissement du rythme cardiaque. Ne pensez qu'aux pulsations que vous sentez dans votre poitrine, dans votre cœur. Battez-en la mesure dans votre esprit et autorisez même votre tête à bouger légèrement à chaque battement si elle a tendance à le faire. Après avoir gardé ce rythme quelques minutes, commencez à battre la mesure juste un rien plus lentement, en pensant que votre cœur bat plus lentement. N'essayez pas de déterminer si le cœur obéit oui ou non à vos suggestions ; ne cessez pas de vous concentrer et vous serez capable de le savoir. Continuez jusqu'à ce que votre rythme cardiaque soit effectivement en accord avec celui que vous souhaitez obtenir. Cela, non plus, n'est pas aussi difficile à réaliser que vous pourriez le croire et la plupart d'entre vous seront capables de le faire après quelques essais.

On ne peut pas déterminer avec certitude à quel rythme le cœur devrait battre afin de produire « un bon degré de paralysie ». Vous vous souvenez que mon rythme cardiaque, quand j'expérimentais régulièrement des projections, était de quarante-deux pulsations par minute. Cette fréquence ne sera jamais considérée comme « dangereusement lente » et pourtant, elle amène une paralysie du physique à un degré inhabituel. Il est un fait que les pulsations de notre cœur sont moins élevées quand nous dormons que quand nous sommes éveillés, de telle façon que si mon cœur bat à quarante-deux par minute quand je suis éveillé, il doit être encore bien plus lent quand je dors. C'est la circulation du sang qui stimule, ou d'un autre côté, qui produit la torpeur dans le corps physique, en d'autres termes le « degré de paralysie ». Pour chaque individu le rythme cardiaque « normal » varie, bien entendu et alors que le corps physique est naturellement paralysé à un certain stade dans le sommeil, il est clair qu'une réduction des pulsations de l'ordre de dix à quinze en dessous de la normale paralysera le mécanisme physique encore plus profondément.

Vous êtes le mieux placé pour décider du degré de paralysie qui vous convient. Vous pouvez réduire votre rythme de façon surprenante, au point que l'on puisse à peine en détecter le battement. Si avant de vous endormir vous deviez vous sentir comme « réfrigéré » sans raison ou que vous ayez l'impression de sentir un courant d'air frais sur vos jambes ou vos bras, vous tenez là des signes évidents de « paralysie » qui deviendra profonde quand vous dormirez vraiment. Vous n'avez pas envie d'avoir froid au point d'en éprouver de la gêne ? Alors, essayez d'obtenir un compromis qui vous permette à la fois d'être « au froid et à l'aise ».

D'un autre côté, si l'idée de « ralentissement du rythme cardiaque » vous chiffonne et que vous préfériez essayer l'expérience avec un rythme cardiaque normal et donc avec votre degré habituel de paralysie, vous pouvez le faire sans pour autant anéantir vos chances de succès car ainsi que vous le savez, de nombreuses projections se déroulent avec ce degré de détente physique. Bien sûr, plus la paralysie sera grande, plus les chances de succès le seront aussi et c'est la raison pour laquelle j'ai donné ces conseils.

La « zone de quiétude », dans le sommeil naturel, est de beaucoup conditionnée par l'état du corps physique — plus le physique sera « vivant », plus le fantôme restera près de concordance — tout comme elle est conditionnée par le volume d'énergie stockée dans le condensateur, le corps astral. Une profonde paralysie plus un manque d'énergie nerveuse, et le fantôme serait capable de sortir de concordance de deux pieds, alors que vous entrez dans le sommeil.

D'un autre côté, si vous allez vous allonger sans être fatigué, disposant encore d'une énergie abondante et d'une certaine « animation » physique, vous pouvez ne pas être capable de vous endormir et lorsqu'enfin vous y parviendrez, le fantôme pourrait ne sortir que très légèrement du physique. Allez vous coucher déprimé ou énervé mais sans passivité physique, et le fantôme pourra sortir davantage ; ainsi de suite, selon les facteurs en jeu...

En règle générale, le fantôme monte de plus en plus à mesure que le sommeil devient, lui, de plus en plus profond. Comme « on s'élève dans le sommeil », le fantôme peut ne reposer qu'à deux pouces hors de concordance, mais qu'on soit endormi depuis plusieurs heures et le fantôme pourra se trouver à un pied hors de concordance parce que le corps physique est devenu de plus en plus passif. C'est pour cette raison que la plupart des projections se déroulent alors que le sujet dort déjà depuis longtemps.

Quand vous aurez trouvé le moyen de ralentir votre rythme cardiaque, vous serez surpris de la façon avec laquelle votre cœur répond à vos injonctions et vous serez à même d'en réduire le rythme en quelques instants et de contrôler cet organe à volonté. Faites alors ceci : parlez à votre cœur. Dites, par exemple : « — Cœur, tu vas maintenant battre cinquante fois par minute jusqu'à ce que tu reçoives d'autres instructions. » Vous serez surpris de constater que votre cœur battra à ce rythme jusqu'à ce que vous lui disiez d'agir autrement. C'est comme si vous hypnotisiez l'intelligence de contrôle qui se trouve derrière le cœur. Mais ne donnez pas d'ordre à votre cœur la montre à la main en disant : « — Je ne crois pas que ça va marcher » et en faisant des calculs, cela annulerait simplement la suggestion que vous venez de donner. Si vous tenez à chronométrer, faites-le avec la conviction que votre cœur bat à cinquante par minute.

Pour autant que je le sache, le contrôle du cœur est le seul moyen certain de produire la paralysie volontairement et en l'exerçant, vous développerez une « conscience de votre personne » qui est une exigence des plus essentielles dans la projection du corps astral. Pensez toujours à accumuler le plus de facteurs possibles qui soient favorables à la paralysie du corps physique juste avant d'essayer de projeter le corps astral (et indépendamment de la méthode que vous utilisez pour impressionner la volonté subconsciente).

DEVELOPPER UNE « CONSCIENCE DE SOI »

Pour réussir à vous projeter, vous devriez concentrer votre esprit sur vous-même, vous étudier, vous interroger sur vous et chercher à vous connaître. Il n'y a qu'une personne comme vous de par le monde, c'est vous. Cessez pour un moment d'étudier les autres et commencez à vous étudier, vous. Vous ne devez pas regarder à quatre-vingt-douze millions de miles de vous pour trouver de quoi vous émerveiller, le soleil n'est pas plus mystérieux que vous ne l'êtes.

Quand vous commencerez à vous scruter de cette façon, vous serez étonné de constater que vous savez peu de choses sur vous ! Il y a quelques années, j'ai lu un article d'un écrivain connu — je crois que c'était dans *Psychical culture* — où il disait en substance que la plupart des gens n'avaient aucune idée de ce à quoi ressemblait leur dos et n'avaient jamais vu leur propre colonne vertébrale dans un miroir. (Pourtant, ces personnes sont probablement persuadées qu'elles se connaissent bien.)

En projection astrale, la « conscience de soi » est très importante ; aussi commencez dès maintenant à vous étudier. Voici un exercice qui m'a donné de bons résultats et que vous trouverez très valable pour vous aider à la projection astrale.

Placez un fauteuil devant un grand miroir car vous allez maintenant essayer de vous étonner vous-même de vous-même ; pendant cet exercice vous allez vous examiner si intensément que vous vous endormirez presque en le faisant et que vous ne saurez plus « lequel de vous deux » est le véritable *vous*. Confortablement installé dans votre fauteuil, vous faites face à votre reflet dans le miroir. Ne pensez ni au miroir ni que vous regardez un reflet, essayez plutôt de vous convaincre que vous *êtes* réellement là où se trouve le reflet, que vous n'êtes pas du tout dans votre « vrai » corps.

Commencez à vous scruter soigneusement, essayez de découvrir des choses que vous n'auriez jamais remarquées auparavant. Voyez la nuance exacte de votre chevelure, la vraie expression de vos yeux, la vraie forme de votre nez. Voyez ces pommettes ou ces quelques poils sur votre menton, ou cette petite bosse sur votre front, ou ces petites rides autour de votre nez ! Oui, il y a de quoi vous occuper pendant un bon moment en vous observant, vous étudiant minutieusement... aussi, continuez encore...

Après cet examen prolongé et « concentré », levez-vous face au miroir et regardez-vous directement dans les yeux. Gardez les yeux fixés sur les yeux-reflets. Cillez si vous le devez, mais gardez bien vos yeux dans les yeux du miroir. Est-ce que vous perdez votre stabilité ? Est-ce que vous oscillez d'un côté à l'autre ? C'est en tout cas ce que vous devriez faire.

Maintenant, rasseyez-vous dans le fauteuil et regardez

directement dans les yeux du miroir, gardez votre regard concentré sur ces yeux. Ce faisant, répétez votre nom sans arrêt, distinctement et de façon monocorde, cela influence très subtilement votre esprit. Si après un temps, vos yeux semblent se voiler ou s'embrumer, ne laissez pas votre attention se distraire, mais continuez inlassablement à regarder dans vos propres yeux. Vous devez persuader votre esprit que le reflet dans le miroir est le vrai vous. Vous ne devez pas vous rappeler que vous êtes assis, mais croire que le vrai *vous* est le reflet dans le miroir ! Vous vous voyez vous-même, mais le vrai vous est dans le miroir. Essayez de vous endormir en gardant cela à l'esprit et vos yeux centrés sur le miroir, sur les yeux dans le miroir.

Cette sorte d'« hallucination de soi » va ébranler le corps astral car elle met dans l'esprit subconscient l'idée que le reflet dans le miroir est le vrai *vous* et quand vous serez endormi, la suggestion créée sera assez forte pour amener la volonté subconsciente à faire bouger le corps astral vers l'endroit où l'esprit intérieur pense que vous êtes réellement.

Rappelez-vous : peu importe que la suggestion qui vient de l'esprit subconscient soit vraie ou pas, si l'esprit est abusé par l'idée que vous êtes à l'endroit vu dans le reflet, il impressionnera la volonté subconsciente dans ce sens. Essayez cela la nuit si vous le souhaitez, soit au moment de vous endormir dans le fauteuil, soit en attendant d'être « à point » pour vous glisser ensuite dans votre lit et dormir immédiatement avec la vision à l'esprit. Dans cet exercice vous utilisez en somme vos propres yeux dans le miroir à la façon dont vous pourriez vous servir d'une boule de cristal. Ce ne serait pas une mauvaise idée de vous documenter sur la façon de développer la vision/voyance par la boule de cristal et ensuite d'appliquer vos connaissances à notre exercice qui est excellent car il répond aux exigences de la projection astrale.

DYNAMISATION DE LA PROJECTION

L'une des aides les plus puissantes à la projection du corps astral est la conception claire des phénomènes du corps astral, c'est-à-dire une compréhension parfaite des faits : des actions du corps astral, des raisons de ces actions, etc. Celles-ci doivent être bien gardées à l'esprit. Il arrivera que cette compréhension soudain vous « saute aux yeux » et vous vous demanderez comment vous avez pu passer à côté de réalités si évidentes ! Après les avoir étudiés, certains lecteurs seront peut-être sensibles à ces « phénomènes de soi » et commenceront presque immédiatement à remarquer des symptômes d'activité du corps astral qui leur avaient échappé jusqu'alors.

Lisez sur ce sujet, pensez-y, faites des exercices sérieusement, si vous voulez devenir « un projecteur astral ». Ancrez une compréhension du phénomène si profondément dans votre esprit qu'il fasse en quelque sorte partie de votre vie. Plongez-vous dans votre étude au point d'en devenir presque irritable si l'on vous en distrait... C'est là le grand secret pour vous amener vous-même à « exprimer » le phénomène. Remarquez que je suis en train de vous donner une autre méthode pour provoquer la projection du corps astral : en « stressant » la projection astrale dans votre esprit ! C'est une méthode directe et quand ce stress devient partie intégrante de l'esprit subconscient, celui-ci est obsédé par l'idée de l'existence du corps astral hors du physique aussi bien qu'en concordance avec lui. De ce fait l'esprit ne voit plus de raison à ce que le corps astral ne sorte pas du corps physique.

Que votre grande ambition soit de projeter votre corps astral ! Pénétrez-vous de ce but et vous ne créerez pas seulement un puissant « désir » que l'esprit subconscient cherchera à apaiser mais « une habitude tenace » et vous commencerez à « rêver » souvent du phénomène. Ce sera spécialement le cas si vous allez vous coucher en lisant des choses sur le sujet et si vous vous endormez en y songeant. Notez ceci : si vous commencez à rêver de projection astrale (donc si vous rêvez que votre corps astral peut faire, et fait ces choses), vous êtes positivement assuré d'expérimenter une projection. Comment, jusqu'à ce jour, auriez-vous pu rêver de ce phénomène puisque vous ne le compreniez pas pleinement, ou même que vous en ignoriez jusqu'à l'existence !

Je sais non seulement que rêver de la projection astrale provoquera la projection mais aussi qu'un rêve causé par l'appréhension qu'elle peut provoquer fera sortir le « corps de rêve ». Voyons comment la crainte peut exercer un effet à la fois positif et négatif sur la projection, suivant les circonstances dans lesquelles elle se manifeste.

Quand j'expérimentai mes premières projections astrales, je dois reconnaître que j'étais effrayé, non pendant la projection — c'est bien là ce qui peut paraître étrange — mais avant de m'endormir. Ce « prodige » m'étreignait l'âme au-delà des mots !

Je ne sais pourquoi j'avais l'idée (à cause sans doute de tout ce que j'avais pu entendre dire) que les démons des meurtriers et toutes sortes d'autres monstres se cachaient dans le plan astral en attendant de pouvoir s'introduire en nous ! Un éminent spirite m'avait dit qu'un démon pouvait m'influencer pendant que j'étais projeté et qu'il pouvait même s'introduire dans mon corps physique et m'empêcher de jamais y rentrer ! J'étais tellement terrorisé au début que j'avais peur d'aller me coucher. J'avais le processus complet du phénomène inscrit nettement dans mon esprit (comme un « mode d'emploi ») et je ne cessais d'y penser, de le visionner, aussitôt que je me mettais au lit à cause de ma peur de me projeter et d'être appréhendé par quelque monstre astral.

Quel était l'effet de cette peur ? Elle m'amenait à me projeter d'autant plus que mon esprit était à ce point saturé de connaissances et surexcité par la peur (peur qui extériorisait mon énergie nerveuse ainsi qu'elle le fait chez chacun, me rendant plus apte encore à des séparations à longues distances) si bien qu'à peine endormi, je rêvais déjà de projection. A chaque fois, le corps astral était tiré dehors par la suggestion venant de mon esprit et souvent je devenais conscient, émergeant de l'état de rêve ; souvent aussi, je me contentais de rêver de l'action, en participant avec le corps ; les répercussions étaient alors très fréquentes.

Mais le fait qui me déroutait le plus était le suivant : pourquoi étais-je si effrayé quand j'étais dans le physique ou que je m'éveillais d'abord dans le champ d'activité du câble (ce qui provoquait la répercussion) alors que, quand j'étais libre — c'est-à-dire quand je m'éveillais hors du champ d'activité du câble, je ne ressentais aucune crainte ? Pourquoi ma peur disparaissait-elle ? Tout se passait comme si j'avais été un joueur de football avant un match ou un boxeur avant le combat, terriblement inquiet et nerveux, puis perdant toute peur au moment de « passer aux actes » et redevenant calme et maître de moi[3].

Après un certain temps, je m'habituai tellement aux projections que je commençai à les apprécier vraiment. Les démons et les diables astraux après tout ne semblaient guère s'intéresser à moi et ils n'étaient pas, pour autant que je puisse le voir — quand j'arrivais à voir quelqu'un — très différents des gens que j'avais toujours connus. Alors que mes appréhensions me quittaient peu à peu, je remarquai que les projections se faisaient plus rares. Mais comme le désir de projection se mit à remplacer la peur, je constatai que j'y redevenais plus sujet ! Je sais maintenant que la peur et le désir produisent le même effet dans l'esprit subconscient, portant la suggestion de la projection astrale dans le sommeil ou jaillissant dans l'esprit quand on est endormi.

C'est ainsi que vous pouvez, vous aussi, vous projeter par la méthode de « dynamisation de la projection » expliquée plus haut.

Allez vous coucher avec de la lecture sur le sujet, concentrez-vous sur l'itinéraire que le fantôme prendra quand il sera projeté, pensez-y bien en vous endormant car ce point est particulièrement important ; j'ai découvert qu'une fois que l'esprit était dynamisé, c'était là un des meilleurs moyens de s'assurer le succès.

Dorénavant, « dynamisation de la projection » signifiera pour vous simplement « saturation de l'esprit subconscient, à la fois de connaissance et de désir de projection astrale », et vous provoquerez cette saturation de l'esprit subconscient, au moyen de l'esprit conscient, de la volonté consciente.

---

3. Le lecteur peut être assuré que la projection du corps astral en soi est tout, sauf ce que l'imagination croit qu'elle est. C'est l'incertitude enfouie dans l'esprit qui est désagréable, pas la projection en soi. Il ne fait pas de doute pour moi que c'est également vrai en ce qui concerne la projection permanente — la mort (S. Muldoon).

QU'EST-CE QUE LA VOLONTE ?

Vous pourriez me demander de préciser ce que j'entends par volonté consciente. Permettez-moi de citer C. Franklin Leavitt : « Un tas d'absurdités ont été écrites sur le développement de la volonté. La plupart des traités ne mènent nulle part car ils n'expliquent pas le processus du « vouloir ».

« Nous avons l'habitude de penser que « vouloir » signifie s'amener à faire quelque chose, à passer à l'action ou à l'effort. Cela signifie bien s'amener à faire quelque chose. Cela signifie passer à l'action MENTALEMENT. Cela signifie EFFORT D'ATTENTION. William James montre que c'est seulement à cela que s'élève la volonté : ATTENTION, garder simplement l'attention centrée sur une pensée, une idée, jusqu'à ce qu'elle remplisse l'esprit et chasse toutes les autres idées de la conscience. Vous éprouverez peu de difficulté à vous amener à faire une certaine chose si aucune autre idée la concernant n'a de place dans votre esprit. Les idées qui poussent à l'action sont celles qui dominent la conscience — celles qui captent toute l'attention. Pensez-y résolument, avec une détermination absolue ; faites des plans pour mettre vos idées en pratique ; concentrez-vous, faites taire toutes les pensées opposées. Le moment venu, vous vous trouverez en train d'agir en accord parfait avec vos idées. »

Quand vous aurez acquis cette « dynamisation de la projection », la tâche la plus rude sera terminée. Mais rappelez-vous surtout que votre esprit doit être dominé par la connaissance et le désir de ce vous cherchez à connaître et le stress provoqué restera à la surface de votre esprit pendant que vous dormirez ; vous aurez la connaissance de l'art, et le désir stimulera la volonté subconsciente à réaliser la projection astrale.

REVER DE PROJECTION ASTRALE...

La « dynamisation de la projection » devrait produire un rêve de projection, et le fera toujours si le corps astral est dans un état de conscience partielle et si le stress de projection est actif durant le sommeil. La substance du rêve de projection dépendra du degré de connaissance et de compréhension que possède votre esprit à propos du phénomène. C'est bien pourquoi il est d'une importance capitale d'acquérir une connaissance et une compréhension parfaites.

Si j'ai dit que le « contrôle des rêves était la méthode la plus simple pour projeter le corps astral, je vous dis à présent, que la « dynamisation de la projection » est la méthode qui va aider à produire le rêve adéquat.

Pendant des années, mon esprit était complètement « dynamisé par la projection » car en fait je ne pouvais pratiquement penser à rien d'autre et, rêve après rêve, nuit après nuit, je me projetais dans le corps astral. Dans beaucoup de ces rêves, je devenais conscient pendant que j'étais projeté.

Je rêvais parfois que je reposais juste au-dessus de mon corps, à l'horizontale — sachant bien, même dans le rêve, que je dormais (c'est bien là la chose la plus difficile à comprendre !) — et qu'ensuite je me déplaçais suivant l'itinéraire que le fantôme prend réellement en se projetant. On est si près de la conscience quand « on rêve qu'on rêve » et qu'il s'agit d'un rêve de projection, que la véritable conscience ne peut pas, semble-t-il, s'empêcher d'intervenir. C'est ainsi que la plupart de mes projections conscientes se sont produites.

En d'autres occasions, au lieu de rêver que je m'élevais dans le corps astral, j'avais l'impression de me tenir sur le côté, observant mon corps astral se projeter puis, après un moment, j'entrais dans le corps astral et continuais parfois de rêver que j'y étais ou parfois, je m'éveillais vraiment en lui.

Je pourrais avancer plusieurs explications possibles, bien que théoriques, de cela. Une fois, je remarquai qu'au moment où je rêvais que j'entrais dans le corps astral déjà projeté, je devenais conscient dans ce corps. Or, le corps astral peut être soit *conscient hors* du corps physique, soit *inconscient hors* du corps physique, soit *inconscient dans* le corps physique.

Que le corps astral aille dans la zone de quiétude durant le sommeil ne démontre en aucune manière que ce départ soit la cause de l'inconscience. Cela se produit simplement de cette manière, cela apparaît simplement de cette manière. Mais le départ du corps astral du corps physique et l'arrivée de l'inconscience sont des fonctions entièrement distinctes, bien qu'elles se produisent quasi simultanément.

Si nous devenions inconscients à chaque fois que le corps astral quitte le physique, la projection astrale consciente ne pourrait jamais exister. En réalité beaucoup d'entre nous, dans l'état hypnagogique, sortent dans la zone de quiétude — peut-être même à peine hors de la concordance — et sont toujours conscients, bien qu'ils ne réalisent pas ce qui vient de se passer et soudain, ils répercutent dans le physique. Cela se produit très couramment parce que l'inconscience arrive généralement en entrant dans le sommeil — juste avant que nous ne fassions « le transit » par la zone de quiétude. De nombreux occultistes en ont alors déduit que le départ du

Nous avons vu (chapitre v — *Excentricité des sens*) comment on pouvait voir parfois le corps astral avec ses yeux physiques par ce conduit des sens qu'est le câble astral. Maintenant si cela peut se passer lorsque l'on est conscient, pourquoi ne pourrait-il pas en être de même quand on n'est que partiellement conscient ? Ce serait une explication plausible au rêve où l'on se tient sur le côté en observant le corps astral.

Néanmoins, plutôt que de « bourrer » votre esprit avec une habitude sans relation avec la projection du corps astral — pour que le stress de cette habitude impressionne votre volonté subconsciente — ne croyez-vous pas que vous pourriez saturer votre esprit de la même manière mais avec le désir et la connaissance de cet art, et être ainsi capable de rêver directement de ce qui se passe ?

COMMENT « INSTILLER » LE STRESS DE ROUTINE

Cependant, si vous préférez quand même imprimer un stress de routine dans votre esprit subconscient, voici à quoi vous devez absolument vous tenir. Allez vous coucher, levez-vous, mangez, faites vos travaux, à heures fixes et consciencieusement, jour après jour sans exception, jusqu'à ce que la routine soit devenue une part de votre vie, jusqu'à ce que votre esprit ait rejeté toute autre idée au second plan et que l'accomplissement de cette routine soit automatique. Avec votre esprit imbibé à ce point du « stress de l'habitude » vous devez garder la vision de vous-même accomplissant votre routine quand vous vous élèverez dans le sommeil, provoquant au préalable une passivité complète du corps physique avant de vous attacher à la vision de la routine.

Nous tenons à nos habitudes pour une ou deux raisons : ou bien nous les aimons vraiment, ou bien la nécessité nous pousse à exécuter « ce devoir », ou bien les deux à la fois. Sachant cela, le « stress de la routine » impressionnera la volonté subconsciente pareillement. Si vous désirez votre routine, la volonté subconsciente fera bouger corps astral est la cause de l'inconscience, ce qui est une erreur.

Il est vrai également que nous pouvons être inconscients dans le corps physique et rester ainsi pendant quelque temps avant que le corps astral ne sorte dans la zone de quiétude. Ceci est particulièrement juste quand le corps physique est sous l'influence de quelque médication. Il y a donc des exceptions à la règle qui veut que le corps astral sorte immédiatement après que l'inconscience soit intervenue.

Chez certaines personnes le corps astral sort plus tôt, chez d'autres plus tard, cela dépendant uniquement de l'état de l'individu à ce moment. On peut voir facilement que dans le but d'avoir une projection consciente — et consciente dès le début — on devrait être du type (ou tout au moins le développer) qui commence à opérer le transit dans la zone de quiétude avant que l'inconscience ne se présente. Cet état de l'individu est amené par plusieurs facteurs : le tempérament, la paralysie, etc., comme nous l'avons vu. Si la conscience complète quitte le corps quand le corps astral est inconscient, de même la conscience ne doit avoir que partiellement quitté le corps quand il est partiellement conscient.

Dans le rêve où l'on se voit projeté dans le corps astral tout en étant à côté de ce corps en spectateur — la vraie conscience étant ailleurs — où dans le rêve où l'on voit une projection dont on est seulement le spectateur et où, ensuite, on entre dans le corps astral en y prenant conscience, ne serait-il pas possible qu'une « partie de la conscience » qui avait quitté le corps « existe et comprenne » véritablement ? Ou peut-être, même, qu'un corps encore plus raffiné, coïncidant avec le corps astral, se retire et observe, alors que le corps astral suit son itinéraire, puis le rejoigne pour « y rentrer[4] » ? En tout cas, ce sont les deux rêves types que je faisais quand je rêvais de projection astrale.
le corps plus facilement que si vous êtes obligé de l'exécuter par nécessité, ce qui signifie que le désir accompagnant l'habitude dominera la volonté subconsciente plus complètement que l'habitude seule.

La routine cependant est trop banale pour frapper l'esprit aussi puissamment que la projection astrale — attrait du « paranormal »... Selon moi, chercher à développer la projection astrale au moyen d'une « habitude tenace » paraît de loin la méthode la plus difficile et je crois pouvoir dire que la plupart des gens n'auront aucune envie de devoir tenir si fort à leur routine quotidienne.

Développer l'habitude de l'étude de la projection astrale fait une routine aussi de la pratique de cet art. Aspirez à cette capacité de vous projeter dans votre corps astral, si puissamment que votre esprit sera dominé par la projection. Provoquez la passivité complète du corps physique et élevez-vous dans le sommeil en visualisant l'itinéraire du fantôme pendant la projection. C'est la façon de vous projeter à volonté.

---

4. *Cela correspondrait, bien sûr, au « corps mental » des théosophes et l'on pourrait dire que cela présente une « évidence expérimentale » directe en faveur de la réalité d'un tel corps (H.C.).*

COMMENT « INSINUER » LE STRESS DE LA SOIF

En cherchant à créer un « stress de désir » qui ne soit pas directement tourné vers la projection, vous découvrirez que le désir de boire est à la fois le plus puissant des stress « fabriqués » et celui qui se produit le plus aisément (revoir au début du chapitre x, ma projection causée par la soif). Voyez combien de temps vous pouvez rester sans absorber de liquide ! Boire est une nécessité et la soif doit être étanchée. Une méthode que j'ai expérimentée comme bonne à promouvoir la projection est la suivante :

Privez-vous d'abord de boire longtemps avant d'aller vous coucher. La durée de la « privation » doit être calculée par vous-même, chaque individu ayant un besoin d'eau différent. Une solution est de vous priver d'eau dès le matin ; si le désir devient trop intense au cours de la journée, prenez juste une gorgée d'eau de temps en temps. Vers le soir, juste avant de vous coucher, si le besoin d'eau se fait trop impérieux, prenez quelques gorgées d'eau salée. De cette façon, vous satisfaites le désir d'une certaine façon, mais pour un court laps de temps et il reviendra, encore plus fort auparavant.

Pendant toute la journée, essayez d'accroître le désir de boire en « buvant trop peu », en pensant à boire, en regardant des verres d'eau, etc. Juste avant d'aller vous coucher, placez un verre d'eau en un endroit où vous avez l'habitude de boire — disons l'évier de la cuisine. Asseyez-vous et regardez le verre d'eau ; concentrez-vous sur l'eau dans le verre. Gardez les yeux fixés sur l'eau et, en même temps, fixez votre esprit sur votre corps astral, visualisez-le, quittant votre corps physique dans la chambre où vous dormez et se rendant à l'évier pour boire l'eau qui se trouve dans le verre devant vous. Gardez bien tout le détail de l'itinéraire présent à l'esprit. Répétez ce processus mental sans cesse, en regardant fixement le verre d'eau.

Maintenant, vous voilà prêt à aller vous coucher et dormir. Vous serez assoiffé en agissant ainsi, mais oubliez votre soif et concentrez-vous sur votre cœur en le ralentissant au moyen d'une parfaite concentration. Si vraiment, vous ne parvenez pas à vous endormir, buvez alors une autre gorgée d'eau, salée de préférence. Le fait que vous ne parveniez pas à vous endormir facilement montrera que le stress est fortement ancré en vous.

Quand vous vous endormirez, continuez à penser au verre d'eau ; continuez à penser à votre corps astral qui sort et qui va au verre d'eau. Si vous êtes dans le bon état de paralysie du corps physique, durant le sommeil le corps astral, sortira du physique et cherchera à apaiser le désir. L'itinéraire que vous aviez préparé se présentera immédiatement, et le corps astral le suivra.

Je tiens à dire qu'il s'agit là d'un « exercice extrême », mais qu'il fera aisément bouger le corps astral car en réalité le simple desir d'eau suffirait à faire bouger le corps astral et l'esprit le dirigerait bien vers un endroit où l'on peut boire, sans préparation préalable d'un itinéraire, toutefois en poussant à l'extrême l'exercice, vous multipliez vos chances de succès.

Quand vous aurez pratiqué cet exercice pendant un certain temps, analysez vos rêves et voyez si vous avez eu un rêve qui avait un rapport avec l'action astrale. Vous auriez pu devenir conscient pendant que vous étiez projeté, si tel n'est pas le cas, concentrez-vous sur le fait qu'au moment d'atteindre le verre d'eau, vous vous réveillerez. Voyez-vous devenir conscient juste au moment où vous touchez le verre. Ensuite, quand vous vous projetterez réellement et que vous toucherez le verre d'eau — du moins l'endroit où se trouve le verre d'eau — la suggestion de réveil surgira. Vous pouvez procéder de la même manière avec le désir de nourriture et intensifier ce désir par la même méthode — en amenant le corps astral à sortir pour apaiser la faim. Cette méthode n'est pas aussi pénible que la méthode de la soif. Si vous êtes une « bonne fourchette », cette méthode risque de très bien fonctionner, mais si vous êtes de ceux qui n'accordent pas beaucoup d'attention à la nourriture, le « stress » créé par le jeûne ne possédera pas votre esprit aussi complètement, cela va de soi.

Vous pouvez créer vos propres exercices pendant que vous développez le stress de la faim par exemple, car si vous n'avez pas encore assimilé les principes de la projection astrale, vous n'êtes pas prêt à la réaliser.

Dans son livre consacré au yoga, H. Carrington dit à propos de la projection : « Le premier pas est l'abstinence de boissons et de nourritures excitantes. La glande pituitaire et la glande pinéale seraient stimulées de façon excessive, affectant ainsi la circulation du sang dans le cerveau. »

C'est une chose que vous devez également garder à l'esprit quand vous essayez de développer la projection astrale, car les boissons et les nourritures excitantes combattent la paralysie du corps physique. Il a été fait mention auparavant du fait que certaines nourritures sont considérées comme ayant des effets sur le corps astral et vous vous rappelez que certains chercheurs ont prétendu qu'un certain régime a un effet libérateur sur le corps astral, tandis qu'un autre a un effet inverse. Je crois avoir essayé plus de régimes que quiconque au monde dans le but de libérer la contrepartie astrale (le plus souvent sans aucun résultat) et je suis finalement arrivé à la conclusion que, même si certaines nourritures peuvent tendre à libérer le corps astral, l'effet est trop insignifiant pour être pris en considération.

C'est le stress de l'esprit qui fait sortir le corps astral, je le répète, et aucune nourriture ne constitue en soi un moyen de créer le stress adéquat. Je crois que vous ne ferez que vous illusionner si vous espérez pouvoir provoquer la projection astrale par certains régimes alimentaires — à moins que le régime ne crée la faim tout comme le ferait l'abstinence, ou qu'il ne favorise la paralysie physique, soutenant ainsi d'autres facteurs de projection.

PROJETE VERS DE L'EAU

En expérimentant le stress de la soif, j'ai connu l'expérience suivante :

Il y a une source au pied d'un arbre, juste au pied de la colline boisée que je peux voir en écrivant ces lignes.

Pour y arriver, il me faut traverser la route en face de la maison, longer la rivière sur près d'un quart de miles jusqu'à un pont, traverser le pont et longer une voie de chemin de fer sur une courte distance, jusqu'à l'endroit où la voie est proche du pied de la colline.

J'avais l'habitude de flâner souvent le long de cette route et de m'asseoir à côté de la source quand je l'atteignais. J'adorais l'eau de cette source (c'est d'ailleurs toujours le cas) et je m'y rendais de temps en temps, juste pour boire son eau que je préférais de loin à l'eau du village. Aussi, un après-midi, je pris une cruche, j'allai la remplir d'eau de source et puis je revins. Cette nuit-là, je plaçai un gobelet d'eau dans l'évier — où j'ai l'habitude de boire quand je suis à la maison — et je le regardai pendant près de vingt minutes avant d'aller me coucher. J'espérais me projeter à l'évier, vers le gobelet d'eau.

Mais au lieu de me projeter vers ce gobelet (avec l'eau de la source) je m'éveillai dans mon corps astral, juste à côté de la source ! Le corps astral avait dépassé l'évier, dépassé la rivière et s'était arrêté près de la source. Cette fois-là aucun rêve ne précéda l'éveil comme c'était généralement le cas. Je m'éveillai seulement tout à coup pour me retrouver à cet endroit.

• Notez qu'il est toujours préférable d'avoir un rêve avant de s'éveiller car si ce n'est pas le cas, on est troublé et agité pendant un moment. Le rêve permet à la conscience de venir plus progressivement.

CHAPITRE XII

LA PROJECTION CONSCIENTE EST RARE

Il est rare qu'un projecteur expérimente des projections qui soient entièrement concientes du début à la fin. Je sais qu'il en est ainsi non seulement par mes expériences personnelles, mais aussi en lisant la relation de celles des autres. La plupart des comptes rendus de projections astrales commencent alors que le sujet se trouve « dans un nouveau corps », hors de son corps physique, ce qui revient à dire que le sujet n'est devenu conscient qu'une fois projeté à quelque distance de son corps physique, soit hors du champ d'activité du câble.

Certains projecteurs prétendent savoir comment ils sont arrivés là et d'autres admettent franchement ne pas comprendre les raisons de ce phénomène. Mais il y a un point qui m'a toujours surpris : si les projecteurs qui prétendent connaître le processus de la projection astrale le comprennent vraiment, pourquoi ne le dévoilent-ils pas ? J'avais compris le phénomène depuis plusieurs années, mais ce n'est que lorsque j'ai commencé à tourner mon attention vers ce que d'autres avaient écrit sur le sujet que j'ai acquis la conviction qu'il n'était le plus souvent pas compris.

Il est plus facile de dire aux gens ce qui se passe une fois que le corps astral est projeté que de leur expliquer comment produire une projection astrale. Il est simple de dire : « — Je ne puis vous révéler comment réaliser la séparation réelle des corps », sous prétexte que ce serait là « donner des informations dangereuses » qui pourraient mener à « des conséquences désastreuses ». Pour ma part j'en ai conclu que la raison pour laquelle aucun de ces sages n'a donné le processus de la projection astrale est tout bonnement qu'ils ne le connaissaient pas, et non qu'ils se sentaient responsables de dangers que ferait encourir pareille « révélation ».

Ils savent que certaines pratiques provoquent la projection, mais ils ne savent pas *pourquoi* ces pratiques produisent le résultat voulu. Ils savent qu'ils se sont réveillés hors du corps physique, mais ne sachant pas pourquoi, ils ont dit que « c'est un don » ou bien que « c'était spontané ». Le fait que la plupart des récits commencent après la sortie du corps astral, mène avec certitude à la conclusion qu'une projection entièrement consciente du début à la fin est rare. Cependant, j'ai connu à plusieurs reprises de telles projections, dont certaines étaient non intentionnelles (rappelez-vous ma toute première projection).

J'ai remarqué qu'une telle projection se déroulait toujours après plusieurs heures de sommeil. Je me réveillais généralement entre une heure et quatre heures du matin, et le corps astral commençait à s'élever alors que je me *rendormais,* mais en d'autres occasions (comme dans la première expérience) la projection commençait dans le même état hypnagogique, mais alors que *j'émergeais* du sommeil.

Je vais vous dire ce qui passe dans chacun de ces cas :

1° état hypnagogique où l'on émerge du sommeil.

2° état hypnagogique où l'on se rendort.

Rappelons les détails du premier cas (exemple-type, ma première projection). On commence à s'éveiller lentement. incapable de comprendre où l'on « existe » mais conscient d'exister quelque part. Fermez les yeux et bouchez vous les oreilles et vous aurez une petite idée de l'état dans lequel on se trouve juste avant de « décoller » dans une projection. La conscience s'affirme de plus en plus, on comprend qu'on est couché sur son lit avant de pouvoir voir et entendre et l'on sent de nettes pulsations derrière la tête : le battement du cœur. (C'est du reste, souvent, la toute première chose que l'on ressent.) Le sujet à ce moment réalise qu'il ne peut plus bouger et s'il veut provoquer la projection, il doit penser à s'élever dans les airs — sans « efforts volontaires », ainsi que nous l'avons vu. Le sujet repose donc simplement, calmement et sans émotions et il pense à s'élever. Il a l'impression de peser une tonne et d'être comme englué sur son lit, mais petit à petit vient l'impression que la « glu » perd de son pouvoir adhésif ; le sujet devient plutôt comme un ballon captif qu'on libère de son ancre et commence à s'élever. Puis apparaît la sensation de flotter (le corps astral flotte réellement) et le sujet reste calme, prend plaisir à cette sensation de flotter et ne pense qu'à s'élever et à s'éloigner. Il sera presque toujours cataleptique jusqu'à ce qu'il ait été amené hors du champ d'activité du câble, mais jamais tant que le corps est dans la position horizontale. Pendant tout ce temps, le sujet n'aura cessé de sentir les pulsations cardiaques et il aura connu les « excentricités » dont il a été question et qui sont presque toujours présentes dans ce fameux « champ d'activité du câble ». Dès qu'il en est délivré, le fantôme semble alors doué de la plus incroyable aisance et vitalité. C'est à ce moment-là que la plupart des gens qui ont expérimenté une projection consciente prennent conscience pour la première fois. Si la plupart des récits commencent par des phrases du genre : « — Je me suis retrouvé une fois de plus hors de mon corps avec une liberté que je ne puis décrire » ; n'est-ce pas là, en effet, le moment le plus souhaitable pour devenir conscient ? Nous savons à présent que oui.

Quand une projection consciente commence durant l'état hypnagogique où l'on émerge du sommeil, le sujet ressentira la « déconnexion » des deux corps, tandis que dans la seconde éventualité — quand on s'endort — cela se passe si aisément que le sujet sent à peine qu'il s'élève jusqu'au moment de sa brusque prise de conscience. Quand le sens de l'ouïe se manifeste, les sons paraissent éloignés, de même pour la vue, tout paraît d'abord brouillé et, au fur et à mesure que les sons deviennent plus distincts, la vue retrouve son acuité.

A chaque fois, j'ai remarqué ceci : au moment où le corps astral quitte le physique, la conscience paraît

« s'éteindre » un instant, puis revenir (comme une lampe qui clignote) et c'est le moment le plus difficile pour garder cette conscience. Rappelez-vous qu'il se situe très près de la concordance, donc dans la zone de quiétude.

Réussir une projection astrale complètement consciente est une tâche très délicate et difficile. Généralement, un seul essai est infructueux, à moins que le corps physique ne se trouve dans le plus profond état de paralysie et que les émotions soient au calme. Dans ce cas, aucun stress subconscient n'est nécessaire puisque la volonté subconsciente a reçu la suggestion directement de l'esprit conscient.

Il n'est pas rare par contre que des gens s'éveillent prématurément dans un état de « paralysie nocturne » qui est, en réalité, un état cataleptique du corps astral. C'est le moment opportun d'essayer une projection car cela n'est qu'une question de suggestion adéquate, de calme émotionnel.

J'avais remarqué que la projection entièrement consciente se produisait pratiquement toujours après que j'ai dormi plusieurs heures, parfois même après toute une nuit de sommeil, souvent entre six et sept heures du matin. Avant de réussir une projection, je m'éveillais presque toujours à cette même heure, chaque matin, et cela pendant six à huit matins régulièrement. Je parvins à déplacer l'heure, soit deux heures du matin, et un matin, je m'éveillai à deux heures, puis, au moment de me rendormir, je me projetai astralement. Il m'arriva ensuite de le faire en émergeant du sommeil et parfois en me rendormant. J'en reparlerai.

LA VOLONTE PASSIVE

Avez-vous jamais été possédé du désir intense d'acquérir ou de faire quelque chose, et avez-vous remarqué que vous vous réveilliez régulièrement, au milieu de la nuit — poussé par quelle mystérieuse influence ? — avec à l'esprit ce désir, et lui seul ? Avez-vous jamais constaté, après avoir vécu la chose plusieurs fois, que, par la suite, vous obteniez souvent ce que vous désiriez ? A trois occasions différentes, j'ai acquis ainsi des choses que je désirais beaucoup et qui dans la journée, durant mes heures de conscience, paraissaient hors d'atteinte. Si vous analysez la chose, lorsque vous vous éveillez la nuit et que vous y pensez, vous découvrirez que vous êtes capable de faire ou d'acquérir certaines choses apparemment les plus impossibles, des choses que vous n'auriez jamais imaginé vous voir faire pendant vos heures de conscience journalières. Prenons un exemple.

M. Brown désire une augmentation. Il a cette envie depuis quelque temps déjà, mais hésite à en faire part à son employeur. Au beau milieu de la nuit, M. Brown s'éveille en pensant : « Plus d'argent ». Parfaitement conscient, il repose dans son lit en se disant qu'il va aller chez son patron « lui dire ce qu'il en est ». Il fera ceci, il fera cela. Mais quand vient le lendemain, où cette détermination a-t-elle donc disparu ? Quand M. Brown pense à la résolution qu'il a prise alors qu'il était somnolent mais conscient durant la nuit précédente, il se demande comment il a jamais pu envisager de faire des choses aussi insensées. La nuit suivante, M. Brown se réveille à nouveau en pensant à la même chose, le processus recommence et plus rien ne lui paraît déraisonnable.

Nous avons tous connu cela. Nous avons imaginé des choses, prévu de les faire, décidé d'obtenir quelque chose alors que nous étions éveillés au milieu de la nuit et le matin venu, nous avons fait marche arrière, considérant les résolutions trop extrêmes, presque utopiques car poussant la volonté trop loin ! Si nous avions dans la réalité le cran que nous avons dans notre imagination nocturne — imagination consciente — comme nous serions courageux !

Vous avez appris que la VOLONTÉ « met en marche » et nous fait faire des actions MENTALEMENT en centrant notre attention sur une chose jusqu'à ce qu'elle chasse toutes les autres impressions à l'arrière-plan. Nous dirons qu'il y a une *volonté passive* et une *volonté active.* La volonté passive est la plus forte, la plus déterminée et c'est aussi cette volonté qui nous stimule quand nous nous réveillons au milieu de la nuit et bâtissons nos châteaux en Espagne. Nous l'appellerons « volonté passive » parce que nous sommes dans un état passif quand nous « voulons » la nuit, conscients mais somnolents — passifs. La volonté que nous utilisons le jour, en étant plus ou moins obligés de l'utiliser, nous l'appellerons « volonté active » parce que nous sommes actifs de corps et d'esprit.

La volonté passive est la volonté imaginative, elle est déterminée et extrême dans ses exigences, néanmoins le sujet est fermement convaincu pendant qu'elle fonctionne, que ses principes sont justes et raisonnables. Voici un autre exemple maintenant pour vous montrer la différence entre volonté passive et volonté active — tout cela étant important pour produire la projection astrale ainsi que nous allons le voir.

Je me souviens que, lorsque j'étais petit garçon, mon frère aîné avait un fusil de gros calibre. J'aurais toujours voulu pouvoir raconter à mes camarades que j'avais tiré avec ce fusil et combien le « recul » était fort, etc. Un petit voisin me dit que, si je tirais avec cette arme, le recul m'assommerait et il me défiait de le faire. J'aurais voulu lui montrer que j'étais capable d'utiliser une arme, mais au fond de moi j'étais terriblement effrayé par l'idée d'être assommé si je tirais.

Plusieurs nuits, je m'éveillai en pensant au fusil, je décidais de tirer, je pouvais me voir tirer, voir mon petit voisin me regarder avec envie, etc. Tirer avec ce fusil me paraissait parfaitement raisonnable, quand j'y pensais la nuit et souvent je me disais : « Je tirerai ! » Mais quand venait le jour, et que je regardais l'arme, les résolutions de ma volonté passive, ma volonté imaginative, toute ma détermination, qui semblaient raisonnables la nuit, m'apparaissaient prétentieuses, même fantastiques. Ah ! si seulement j'avais eu la même volonté extrême pendant que j'étais actif, je n'aurais pas balancé un instant à employer l'arme !

Il est un fait que la volonté active et la volonté passive peuvent se confondre, mais pour ce qui nous occupe, nous considérerons qu'il y a une volonté passive distincte — volonté imaginative — et qu'il y a une volonté active distincte, toutes deux conscientes. Vous comprenez, bien sûr, que la volonté passive/imaginative n'est absolument pas confinée dans les manifestations d'éveil nocturne et qu'elle peut fonctionner à n'importe quel moment quand nous sommes conscients. La volonté active et la volonté passive peuvent agir simultanément, c'est-à-dire qu'on peut faire une action dictée par la volonté active, alors qu'en même temps la volonté passive peut vouloir autre chose.

PROVOQUER LA PROJECTION PAR LA METHODE DE LA VOLONTE PASSIVE

Quand nous « rêvassons », nous utilisons souvent la volonté passive. Nous pouvons imaginer sans vouloir, vouloir sans imaginer. Mais quand nous « croyons à l'impossible », quand nous nous réveillons au milieu de la nuit et que nous nous voyons vraiment réaliser quelque action qui pendant le jour, paraîtrait prétentieuse et qui, à ce moment-là semble parfaitement mesurée, quand vous vous dites, sincèrement mais en imagination « Je ferai ceci » ou « Je ferai cela », alors vous imprimez des impressions « super-puissantes » dans votre esprit subconscient. Quand vous vous jugez raisonnable dans vos suggestions et quand ce que vous voulez faire est cependant extrême, l'impression laissée dans l'esprit subconscient sera proportionnellement puissante.

Vous allez peut-être dire : « — Qu'essayez-vous de nous faire avaler ! que l'on peut se projeter simplement en imaginant qu'on le peut ? » En un sens c'est plus vrai que vous ne pourriez le croire, mais je ne prétends nullement que l'imagination seule peut projeter le corps astral, c'est de la volonté passive/volonté imaginative que je parle en tant que facteur provoquant la projection du corps astral. Revenons-en à ce M. Brown qui voulait une augmentation de son employeur et qui sous l'influence de la volonté passive, se voyait aller chez son patron lui demander une augmentation. Durant tout ce temps, M. Brown considère la chose raisonnable, sur le moment il est vraiment honnête dans sa ferme résolution. Son esprit subconscient est semblablement influencé et le stress de la détermination extrême est puissant. Si M. Brown avait continué à employer sa volonté extrême, il aurait fait véritablement les choses qu'il s'était vu faire.

L'esprit subconscient qui reçoit les suggestions continue, lui, à les considérer et si l'esprit conscient de M. Brown pouvait « s'effacer » un moment, le subconscient garderait le stress de ses souhaits passifs.

C'est le principe auquel vous êtes soumis pour produire la projection du corps astral : vous éveiller la nuit avec la volonté passive de vous projeter et vous rendormir avec cette volonté extrême, déterminée, toujours présente à l'esprit.

Je vous ai raconté comment j'avais l'habitude de m'éveiller chaque matin à deux heures, plusieurs matins successifs, juste avant une projection consciente. Chaque fois que je m'éveillais, j'avais l'impression que quelque puissance en moi m'avait délibérément réveillé afin que j'y pense et désire la projection astrale. (J'imaginais des choses apparemment impossibles concernant la projection et dans cet état de passivité, elles ne me paraissaient absolument pas hors de portée.) Je me disais souvent : « Je vais me projeter entièrement conscient dès le début ; je l'ai fait sans le vouloir et je peux le refaire intentionnellement ; j'irai dans tel endroit... », etc. Cependant, je reconnais que le jour je modifiais ma vision des choses et je pensais que je « pourrais » me projeter complètement conscient dès le début, que je « pourrais » apparaître à tel ou tel endroit ; et même en l'ayant déjà fait, je doutais de pouvoir le refaire intentionnellement. Finalement, je compris que la volonté passive/imaginative était après tout la plus forte et que ces « chimères » qui semblaient réalisables sur le moment, prenaient vraiment racine dans l'esprit subconscient avec toute la force que ma volonté passive avait mise à les y imprimer. Ce fut de cette façon que mes premières projections astrales se produisirent.

J'avais donc remarqué que je m'éveillais vers deux heures du matin plusieurs jours d'affilée avant une projection consciente, et que durant la période d'éveil, je ne pensais à rien d'autre qu'à la projection ; mais la cause véritable de la projection astrale ne devait m'apparaître que plusieurs années plus tard. Je sais maintenant que c'est durant ces périodes d'éveil nocturne que j'utilisais la volonté passive pour « hyperdynamiser » mon désir de projection, déjà présent à mon esprit et je finissais par produire une projection consciente dès le début. La projection complètement consciente commençait à l'heure à laquelle je me réveillais chaque nuit.

En fait, quand le stress d'un désir est suffisamment fort pour vous réveiller chaque nuit, il pourrait être assez fort pour vous projeter dans le corps astral sans devoir être encore « hyperdynamisé » par la volonté passive. Mais si l'on ajoute l'utilisation de la volonté passive, le stress deviendra si fort que vous pourrez alors produire une projection consciente dès le début — parfois en émergeant du sommeil et parfois en vous rendormant.

Ce « stress de l'esprit » une fois renforcé, fera l'une de ces trois choses : il réveillera simplement le sujet, il l'amènera à « somnambuler physiquement » ou il projettera le corps astral.

Si le stress vous éveille la nuit, vous pouvez en profiter pour utiliser votre volonté passive sur lui pour qu'il soit plus dynamique et plus fort que jamais. Une nuit ou l'autre, la conscience n'apparaîtra pas à temps et la volonté subconsciente fera bouger le corps astral. Quand la conscience réapparaîtra, ce sera juste au moment où le corps astral sera sur le point de bouger, et peut-être le corps astral sera-t-il déjà projeté à quelque distance.

Je n'hésite pas à déclarer qu'utiliser la volonté passive constitue un des grands secrets pour projeter le corps astral. Vous pouvez dire qu'il ne s'agit que d'un processus de simple imagination, si vous voulez mais ce n'est pas l'imagination, c'est l'imagination « plus » la volonté de faire ce qui est imaginé.

Essayez de vous éveiller à une certaine heure et si votre désir de vous projeter est suffisamment fort, votre volonté imaginative se fixera sur ce désir. Mais ne faites aucun effort pour « vouloir ». Vous ne pouvez jamais forcer la volonté passive avec succès car au moment où vous essayez elle devient volonté active... Laissez la volonté et l'imagination concernées par la projection suivre leur cours, et rendormez-vous durant le processus. Le jour, peut-être, sous l'effet de la volonté active, vous pouvez y penser et avoir des doutes sur votre capacité à vous projeter. Tenez bon ! Faites cela plusieurs nuits de suite, ayez confiance et bientôt des choses étranges commenceront à se produire à cette heure-là...

LES RESULTATS OBTENUS PAR LA « DYNAMISATION DE LA PROJECTION »

Si vous croyez que votre esprit est suffisamment dynamisé par le désir de vous projeter, et si tel est effectivement le cas, l'une des choses suivantes devrait se passer :

1. Vous rêvez d'une projection du corps astral.
2. Vous somnambulez physiquement (un des signes pour vous peut être de vous réveiller en train de sortir de votre lit).
3. Vous vous éveillez la nuit avec ce désir à l'esprit.
4. Vous expérimentez une projection consciente.

Si aucune de ces manifestations ne se produit, deux explications sont possibles : soit vous vous imaginiez seulement que votre esprit était dynamisé par le désir, soit vous expérimentez des projections inconscientes. Laissez-moi vous redire que la projection astrale inconsciente se produit couramment. Je suis persuadé que pour un cas de somnambulisme physique, il y a une douzaine de projections astrales du type inconscient. J'ai expérimenté beaucoup de projections astrales conscientes et je n'ai pas la moindre idée du nombre de mes projections inconscientes, cependant je n'ai pour autant que je le sache, connu que deux ou trois somnambulismes physiques dans ma vie.

Suivant les cas, voici ce qu'il faut faire :

1. Vous rêvez d'une projection du corps astral : essayez immédiatement une des méthodes pour amener le corps astral à s'éveiller quand vous atteindrez un certain endroit.
2. Vous somnambulez physiquement : vous n'avez pas encore atteint le degré voulu de « paralysie » du corps physique ; vous devez donc réduire davantage votre rythme cardiaque (ainsi quand la volonté subconsciente décidera de projeter le corps astral, le corps physique ne répondra pas instantanément et sera « laissé en arrière »).
3. Vous vous éveillez la nuit avec le désir à l'esprit : exercez votre volonté passive sur ce désir et « montez » dans le sommeil sous l'influence de votre volonté imaginaire. Assurez-vous aussi que vous amenez la passivité

complète du corps avant de vous rendormir, de façon à vous éveiller en état de catalepsie astrale.

4. Si vous devez constater qu'aucun des trois points précédents ne vous concerne, c'est que votre stress-désir n'est pas encore assez fort ou que vous réalisez des projections astrales inconscientes. Dans ce cas, suggérez-vous au moment de vous coucher, que vous vous réveillerez dorénavant, à trois heures chaque matin par exemple. Si cela ne marche pas, utilisez un réveil jusqu'à ce que vous preniez l'habitude de vous réveiller au moment voulu. Restez couché dans le silence de la nuit, conscient mais somnolent et laissez votre volonté passive agir sur votre désir de vous projeter. Continuez ainsi nuit après nuit, jusqu'à ce que l'habitude de le faire soit bien établie. Alors, au moment de vous coucher le soir, induisez une plus grande passivité corporelle en ralentissant votre rythme cardiaque.

Il y a encore une autre méthode que j'ai trouvée bonne, très bonne, en fait, et l'expérience vraisemblablement la plus amusante que j'aie jamais obtenue le fut par cette méthode.

Mon esprit bien dynamisé, plein de l'idée de la projection, je m'éveillai à deux heures du matin et tandis que je reposais « éveillé, conscient mais somnolent », je pensai à me projeter et à me réveiller dans la chambre d'une amie. Je reposais donc là, passif, ma volonté imaginative agissant sur ce désir et finalement, je me rendormais avec cela à l'esprit. Je n'avais répété ce processus que pendant une semaine, quand je m'éveillai une nuit dans la chambre de l'amie en question.

Elle était endormie et après être resté un moment debout à l'observer, je m'en allai. Vous pourriez dire : « — Pourquoi ne pas avoir cherché à l'éveiller alors que vous étiez près d'elle ? » ; je vous demanderai à mon tour : « — Quel intérêt cela aurait-il présenté ? » J'ai si souvent essayé d'établir le contact avec des choses physiques que cela me paraissait une perte de temps, alors qu'il y a tant d'autres choses à voir et à expérimenter quand on a la chance de pouvoir le faire. J'avais souvent parlé à mon amie de la projection du corps astral. Elle me prêtait une oreille attentive mais elle doutait toujours de la réalité du phénomène. Après avoir découvert ce moyen — relativement facile — de projeter mon corps astral près d'elle je mis au point un plan qui, espérais-je, donnerait des résultats et la convaincrait de ce que je pouvais vraiment projeter mon corps astral, car je tenais par-dessus tout à la convaincre, elle, me souciant peu à côté de cela, que quelqu'un d'autre me croie ou non.

QUELQUES PROJECTIONS TYPIQUES

Nous nous sommes donc mis d'accord sur un plan. Nous devions tous les deux nous éveiller à deux heures du matin et rester « éveillés-conscients-mais-somnolents ». Je devais penser à me projeter dans sa chambre, elle devait me visualiser le faisant. J'espérais par cette méthode utiliser non seulement mes propres pouvoirs de projection, mais aussi sa force psychique pour m'assister. Nous devions laisser notre volonté passive agir sur nos désirs au même moment de la nuit. Plusieurs semaines passèrent et durant cette période je réussis à me projeter plusieurs fois dans sa chambre et arrivé là, à devenir conscient, mais je n'avais aucun souvenir d'avoir parcouru la distance qui nous séparait ; en d'autres termes, je restais inconscient jusqu'au moment où je m'éveillais. Une seule fois, alors que je me réveillais, elle se réveilla aussi mais ne me vit pas.

Une chose étrange se produisit cependant. Je décidai, la fois suivante, de faire certaines choses que je ne lui avais pas dites afin de voir si elle pouvait me les décrire — à supposer qu'elle admette m'apercevoir. J'allai donc vers sa coiffeuse, posai la main sur sa brosse à cheveux, allai vers elle, mis la main sur son épaule, restai là un moment puis repartis placer la main sur sa brosse à cheveux, pour revenir près d'elle à nouveau, etc. Je répétai cela une douzaine de fois. Pendant tout ce temps, elle était apparemment endormie. Le lendemain, je m'enquis de savoir si elle m'avait vu dans sa chambre. « Non, dit-elle, mais j'ai rêvé que tu essayais de me brosser les cheveux et que tu allais et venais à la recherche de la brosse alors que je te disais sans cesse qu'elle était sur la coiffeuse ! »

J'en conclus que c'était un succès presque complet, même si mon amie ne faisait que rêver et que ses essais pour me voir restaient infructueux. Qu'advint-il ensuite ? Je rêvai que j'étais dans sa chambre (projection partiellement consciente, évidemment, puisque je ne me souvins du rêve que quand je la rencontrai le lendemain) et elle me dit m'avoir vu, elle en était vraiment persuadée et rien n'aurait pu la convaincre du contraire.

Bien sûr, la théorie des « formes pensées » pourrait être avancée pour expliquer ce fait, c'est-à-dire que la puissance de la volonté de la personne qui veut apparaître est telle qu'elle en arrive à créer sa forme à l'endroit voulu, mais la projection du corps astral n'est pas plus miraculeuse que la création et la perception d'une « forme pensée ».

Si le corps astral peut se projeter la nuit et influencer les idées d'autrui à distance, ne pourrait-on imaginer que certains crimes aient été commis « en résultat » de l'influence de quelque fantôme errant près des meurtriers pendant leur sommeil et leur soufflant un « instinct criminel » ? Ce n'est certainement pas impossible *.

L'idée que les rêves sont *tous* causés par des événements rencontrés au préalable dans différents stades de conscience de la vie quotidienne, imprimés dans l'esprit subconscient, me paraît fausse. Les fantômes des morts et des vivants, les pensées des morts et des vivants, peuvent provoquer des rêves et influencer également les esprits des individus, ces derniers étant tout à fait inconscients du fait.

Voici un autre point : supposez qu'on se projette dans le corps astral la nuit, que l'on pénètre dans une maison étrangère et qu'un habitant de cette maison voie le fantôme. Pensez-vous que vous pourriez amener un individu ordinaire à croire qu'il a devant lui « un fantôme projeté », un fantôme d'un être terrestre, vivant comme lui et qui dormait seulement ailleurs ? Difficilement, n'est-ce pas ? Si le fantôme projeté est inconscient, le médium dira que « l'esprit » qu'il a vu est passé juste à côté de lui sans lui prêter attention. Il y a de nombreuses explications aux

---

* On peut en douter, même si on rapproche cela du sommeil hypnotique dans lequel on ne saurait contraindre quelqu'un à agir à l'encontre de ses convictions. Il faudrait donc que le sujet ait au départ une tendance criminelle en lui. (N.d.T.)

phénomènes des maisons hantées. De plus, si le fantôme projeté était inconscient, pourquoi ne pourrait-il pas être influencé par les pensées de ceux qui résident dans la maison, et exécuter les choses que ces individus lui suggèreraient de faire ? La télépathie ne pourrait-elle exercer un contrôle sur l'esprit du fantôme ? Je crois cela fort probable. Par exemple, quand j'ai rêvé que j'étais dans la chambre de mon amie au moment où elle pensait me voir, n'est-il pas possible que son esprit ait imposé le rêve — que j'avais d'être là — au mien ?

De toute façon, voici ce qui se passa à cette occasion ; elle m'a dit que j'étais entré dans sa chambre en passant à travers le mur au moment où elle était sur le point de s'endormir, que je ne lui avais prêté aucune attention tandis que j'évoluais dans cette chambre et que je suis finalement repassé à travers le mur. Le temps passa, et les tâches et devoirs variés de l'existence quotidienne réduisirent nos expériences, mais depuis lors je me suis souvent réveillé dans sa chambre, à la fois en utilisant la volonté passive et par projections non intentionnelles.

Pourquoi ne pas essayer ce genre d'expérience si rien ne vous en empêche ? Mettez cela au point avec quelqu'un que vous aimez bien et qui vous aime également en retour. Vous devriez arriver à vous éveiller à une heure convenue de la nuit, « couchés-éveillés-conscients-mais-somnolents » et laisser votre volonté passive consciente agir sur le désir. Celui qui doit se projeter doit désirer être aux côtés du médium ou récepteur, il doit se visualiser s'élevant hors du physique puis se dirigeant dans les airs aux côtés du médium, de même que le médium doit imaginer le projecteur faisant cela au même moment. Mais n'oubliez pas de n'utiliser que votre volonté passive, votre volonté imaginative. Endormez-vous en l'utilisant. Plus le sentiment affectif entre projecteur et médium sera grand, plus grande sera l'harmonie et plus grand le désir de projection.

Comme expérience simple, un jour où vous êtes éloigné de la personne pour qui vous éprouvez de l'affection, utilisez, en allant vous coucher la nuit, votre volonté imaginative et émettez le désir de revenir près d'elle, en visualisant votre élévation hors du corps physique au moment où vous entrez dans le sommeil. Un autre facteur qui vous aidera dans cette expérience sera le fait que le corps astral a généralement tendance à retourner vers l'endroit où il a l'habitude de résider, et qu'il se déplacera avec plus de facilité d'un endroit inconnu vers un lieu familier.

J'ai extrait ces faits qui présentent des analogies avec ce que je viens de dire, de *True ghost stories* de H. Carrington. Voici un cas de ce genre, vécu par un chercheur anglais, le révérend William Stainton Moses, qui corrobore le fait suivant fourni par le médium : « Un soir, je décidai d'apparaître à Z., à quelques miles de chez moi. Je ne l'avais pas informé au préalable de l'expérience que je projetais mais, m'étant couché peu après minuit, mes pensées se fixèrent intensément sur Z., dont je ne connaissais pas la maison. Je m'endormis bientôt et me réveillai le lendemain, inconscient de ce qui aurait pu se produire. Quand je vis Z. quelques jours plus tard, je lui demandai : « S'est-il passé quelque chose chez vous, samedi soir ? » « — Oui », dit-il « beaucoup de choses ! J'étais assis près du feu avec M., en train de fumer et de bavarder. Vers minuit trente, il se leva pour prendre congé et je le laissai partir. Je retournais vers le feu pour terminer ma pipe quand je vous ai vu dans le fauteuil qu'il venait de libérer ! Je vous ai regardé fixement puis je saisis un journal à ma portée pour m'assurer que je ne rêvais pas mais en le déposant, je vis que vous étiez toujours là. Alors que je vous regardais bouche bée, vous vous êtes évanoui ! »

Certains occultistes prétendraient que le cas qui précède pourrait très bien être mis sur le compte d'une « forme pensée » mais, en ce qui me concerne, j'ai fait trop d'expériences de ce genre en étant parfaitement conscient, pour accepter la théorie des « formes pensées » (bien que je l'admette dans certains cas). Je parlerai plus tard de la façon dont l'esprit peut créer des « formes pensées ».

Du reste, pourquoi chasser un « semblant de miracle » pour le remplacer par un autre ? La théorie du corps astral est-elle donc plus difficile à accepter que celle des « formes pensées » ?

Une autre explication qui pourrait être avancée est que, au moyen de la télépathie, une personne pourrait imprimer à distance ses pensées sur l'esprit d'une autre si puissamment que celle-ci aurait une « hallucination télépathique » et croirait voir le médium. Dans le cas suivant, l'auteur de la relation était très bien connu des membres de la S.P.R. qui se portèrent garants de la véracité de ses dires.

« Un certain dimanche soir de novembre 1881, ayant beaucoup lu sur le grand pouvoir que la volonté humaine est capable d'exercer, je décidai de toute ma force d'être présent en esprit dans la chambre donnant sur la rue du second étage d'une maison située au 22, Hogarth Road, Kingston, dans laquelle dormaient deux jeunes filles que je connaissais ; elles s'appelaient Miss L.-S.V et Miss E.-C.V, âgées respectivement de vingt-cinq et onze ans. Je vivais à l'époque au 23, Kildare Gardens, à environ trois miles de Hogarth Road, et je n'avais parlé de cette expérience à aucune des deux jeunes filles pour la bonne raison que ce n'est qu'en me couchant que l'idée m'en vint. L'heure que j'avais choisie pour « me manifester » était une heure du matin, et j'avais la ferme intention de rendre ma présence perceptible. Le mardi suivant, je rendis visite aux demoiselles en question et au cours de la conversation, sans que je fasse aucune allusion, l'aînée me dit que la nuit du dimanche précédent, elle avait été très effrayée en m'apercevant debout à côté de son lit, qu'elle avait hurlé quand l' « apparition » s'était avancée vers elle, et qu'elle avait éveillé sa jeune sœur qui me vit également. Je lui demandai si elle était bien éveillée à ce moment-là et elle me répondit énergiquement par l'affirmative ; quant à savoir à quelle heure cela s'était produit, elle estima : « — Environ une heure du matin. » Cette demoiselle écrivit à ma demande sa relation de l'incident et la signa. »

M. Gurney (un des auteurs de *Phantasms of the living*) s'intéressa énormément à ces expériences et demanda à M. B. de le prévenir lorsqu'il se disposerait à apparaître de cette curieuse manière. Il reçut donc le 22 mars 1884, la lettre suivante :

« Cher M. Gurney,

Je vais essayer ce soir de rendre ma présence perceptible vers minuit, au 44, Morland Square. Je vous en ferai connaître le résultat dans quelques jours. Sincèrement vôtre. »

S.H.B.

La lettre suivante, écrite le 3 avril, contenait cette relation, établie par la personne qui reçut l'apparition, Miss L.-S. Verity : « Samedi soir, le 22 mars 1884, vers minuit, j'eus la nette impression que M. S.-H. B. était présent dans ma chambre et je le vis distinctement, alors que j'étais bien éveillée. Il vint vers moi, et de plus, passa la main dans mes cheveux ! Je lui donnai spontanément cette information quand il me téléphona pour venir me voir le mercredi deux avril. Je lui communiquai également le jour et les circonstances de l'apparition, sans aucune suggestion de sa part. L'apparition dans ma chambre était tout à fait nette. » Miss L.-S. Verity ajoute encore ceci : « Je me souviens que ma sœur m'a dit avoir vu S.-H. B., et qu'il lui avait touché les cheveux et cela avant qu'il vienne nous voir le deux août. »

La déclaration du médium se présente comme suit : « Le samedi 22 mars, je décidai de rendre ma présence perceptible vers minuit, à Miss V. au 44, Morland Square, Notting Hill *. »

« Ainsi que j'en avais convenu avec M. Gurney, je lui envoyai un mot pour le prévenir. Près de dix jours après, j'appelai Miss V. et elle me raconta spontanément que le vingt-deux mars vers minuit, elle m'avait vu et senti dans sa chambre si clairement — alors qu'elle était bien éveillée — qu'elle en avait été fort secouée et obligée de faire appeler un médecin le matin venu. »

On doit supposer, ou qu'il s'agit, malgré les initiales identiques, d'autres jeunes filles, ou que celles-ci avaient déménagé ! « Ainsi que j'en avais convenu avec M. Gurney, je lui envoyai un mot pour le prévenir. Près de dix jours après, j'appelai Miss V. et elle me raconta spontanément que le vingt-deux mars vers minuit, elle m'avait vu et senti dans sa chambre si clairement — alors qu'elle était bien éveillée — qu'elle en avait été fort secouée et obligée de faire appeler un médecin le matin venu. »

Des expériences de ce genre peuvent passer pour des « hallucinations télépathiques », mais à mon avis chaque exemple donné peut être un cas typique de projection inconsciente du corps astral.

---

* On doit supposer soit qu'il s'agit, malgré les initiales identiques, d'autres jeunes filles, soit que celles-ci avaient déménagé !

Savez-vous combien de temps il faut au corps astral pour se déplacer dans un endroit lointain puis revenir dans la zone de quiétude, pendant que l'esprit dort ? A peine 1/10 000 du temps qu'il vous faut pour y penser !

Que le fantôme projeté soit conscient dans un endroit lointain, comment l'expliquer ? Par la théorie de « l'hallucination télépathique » ou par la théorie de la projection astrale ? Les cas qui précèdent sont tous pour moi des exemples typiques d'application de la méthode que j'ai donnée, dite de la « volonté passive ». Par la volonté passive, la volonté imaginative, beaucoup de ceux qui ont été qualifiés péjorativement de « rêveurs » ont fait des choses très inhabituelles, parfois bonnes, parfois mauvaises. Le fait qu'ils étaient « des rêveurs » a été largement souligné. La raison pour laquelle ils ont été capables d'accomplir ces faits insolites est qu'ils ont laissé leur volonté passive agir sur les choses qu'ils souhaitaient accomplir — même s'ils le faisaient inconsciemment ; leur volonté passive les soumettait à un stress extrême qui, en surgissant, produisait des résultats extrêmes.

Si vous voulez vous garder de faire le mal, vous devez, non seulement, dominer vos pensées actives mais aussi vos pensées passives et plus spécialement votre volonté imaginative. Si vous voulez accomplir l'inhabituel, vous devez non seulement utiliser votre volonté active, mais aussi votre volonté imaginative. C'est ainsi qu'il faut développer ce stress extrême dans l'esprit — en désirant vous projeter vers un certain endroit ou une certaine personne — en vous éveillant au milieu de la nuit et en utilisant votre volonté passive pour agir sur ce désir et en vous rendormant avec le désir dominant l'esprit d'une façon extrême.

Si vous pouviez vous y tenir chaque nuit, pendant une période de plusieurs mois, vous trouveriez bientôt que votre esprit subconscient n'avait pas besoin d'autre stress que celui du désir de vous projeter pour vous amener à le faire, et vous seriez capable de vous projeter simplement en réduisant votre rythme cardiaque au moment de vous coucher le soir, et en pensant à l'endroit ou à la personne chez qui vous souhaitez être projeté.

Je n'ai pas agi autrement et c'est ainsi que, par simple suggestion de me projeter vers un certain lieu, je me suis retrouvé dans cet endroit-là.

CHAPITRE XIII

L'ESPRIT CRYPTO-CONSCIENT

Quand vous utilisez la « méthode de la volonté passive », vous réalisez évidemment que ce n'est pas la volonté consciente qui fait sortir le corps astral du physique, mais plutôt la volonté inconsciente. La raison pour laquelle la volonté passive est un facteur aussi puissant c'est qu'elle « veut à l'extrême », établissant un stress extrême dans l'esprit inconscient ; ensuite l'esprit subconscient « travaille en lui-même » pour amener la projection.

L'intelligence-guide n'est pas davantage l'esprit subconscient ordinaire, celui qui ne raisonne pas, mais plutôt un secteur de l'esprit inconscient, secteur qui raisonne, analyse et dirige. Certains considèrent l'intelligence-guide comme un esprit « superconscient ». Ce secteur de l'esprit inconscient possède une volonté propre (tout comme l'esprit conscient a sa volonté propre). Je l'appellerai, moi, l' « esprit crypto-conscient ». C'est de cette volonté que, dans un souci primitif de simplification, nous avons parlé comme étant la volonté subconsciente.

Jusqu'ici la nécessité d'établir ces nuances ne s'était pas fait sentir et j'ai parlé en général de volonté subconsciente comme d'esprit subconscient. Maintenant, dans le but d'expliquer plus à fond certains aspects intéressants des phénomènes, il devient indispensable de bien comprendre ces distinctions.

Rappelez-vous que l'intelligence qui contrôle — l'intelligence-guide — une projection astrale est cet esprit crypto-conscient. Une fois que vous commencerez l'étude approfondie et la pratique de l'art de la projection astrale, dites-vous que l'esprit crypto-conscient est capable de « prendre en charge » tout ce qui concerne le sujet ; c'est-à-dire qu'il pourrait prévoir une projection (sans raison apparente) et utiliser sa propre volonté indépendante de tout autre esprit ; le sujet découvre soudain qu'il est « victime » d'une projection et que l'intelligence intérieure le contrôle au lieu que ce soit lui qui contrôle l'intelligence intérieure ! Quand une telle projection « automatique » se produit, on ne peut pas grand chose pour l'empêcher.

Un occultiste a saisi la signification de cet état quand il écrit à ce sujet : « Durant le développement, l'astral paraît avoir une volonté propre et peut sortir trop vite, même sans que la personne ne le sache. »

Nous trouvons là une autre cause de ce que l'on appelle à tort « projection spontanée », celle-ci étant presque automatique. Quand l'esprit crypto-conscient exécute une projection astrale, les lois de la projection ordinaire — le stress, la paralysie, etc. — semblent avoir peu d'importance, la force exercée sur le corps astral étant très puissante. J'ai expérimenté ce type de projection alors qu'il n'y avait aucune paralysie de mon corps physique, en pleine lumière du jour, sans calme particulier autour de moi... je reposais face à mon corps.

A plusieurs reprises, j'ai eu l'occasion de dire que l'intelligence-guide, durant une projection astrale, paraissait présente — dans l'air même — dans le câble astral — quelque part — je ne sais où (voir la relation de ma première expérience). Bien que l'on puisse rester conscient, on n'a souvent aucun contrôle sur cette intelligence qui nous fait bouger à sa volonté.

L'esprit crypto-conscient est l'intelligence qui élève le corps astral, le met sous catalepsie puis l'en libère, fait tourner le corps dans les airs, le place dans une position verticale et lui fait accomplir diverses actions de ce genre. L'esprit crypto-conscient peut faire exécuter au corps astral un nombre infini de cabrioles les plus adroites et les plus surprenantes, le contrôlant à la manière d'un hypnotiseur, mais la chose curieuse ici, est qu'on peut être conscient tout le temps que l'on se trouve sous l'influence de la volonté crypto-consciente.

L'esprit crypto-conscient opère sur une force puissante et subtile pour réaliser tout cela, et cette force, ce pouvoir moteur que dirige l'intelligence, est une chose sur laquelle nous avons le moins de connaissances, bien qu'elle soit sans doute inhérente à la commune nature humaine... Si nous pouvions cerner cette force, comprendre sa nature profonde et de quoi elle se constitue, nous ferions un grand pas vers l'explication de nombreux phénomènes physiques étranges tels que raps, télékinésie, etc.

MANIFESTATIONS CRYPTO-CONSCIENTES SOUVENT MISES SUR LE COMPTE DES FANTOMES DES MORTS

Chez beaucoup de médiums, l'esprit crypto-conscient, opérant sur cette force secrète, produit des choses étranges, telles que des « manifestations physiques ». Alors que les phénomènes produits sont souvent mis sur le compte d' « esprits de l'au-delà », la responsabilité devrait en être attribuée à un médium, et plus particulièrement à son esprit crypto-conscient. Le médium lui-même ne réalise d'ailleurs pas que l'intelligence derrière ces manifestations est son esprit crypto-conscient, et je ne connais rien qui agisse plus normalement que cet esprit-là quand on se trouve sous son contrôle ; il fait même des choses assez comiques ! Je suis convaincu que l'esprit crypto-conscient produit souvent des effets qui amusent les assistants juste de la façon dont ils espéraient être divertis, ou hantent un endroit en produisant des *raps*, etc., simplement parce que les êtres humains qui vivent dans cet endroit désirent entendre ou voir des « manifestations ».

Mais comprenons-nous bien : tout ceci ne relève pas de l'hallucination pure et simple. Des êtres humains peuvent « hanter » une maison qu'ils habitent — ils peuvent entendre et voir des manifestations physiques qu'ils attribuent à « des esprits » mais qui sont en réalité des productions de leur propre esprit crypto-conscient opérant sur cette fameuse force cachée — et ils diront : « — Nous n'avons absolument rien fait pour produire ces manifestations, ce sont d'autres esprits qui en sont la cause. » Que les amateurs de fantômes, toutefois, ne soient pas déçus, les

« esprits » aussi peuvent produire de telles manifestations, mais nous ne devons pas tout mettre sur le compte des « chers disparus ».

Je crois également probable que de nombreux messages transmis par des médiums de bonne foi et supposés venir directement d' « esprits amis », soient donnés par l'esprit crypto-conscient du médium. Ce n'est pas aller trop loin de prétendre que cet esprit crypto-conscient peut même « représenter » l'ami disparu, pendant qu'il donne le message. La plupart des occultistes « évolués » acceptent l'idée que de nombreux phénomènes psychiques sont produits par l'intelligence intérieure du médium opérant sur certaines forces vitales, alors que d'autres le sont par « les esprits ».

En fait, cet habile maniement du corps astral par l'intelligence-guide est bien l'une des plus étonnantes impressions que l'on a quand on expérimente pour la première fois une projection astrale complètement consciente. Je ne dirai pas que c'est la première perception surprenante, mais la seconde. La première impression, presque renversante celle-là; est d'être vivant tel que l'on s'est toujours connu, mais en dehors de son corps physique !

Le fait de réaliser cela quand, projeté consciemment, on regarde son enveloppe physique sans vie, est presque trop étonnant pour être accepté comme vrai et vous jette dans un état de stupeur émerveillée ; ce n'est qu'après s'être ressaisi que le second « miracle » vous apparaît : le parfait contrôle et l'habileté de l'intelligence.

LES DIFFERENTES FAÇONS DONT L'ESPRIT FONCTIONNE

Nous allons considérer maintenant les différentes façons dont l'esprit fonctionne depuis le début de la projection du corps astral, jusqu'à la fin et au-delà du champ d'activité du câble. Tout d'abord, considérons une projection intentionnelle qui se produit durant le sommeil, quand il y a un stress dû à un désir ou à une habitude à la surface de l'esprit subconscient ordinaire.

Ce stress sera utilisé par la partie de l'esprit inconscient que nous avons appelée « esprit crypto-conscient » qui

« travaillant en lui-même » prend ce stress en considération et décide que le moyen d'éliminer ou d'apaiser ce stress est de projeter le corps astral et de le laisser satisfaire son besoin/stress.

Il peut se faire que l'esprit crypto-conscient, parce qu'il sait que nous ne ferions pas ces choses pendant la journée, les exécute la nuit alors que nous sommes endormis et que nous ne pouvons pas consciemment interférer ; c'est-à-dire qu'il se rend compte que l'esprit conscient est attaché à ses problèmes ou empêché de se dégager de son stress dans bien des cas et, pour cette raison, il les amène à être apaisés pendant que nous sommes inconscients. Quoi qu'il en soit, l'esprit crypto-conscient prend le contrôle, dirige « la force » subtile et provoque la projection astrale.

Tout ce que nous avons vu à propos de l'exercice de ce que j'appelais « volonté subconsciente » est à méditer à la lumière des derniers éléments : ce que je viens d'expliquer sur esprit (et volonté) crypto-conscient.

Supposons que lors d'une projection astrale, on soit conscient et hors du champ d'activité du câble, en d'autres termes que l'on soit conscient et que l'on puisse se déplacer comme on l'a toujours fait (ceci, vous vous en souvenez, a été qualifié de « vitesse de déplacement normale »). Maintenant, on veut se déplacer jusqu'à la maison du voisin, mais on ne fait plus aucun effort. Instantanément on commence à avancer ou plutôt, on a l'impression que tout vient à soi, à travers soi, en vous dépassant. On est conscient, on réalise ce qu'on fait, mais on n'utilise pas sa propre puissance motrice habituelle : c'est la « vitesse de déplacement intermédiaire » et elle est analogue à l'état dans lequel on est quand on se trouve dans le champ d'activité du câble ou que l'on peut envoyer des suggestions à l'intelligence-guide en s'attendant à ce qu'elle y réponde. Que l'on veuille maintenant se trouver dans la maison d'un ami distante de dix miles et instantanément, on y est : c'est la « vitesse de déplacement supranormale » qui est toujours inconsciente. Dans la maison de cet ami, on peut, à volonté, circuler normalement ou se déplacer à la vitesse intermédiaire.

Tout cela pour vous montrer comment nos esprits intérieurs peuvent « se remplacer » et intervenir chacun à n'importe quel moment au cours d'une projection astrale ; c'est vrai également pour les esprits qui « vivent sur le plan astral ». Une expérience que je fis un jour, illustre bien cela, et je peux dire que c'est l'une des plus étranges que j'ai jamais connue.

UNE PROJECTION « SUPERCONSCIENTE »

J'ai appelé cette expérience : « projection superconsciente », pour une raison qui vous apparaîtra clairement quand vous arriverez à la fin de mon histoire.

C'était durant l'été de 1924, un de ces soirs étranges de clair de lune, quand l'atmosphère semble remplie d'une curieuse quiétude. J'avais quitté la maison peu après le repas du soir et j'étais descendu au village. Rien ne paraissait m'intéresser et j'étais la proie d'un indescriptible sentiment de solitude. J'allais et venais sans but, pour aller finlement m'asseoir sur un banc en face d'un garage. Je restai assis là quelque temps à méditer en m'interrogeant sur les « pourquoi » et les « comment » de la vie. Je me souviens avoir regardé plusieurs fois cette lune brillante et rayonnante au-dessus de moi ; j'étais extrêmement fâché contre moi-même à l'idée de ne pouvoir résoudre tous ces graves problèmes. Finalement, découragé, je rentrai à la maison, allai dans ma chambre dont je fermai la porte avant de me jeter en travers de mon lit. Je me reposais depuis à peine quelques instants quand mon attention fut attirée par une sorte de vague froide qui glissait sur moi tandis que mes membres paraissaient s'engourdir[1].

Je me pinçai la hanche, mais je ne sentis rien ; je fis de même avec mon bras, mais lui aussi paraissait insensible. Je suis persuadé qu'une aiguille aurait pu pénétrer ma chair à ce moment sans que je la sente. En quelques minutes, j'étais devenu incapable de bouger. Toute ma puissance motrice m'avait quitté et je reposai (conscient) pendant quelques minutes dans cet état, indéniablement très désagréable. J'étais conscient mais incapable de voir, d'enten-

1. Une projection non intentionnelle est souvent précédée de cette sensation : vague de froid et torpeur, c'est-à-dire une sorte de paralysie, induite par « la crypto-conscience ». (S. Muldoon).

dre, de sentir ou de bouger ; j'avais l'impression que seule la conscience existait en moi. Cependant, ce n'était pas une expérience tout à fait insolite pour moi et, comme je savais ce qui allait se passer, je gardai mon sang-froid, prêt pour une autre excursion consciente dans mon corps astral.

Je fus « soulevé dans les airs », puis transporté à une distance de dix pieds environ, et mon sens de la vue se remit à fonctionner. Comme c'est souvent le cas, au début, tout paraît brouillé aux alentours, comme si la chambre était remplie d'une sorte de vapeur ou comme si on regardait à travers une vitre dépolie. Cet état n'est que temporaire cependant, et dure généralement près d'une minute dans presque toutes les projections conscientes.

Bientôt, je pus me voir normalement dans le corps astral. De là, je fus redressé par l'intelligence-guide et déposé sur le plancher de la chambre, vacillant du fait de l'action du câble. Quand je sortis du champ d'activité, j'étais à nouveau libre et normal ; je déambulai un court instant dans la maison puis dehors, dans la rue. A peine sorti, je me trouvai au milieu d'une scène surprenante et je découvris que j'étais dans une maison étrangère, parfaitement inconnue. Je compris que j'avais voyagé à la vitesse supranormale, mais la raison de tout cela restait mystérieuse. Je regardai autour de moi, en me demandant si, par hasard, l'intelligence m'avait projeté là dans un but bien défini. Quatre personnes occupaient la pièce, dont une jeune fille de dix-sept ans environ.

Je ne voyais toujours pas de motif à ma présence. Mais, sachant par expérience que si on n'utilise pas sa propre volonté consciente pendant qu'on est projeté dans le corps astral, la volonté subconsciente prend le contrôle, je raisonnai de cette manière : « — Je ne vais pas essayer de voir ou de comprendre à tout prix ; je vais seulement laisser l'esprit crypto-conscient me guider. » Aussi, je relâchai la tension dans mon esprit conscient, tout en laissant ma pensée errer à la recherche d'une explication. Je n'avais pas plus tôt fait cela que mon corps se plaça, sans que je fasse aucun effort, juste en face de la jeune fille ; elle cousait une robe noire. Je fis de nouveau le tour de la pièce en examinant certains objets. Il ne me restait rien d'autre à faire, semblait-il, que de rentrer chez moi, car ce « vol » devait être dépourvu de signification particulière. Comme je me suis toujours montré prudent dans le cas de projection lointaine, je décidai de réintégrer le physique, ce que je fis en en émettant simplement le souhait. (Chose facile, car je dirai que l'on a en fait des difficultés à empêcher l'intériorisation si on approche trop près du corps physique.) Juste avant, je jetai un dernier coup d'œil à l'extérieur de l'habitation et notai qu'il s'agissait d'une ferme. Instantanément, je fus de retour dans ma chambre, regardant mon corps physique qui reposait sur le lit.

Six semaines passèrent, j'avais presque oublié cette expérience, guère différente de nombreuses autres projections à longue distance. Puis, un après-midi, alors que je rentrais chez moi, je vis une jeune fille sortir de la voiture qu'elle conduisait et entrer dans une maison voisine. Je la reconnus immédiatement : c'était la jeune fille que j'avais vue l'autre nuit, six semaines auparavant, dans la ferme inconnue, alors que j'étais projeté dans mon corps astral. Ma curiosité fut tout de suite éveillée ! Je flânai un peu en attendant qu'elle sorte de la maison, car je savais qu'elle ne vivait pas là ; elle finit par sortir et comme elle se dirigeait vers sa voiture, je ne perdis pas de temps pour l'accoster en lui disant presque brutalement : « — Excusez-moi, mais où habitez-vous ? » Elle me répondit : « — Cela ne vous regarde pas ! » Elle devait, en effet, me trouver fort cavalier, impertinent et... indiscret ! Je réussis cependant à lier la conversation et, ce faisant, à lui dire que je l'avais déjà vue, que je savais à quoi ressemblait sa maison, je la lui décrivis même pour la persuader que c'était bien la vérité. Ma description fut si parfaite que, convaincue de ma sincérité, elle parla plus librement et me demanda qui m'avait dit — ou comment je savais — ces choses alors que j'ignorais son adresse. Elle habitait à près de quinze miles de chez moi à vol d'oiseau. Une chose en amène une autre... Je commençai à l'aimer. Je la revis souvent par la suite ; j'allai même chez elle : sa maison était exactement telle que je l'avais décrite, et telle que je l'avais vue dans ma projection consciente.

Je l'ai même convaincue que la projection astrale est possible car elle m'a vu depuis lors, projeté dans sa chambre (en voir le récit plus haut). Elle est en fait à l'heure actuelle, une amie très chère, et c'est avec elle que j'ai tenté de nombreuses expériences astrales.

PROJECTION AUTOMATIQUE

En début de chapitre, j'ai parlé de la projection automatique — faussement qualifiée de « spontanée » — que l'esprit crypto-conscient peut réaliser sans avoir été stimulé à le faire.

Quand nous voulons faire une projection, nous savons que la paralysie du corps physique est un facteur très important, que nous pouvons produire cet état par le contrôle cardiaque et que, ce faisant, nous pouvons sentir « des vagues froides » nous parcourir et remarquer un engourdissement du corps physique.

Si on est conscient au début d'une projection du corps astral crypto-consciente automatique, un des premiers symptômes que l'on note est celui des « vagues froides », suivi d'un engourdissement des membres (extériorisation de sensibilité), à tel point souvent que l'on devient insensible à la douleur. On découvre ensuite que le pouvoir intérieur a retiré sa motricité au corps. N'est-ce pas analogue à la paralysie provoquée volontairement ?

Mais il faut savoir que tous les « secteurs de l'esprit » s'influencent plus ou moins réciproquement et peuvent travailler soit indépendamment, soit en conjonction, sans qu'il soit possible dans la pratique de dire exactement comment ils vont fonctionner, même si par l'étude et l'expérience on a pu cerner un bon nombre de fonctions importantes. Quand on a expérimenté ne fût-ce qu'une seule projection consciente, on devrait être convaincu de la supériorité de l'esprit crypto-conscient. Cependant, on remarquera également, bien qu'il nous contrôle parfaitement en certaines occasions, qu'à d'autres moments, il peut être influencé par les impressions d'autres esprits.

1. L'esprit crypto-conscient peut produire une projection automatique crypto-consciente du corps astral et le sujet peut être inconscient ; le pouvoir contrôlant fait ce qu'il veut avec le corps, indépendamment de toute impression qui lui est extérieure.

2. L'esprit crypto-conscient peut agir sur un stress de l'esprit subconscient ordinaire, il peut projeter le corps et être influencé par les impressions de l'esprit subconscient ordinaire (c'est très courant).

3. L'esprit crypto-conscient peut prendre une suggestion directement de l'esprit conscient et produire ensuite une projection du corps astral. (Ce n'est pas très courant mais cela peut arriver, spécialement en utilisant la volonté passive consciente.)

4. L'esprit crypto-conscient peut avoir le corps sous son contrôle — le sujet étant conscient — et prendre des suggestions de l'esprit conscient, ou ignorer ces suggestions.

5. L'esprit crypto-conscient peut avoir le corps sous contrôle (le sujet étant conscient) et prendre des suggestions de l'esprit subconscient ordinaire — tel qu'un stress ou une habitude. Si l'esprit crypto-conscient refuse de prendre des suggestions de l'esprit conscient du sujet mais prête attention aux suggestions venant de l'esprit subconscient ordinaire, le sujet sera forcé d'accomplir une habitude ou d'apaiser un désir qui provoque un stress — et cela même étant conscient (les revenants sont souvent dans cet état).

Ce qui précède vous donnera une idée des multiples façons dont « l'esprit » travaille, la règle étant que l'on ne peut influencer le pouvoir contrôleur par sa volonté consciente, la plupart du temps, durant une projection cependant consciente. En fait, le pouvoir qui contrôle libère généralement le sujet après l'avoir projeté. En ce qui concerne les projections inconscientes, quelle différence cela fait-il, puisque nous sommes de toute façon inconscients de ce qui se passe ? L'esprit crypto-conscient est sans aucun doute responsable de nombreux phénomènes psychiques que je vais développer bientôt, mais tout d'abord permettez-moi de mentionner une autre expérience que j'ai faite.

UNE HORRIBLE EXPERIENCE

Un jour de l'été 1916, une violente tempête ravagea la localité dans laquelle je vivais et, bien qu'elle fût brève, elle causa beaucoup de dégâts. Des immeubles furent détruits, des arbres déracinés, des pylônes abattus et de larges mares d'eau restaient dans les dénivellations du terrain.

Après la tempête, notre voisin, mon frère et moi, sommes allés voir les résultats du cataclysme. Nous marchions sur le trottoir en en discutant quand, à trois rues environ de la maison, nous arrivâmes à un endroit où les pylônes électriques avaient été arrachés — un des câbles pendait du pylône jusqu'au milieu de la rue.

Nous nous arrêtâmes en nous demandant si c'était un câble « chargé ». Le sol était très humide comme le trottoir sur lequel nous étions. Je m'avançai pour dégager le câble du chemin ; c'est tout ce dont je me souviens, car c'était un câble à haute tension et n'ayant pas d'isolant aux pieds, je perdis conscience immédiatement. Mes compagnons me racontèrent, après, ce qui s'était passé. Je fus violemment projeté en avant ; j'étais rigide et le visage congestionné comme prêt à exploser d'un coup de sang ; le saut fut si violent que j'atterris à près de dix pieds de là dans la boue et l'eau de la rue, le câble accroché à moi, ou plutôt m'agrippant au câble !

Je ne savais rien de tout cela, mais je repris conscience hors de mon corps physique et je le vis gisant là, à partir de mon corps astral. Je pouvais sentir cette terrible électricité passer à travers moi, bien que me « tenant astralement » à quelques pieds de mon corps physique, qui était toujours en contact avec le câble (voir *Sensibilité double*).

Quel effroi me causa cette épreuve ! Quand j'y songe aujourd'hui, je me demande comment j'ai pu la supporter ! Je ne connais pas de mots pour décrire les horribles sensations que j'eus à traverser alors que j'étais ainsi conscient dans le corps astral ! Bien que je fus à l'extérieur de mon corps physique, je sentais son angoisse et je ne pouvais rien faire ! Les bras de mon corps astral étaient tendus, rigides, comme accrochés à un câble qui n'était pas là, tout comme les bras de mon corps physique tenaient un câble qui lui, était là et je ne pouvais bouger de cette position ! Mon corps astral, bien que debout, était exactement dans la même position que mon corps physique couché.

Je pouvais aussi voir mes amis près de moi, muets de stupeur, effrayés et n'osant toucher mon corps physique de peur de connaître le même sort. Je leur criais en vain, de courir chercher de l'aide, mais ils ne pouvaient ni me voir dans mon corps astral ni entendre mes plaintes ; je ne cessais de crier : « — Dites-leur de couper le courant ! », mais mes cris tombaient dans des oreilles sourdes et les deux garçons restaient là, incapables de bouger.

Soudain, ils parurent retrouver leurs esprits et commencèrent à crier et à s'agiter dans tous les sens, appelant à l'aide de toutes leurs forces. Selon eux, j'avais également crié en touchant le câble et en touchant le sol dans ma chute, mais je n'en ai aucun souvenir et j'ai dû le faire alors que j'étais déjà inconscient. Après avoir atterri sur le sol, il paraît que je me suis redressé deux fois avant de retomber et ils me crurent mort. Ce doit être à ce moment-là que la projection se produisit et que je devins conscient dans le corps astral.

Quoi qu'il en soit, c'était véritablement comme si la douleur « bouillonnait » de chaque cellule de mon corps et je tremblais dans l'astral exactement de la manière dont le corps physique frémissait sous le courant. Je restai là, impuissant, pendant quelques minutes qui me parurent des années.

Puis je vis heureusement des gens accourir de tout le voisinage vers cet endroit ; je vis M. sauter par-dessus une barrière, à une rue de là et courir vers le lieu de l'accident (c'était un de mes meilleurs amis) ; deux dames arrivaient de maisons proches, je les connaissais également. Un homme et son fils venaient vers moi ; l'homme avait une hache et des bottes de caoutchouc, il se baissa pour saisir mon corps physique et j'eus aussitôt l'impression de le réintégrer. J'y repris conscience alors que tous les voisins arrivaient et m'observaient. Toutes les personnes encore en vie à l'heure actuelle peuvent témoigner de l'exactitude de ces faits pour ce qui est de leurs aspects visibles et si je ne les ai pas nommées, c'est qu'elles pourraient peut-être s'opposer au fait de voir leur nom apparaître dans un livre de ce genre.

Tous furent très étonnés de me voir « revenir à la vie » comme ils dirent ; le médecin qui fut appelé pour m'examiner en fut tout aussi sidéré, vu le temps que j'avais passé attaché au câble dans lequel le courant continuait à circuler. Les spectateurs croyaient en fait que j'étais déjà mort depuis longtemps. Les garçons dirent que dix minutes avaient bien dû s'écouler entre le moment où je touchai le câble et celui où l'on me dégagea. Comme je fus conscient pendant au moins cinq minutes, je pense que j'ai dû être inconscient environ cinq autres minutes avant de m'éveiller dans le corps astral.

POURQUOI LES VICTIMES DE MORT VIOLENTE RE-VIVENT LEUR MORT DANS LEUR CORPS ASTRAL

Presque toutes les nuits suivantes, je rêvais d'électrocution et dans ces rêves, je revivais toute mon aventure exactement de la façon dont elle s'était passée. Parfois je devenais conscient et découvrais qu'il ne s'agissait que d'un rêve, mais je me trouvais toujours projeté et généralement debout à côté de mon corps physique qui reposait sur le lit. Même alors il me fallait parfois plusieurs minutes avant de réaliser que j'étais conscient, dans mon corps astral et que l'expérience appartenait au passé. Une fois, je m'éveillai pendant ce cauchemar et me trouvai projeté, en train de revivre l'affreuse expérience à l'endroit même où elle s'était produite. La victime d'une mort violente re-vit souvent sa mort, encore et encore dans l'astral, nous l'avons vu. Cela paraît vraiment injuste et cruel, pourtant on peut comprendre qu'il doive en être ainsi. Ce n'est pas tant la véritable douleur qui demeure, que la terreur mentale imprimée profondément sur l'esprit par la douleur (le stress).

Supposons que je sois mort accroché à ce câble au lieu de « revenir à la vie » ; en permanence dans l'astral, j'aurais alors pu être amené à revivre ma mort, pour plus d'une raison. Nous avons vu que c'est exactement ce que j'ai fait, alors que j'étais physiquement vivant, je revivais l'événement « astralement » chaque nuit. Les « êtres astraux » dorment et rêvent tout comme vous et moi, nous ne devons pas l'oublier. Donc, si j'étais devenu un résident permanent du monde invisible, je ne serais pas différent de ce que je suis maintenant et la nuit, ou quand l'inconscience me saisirait, ou quand je rêverais, je revivrais ma mort dans le corps astral, exactement comme je peux le faire dans mes rêves en étant physiquement vivant, et exactement comme cela s'est réellement passé. L'impression dominante produite sur mon esprit (le « stress ») m'aurait eu en son pouvoir. On peut imaginer l'impression faite sur l'esprit par la terreur accompagnant une mort violente, pouvant même déséquilibrer la victime, la rendre littéralement folle dans l'astral, pendant un certain temps, tant que le « stress » domine son esprit et l'oblige à revivre constamment la scène. Il est alors « attaché à la terre » bien sûr et si des êtres terrestres devaient le voir agir ainsi, ils considéreraient l'endroit comme « hanté ». On a beaucoup écrit sur « les entités attachées à la terre », cependant la plupart des auteurs ne savent pas donner la raison de leur état — certains prétendant même que « les esprits qui hantent » doivent avoir mené une vie terrestre mauvaise et que c'est pourquoi ils sont « maintenus dans les couches inférieures » de l'astral.

Ceci serait une explication assez logique, mais l'expérience de la projection astrale révèle tout autre chose. Les Spiritualistes m'ont reproché cette position. Pourtant, il est vrai qu'une personne parfaitement innocente peut se révéler « attachée à la terre ». C'est toujours la victime d'un meurtre qui revit sa mort et visite les lieux du crime. Combien de fois entendrons-nous parler d'un assassin qui hante un endroit... Non, il s'agit plutôt de la victime, de l'innocent...

En fait, tous les fondements du spiritisme moderne reposent sur les phénomènes de maisons hantées[2].

Il y a quatre — et uniquement quatre — raisons pour lesquelles un esprit est attaché à la terre ; et curieusement, nous en avons déjà employé trois pour l'autoprojection. Ce sont des états particuliers de l'esprit et de son fonctionnement, à savoir : le désir, l'habitude, les rêves et la folie.

Il peut paraître déraisonnable — spécialement à ceux qui croient qu'un état « attaché à la terre » est uniquement la conséquence d'une mauvaise vie terrestre — que la vengeance amène une entité désincarnée à « hanter » un endroit ou une personne, et que l'amour provoque exactement la même chose.

Une mère défunte, désirant désespérément serrer une

2. Voyez à ce sujet *Hydesville in history*, par M.-E. Cadwallader.

fois encore son enfant sur son cœur, fréquentera un endroit pendant quelque temps après sa mort. Un criminel, animé d'un désir de vengeance, fera de même. Tous deux sont pareillement sous l'influence d'un stress et ne feront pas cela uniquement en étant conscients (c'est-à-dire quand la volonté crypto-consciente fait attention à ce stress et ignore les suggestions conscientes comme c'est parfois le cas), mais encore inconscients ou dans l'état de rêve.

Je connais le cas d'une grand-mère qui aimait tendrement ses petits-enfants ; après sa mort, elle a hanté leur maison pendant de nombreux mois. Il faut ajouter qu'elle avait perdu la raison peu de temps avant qu'elle ne meure. Après plusieurs mois de « hantise », un membre de la famille entra en communication avec elle et lui dit : « — Pourquoi diable voulez-vous continuer à rôder dans les environs, à nous ennuyer ? » Ce à quoi la vieille dame répondit : « — Je viens juste voir comment vont mes enfants, et je repars. » Son interlocuteur terrestre l'instruisit alors, lui expliquant qu'elle ne pouvait pas leur faire grand bien et qu'elle devait rejeter les habitudes et désirs terrestres. A dater de ce jour, la maison ne fut plus « hantée » par la vieille dame. Nous voyons ici un cas de grande affection (désir) retenant l'entité par son « stress ».

Toujours à ce propos, il y a le cas assez connu de deux hommes qui se querellèrent sur une route menant à un moulin, près de Bristol, en Angleterre. Un combat sans merci s'ensuivit. Ils se battirent jusqu'à la mort de l'un d'eux.

Pendant de nombreux mois après l'événement, chaque nuit (au moment où la mort se produisit dans la réalité), on pouvait voir la victime revivre la bagarre et sa mort. L'homme se battait un moment avec un ennemi imaginaire, puis il disparaissait. Des témoins de la scène dirent que « l'esprit » paraissait rêver bien qu'à d'autres moments, il conversait avec eux aussi logiquement que n'importe quelle personne vivante et consciente l'aurait fait. C'est ce qui stupéfia de nombreux chercheurs qui croient que parce qu'une « entité » attachée à la terre est assez consciente pour comprendre et parler, elle ne peut pas être en train de rêver, ce qui est une erreur.

C'est l'esprit crypto-conscient qui a l'entité en son pouvoir à ces moments-là et c'est cet esprit qui parle, répond aux questions, etc., alors que l'esprit conscient rêve. D'un autre côté, l'entité peut être consciente et sous la domination de l'esprit crypto-conscient qui ignore ses suggestions conscientes et fait plutôt attention au stress de l'esprit subconscient. Mais cela ne se produit pas fréquemment.

J'ai dit plus haut que l'esprit crypto-conscient contrôle toujours le sujet — projecteur ou esprit — quand il est inconscient ou dans la conscience de rêve, même s'il peut prendre des suggestions de cette conscience de rêve. Chaque fois que vous vous trouvez devant un cas « d'attachement à la terre », vous êtes en présence d'un cas dans lequel l'esprit conscient du sujet ne fonctionne pas normalement, c'est-à-dire assez fortement, et c'est la volonté crypto-consciente qui le contrôle.

Peut-être ne croyez-vous pas un mot de tout cela ? Eh bien, je pourrais vous dire que nous n'avons pas à aller « dans l'astral » pour prouver quoi que ce soit.

Nous avons vu que la seule différence entre le somnambulisme astral et le somnambulisme physique est que, dans ce dernier cas, le corps physique « tient » à l'astral, qui est sous le contrôle de la volonté subconsciente/crypto-consciente.

Maintenant, s'il vous arrive de rencontrer un somnambule et qu'il puisse vous parler logiquement dans son somnambulisme, questionnez-le, puis éveillez-le et demandez-lui s'il se souvient de ce qu'il a dit. Il vous répondra presque chaque fois par la négative. Cependant, il conversait logiquement et agissait avec une précision instinctive (l'instinct vient de l'esprit crypto-conscient). De ce fait, ce n'était pas à son esprit conscient que vous parliez, pas plus que ce n'est l'esprit conscient du revenant qui vous répond quand il revit sa mort dans un rêve (ou les incidents qui y sont liés).

Si j'avais « somnambulé physiquement » dans mon rêve d'électrocution, j'aurais vécu la tragédie avec mon corps physique attaché à l'astral, de la même façon que je le fis dans mon corps astral uniquement. On a vu, très souvent, durant la Première Guerre mondiale, des soldats qui, pendant qu'ils rêvaient, sautaient de leur lit et revivaient des terreurs qu'ils avaient rencontrées et qui avaient laissé des traces, des stress profonds dans leurs esprits subconscients. En somme, nous n'avons pas à faire référence à « l'invisible », au « mystère » pour prouver qu'un esprit « hante » un endroit, ou qu'il vit et revit un événement tragique.

Janet a enregistré de nombreux et intéressants cas de somnambulisme ; parmi ceux-ci, il y a le cas d'Irène, âgée de vingt ans. Ce cas démontre très efficacement, le point que j'ai essayé de prouver.

LE CAS D'IRENE

« Pendant soixante nuits, cette jeune fille avait veillé sa mère qui mourait de tuberculose, qu'elle aimait par-dessus tout. A la mort de sa mère, elle secoua le cadavre, comme pour le ramener à la vie mais, alors qu'elle l'avait soulevé, le corps raidi tomba sur le sol et elle dut faire de gros efforts pour le ramener sur le lit. Vous pouvez vous représenter tout l'horrible de la scène. Quelque temps après les funérailles, des symptômes curieux et impressionnants commencèrent à se manifester. En fait, c'était un des plus beaux cas de somnambulisme que l'on ait jamais vu. Pendant ses crises qui duraient des heures, la jeune fille revivait tous les événements qui s'étaient déroulés à la mort de sa mère, sans en oublier le moindre détail. Parfois, elle se contentait de relater tout ce qui s'était passé avec beaucoup de volubilité, faisant à la fois les questions et les réponses, ou posant des questions dont elle attendait la réponse. Parfois, elle "voyait" les divers moments de la scène avec un visage effrayé et agissait en fonction de ce qu'elle voyait. A d'autres moments, elle combinait toutes les hallucinations, les mots et les actes et paraissait jouer une tragédie bien extraordinaire ! Quand, dans son drame, la mort se produisait, elle avait la même idée : elle se préparait au suicide. Elle en parlait à voix haute, paraissait discuter avec sa mère, lui demander conseil, puis elle imaginait qu'elle essayait de se faire écraser par une locomotive. Cette "péripétie" était aussi un souvenir d'un événement réel de sa vie[3]. Elle s'imagi-

---

3. Voilà un excellent exemple qui montre comment les « secteurs » différents de l'esprit peuvent agir soit séparément

nait être sur les rails et s'étendait sur le plancher de sa chambre, attendant la mort avec une impatience mêlée de crainte[4].

« Elle "gardait la pose", et avait sur le visage une expression sublime qui restait figée plusieurs minutes. "Le train" arrivait devant ses yeux exorbités, elle poussait un hurlement et retombait sans mouvement, comme morte. Elle se relevait presque aussitôt et recommençait à vivre une des scènes précédentes. Une des caractéristiques de ces somnambulismes, c'est qu'ils peuvent se répéter indéfiniment. Non seulement les différentes attaques sont toujours exactement identiques et répétent les mêmes mouvements, les mêmes expressions, les mêmes mots, mais quand la crise dure un certain temps, la même scène peut se répéter, de la même manière en tout point, cinq ou dix fois[5]. Enfin, l'agitation paraissait disparaître, le rêve se faisait moins clair et peu à peu ou tout à coup, suivant le cas, la patiente revenait à son état de conscience normal, reprenant ses tâches habituelles, peu dérangée en fin de compte par ce qui s'était passé.

---

soit en collaboration. L'esprit crypto-conscient qui contrôle les mouvements du corps prend les suggestions de la forte impression (le « stress ») dans la mémoire, et les exécute en bon ordre. Le secteur qui donne les suggestions au crypto-conscient n'est pas le secteur qui contrôle le corps et lui fait exécuter le drame. Le « pouvoir contrôlant » est le crypto-conscient. Comme la suggestion de la mort de la mère se présente, l'esprit prend la tangente et l'impression de se faire passer dessus par une locomotive — autre stress puissant dans l'esprit de la jeune fille — pousse l'intelligence-guide à agir : la mort de la jeune fille au lieu de celle de la mère. C'est assez proche de la manière dont nous avons vu qu'un somnambule astral peut également « prendre la tangente », c'est-à-dire se projeter vers la boulangerie, puis croiser le chemin qui va à la banque et l'emprunter pour aller y déposer de l'argent (S. Muldoon).

4. Si cela s'était passé dans le corps astral seul et détaché, il aurait été projeté fréquemment jusque sur la voie du chemin de fer ou jusqu'en un lieu ressemblant à celui vu dans le rêve (S. Muldoon).

5. Dans ce cas-là, c'est que des impressions formant une partie du stress sont plus fortes que d'autres (S. Muldoon).

CHAPITRE XIV

L'ESPRIT CRYPTO-CONSCIENT ET LA TELEKINESIE[1]

Il est extrêmement difficile de donner des preuves objectives de la projection du corps astral. L'idée qu'une fois hors de son corps physique, un projecteur manipule des objets physiques par un effort de volonté pourrait se tenir en théorie, mais c'est une tout autre histoire en pratique !

Avant d'en chercher l'explication, laissez-moi faire appel à votre raisonnement. Combien de personnes sont-elles mortes, l'année dernière ? Plusieurs milliers. Pourquoi ces milliers de morts devenus des « êtres astraux » n'utiliseraient-ils pas le pouvoir de leur volonté consciente dans un effort de communication avec leurs regrettés amis terrestres ? N'est-ce pas la première chose que l'on ferait en s'éveillant dans le monde astral ? Maintenant, combien y a-t-il de rapports chaque année, à propos de désincarnés qui ont une action sur des objets physiques ? Très peu, en comparaison de ceux où l'on parle des esprits qui cherchent à donner des preuves de leur présence...

La volonté consciente n'est pas un facteur vital dans la production de phénomènes physiques. Sachant cela, pourquoi attendre toutes sortes de manifestations phy-

1. Voir également le chapitre V, *Mobilité doublée et déplacée.*

siques de la part des projecteurs astraux conscients ? Nous n'avons pas idée à quel point les objets matériels sont intangibles pour tout « être astral »... Peu d'expérimentateurs même savent que plus le corps astral est hors de sa coïncidence, plus il vibre à un degré supérieur. Si ce n'était pas le cas, le corps astral serait incapable de passer au travers d'un être terrestre. Ne vous récriez pas ! Ne vous est-il jamais apparu que si le corps astral en concordance avec son physique vibrait au même degré qu'un autre corps astral situé lui hors de sa concordance, ils se cogneraient quand l'être astral essayerait de passer à travers des corps concordants (physique + astral) d'êtres terrestres ? Si le corps astral n'élevait pas son degré de vibration, il ne pourrait pas passer à travers un corps astral qui se trouve toujours en concordance avec son physique, ce qu'il peut être amené à devoir faire.

On peut imaginer qu'après qu'un esprit ait « évolué », il puisse apprendre comment contrôler cette volonté crypto-consciente plus adroitement, mais il n'en va pas de même pour un corps astral projeté temporairement ; c'est son esprit crypto-conscient qui le contrôle la plupart du temps, comme je l'ai déjà dit.

Pourquoi cet esprit crypto-conscient ne produit-il pas plus souvent des manifestations physiques ? Il est vrai que toutes ne sont pas produites par la volonté crypto-consciente, mais quand c'est le cas, cette volonté doit opérer sur une certaine « force » dans ce but. Dans la vie quotidienne, la volonté seule ne peut déplacer dés objets matériels, c'est la « force » sur laquelle elle opère et qu'elle manipule, qui le fait réellement. La volonté est mentale, et ce processus de l'esprit crypto-conscient agissant sur la « force » d'une certaine façon (avec détermination) met en action cette force motrice sur laquelle nous savons si peu — à part son existence...

Quand vous êtes conscient et que vous avez le contrôle de votre motricité, vous pouvez « vouloir », disons faire tomber un verre de la table, et en usant de votre force motrice, cogner le verre avec le poing, le réduisant en poussière. Mais pour faire cela, vous devez utiliser « de la force », votre volonté seule ne peut réaliser la chose, pas plus que votre bras ou votre poing seuls. La force doit être mise en action par le processus mental intérieur.

De même, avec l'esprit crypto-conscient, sa volonté doit être à même de manipuler la force avant de pouvoir manipuler les objets. Comment l'esprit — quel qu'il soit — procède... on l'ignore. Il est facile de dire que, dans le corps physique, vos bras frappent et cognent le verre sur la table parce qu'une sorte de courant circule le long des nerfs du cerveau et contracte les muscles de telle ou telles manière, mais expliquer comment cette sorte de courant est produit et en quoi il consiste exactement est impossible à l'heure actuelle. (Le « courant » en question est, bien sûr, ce que j'appelle, pour ma part, la « force ».)

Différentes conditions de la volonté — volonté crypto-consciente comme volonté consciente — peuvent affecter chacune la « force » d'une façon différente. Reprenons notre exemple « conscient » : si vous voulez seulement faire tomber, timidement, le verre par terre, votre volonté consciente n'affectera que légèrement « la force » et vous le ferez glisser doucement, à la façon dont vous avez voulu l'action. Si vous aviez voulu jeter le verre avec détermination, vous l'auriez cogné avec vigueur et donc, la force nécessaire pour frapper vigoureusement aurait été mise en œuvre par la volonté déterminée qui, pour cela, aurait dû agir plus fermement, plus « solidement », sur la force en question. Il en est exactement ainsi en ce qui concerne l'esprit crypto-conscient[2].

Il est possible, je suppose, que certains individus développent une volonté consciente suffisante pour ce genre de choses ; mais la volonté crypto-consciente est normalement bien plus puissante que la volonté consciente. Cette dernière, bien sûr, entre en rapport avec la volonté crypto-consciente, ou la stimule, très souvent.

La question se pose, naturellement, de savoir comment cette force peut ainsi devenir plus « solide ». Si nous pouvions concevoir cette force comme étant composée d'atomes et d'électrons, on pourrait avancer la théorie qu'un changement peut intervenir dans la structure atomique de la force, l'amenant à devenir plus « solide »,

---

2. Eusapia Paladino, mentionnée dans le même paragraphe du chapitre V cité plus haut, avait l'habitude de dire qu'elle pouvait déplacer des objets si sa volonté était suffisamment « solide ». Cette coïncidence dans les termes est assez frappante (H.C.).

donc capable d'établir le contact avec d'autres « solides ».

Une autre possibilité (dans le cas où le corps astral fait lui-même bouger des objets) est que la structure atomique du corps, elle-même, puisse être modifiée, renforcée, par une certaine action de la volonté crypto-consciente. Mes propres observations m'amènent à penser qu'une volonté crypto-consciente décidée tend véritablement à rendre le corps astral plus « solide », ainsi qu'il ressort d'une expérience que je vous raconterai plus loin.

Considérons d'abord la théorie du professeur Flournoy sur la nature possible de la télékinésie : « On peut concevoir que, comme l'atome et la molécule sont le centre d'une zone d'extension plus ou moins radiante, ainsi l'individu organisé, cellule isolée ou colonie de cellules, possède à l'origine une sphère d'action où il concentre par moments ses efforts plus spécialement sur un point et puis sur un autre, *ad libitum*. Par la répétition, l'habitude, la sélection, l'hérédité, et d'autres principes chers aux biologistes, certaines lignes de force plus constantes seraient différenciées dans cette sphère homogène et primordiale et petit à petit, pourraient donner naissance à des organes moteurs. Par exemple : nos quatre membres de chair et de sang, balayant l'espace autour de nous, ne seraient qu'un expédient plus économique inventé par la nature, une machine façonnée au cours d'une évolution, mieux adaptée, pour obtenir à moindres frais les mêmes effets utiles que ce vague pouvoir primordial, sphérique. Supplantés ou transformés, ces pouvoirs ne se manifesteraient donc par la suite que très exceptionnellement dans certains états ou dans le cas d'individus anormaux, sorte de réapparition atavique d'une façon d'agir tombée en désuétude depuis longtemps parce que trop imparfaite ou nécessitant sans aucun avantage, une dépense d'énergie vitale bien supérieure à l'usage ordinaire des bras et des membres. Peut-être est-ce le pouvoir cosmique lui-même, le démiurge amoral et stupide, *l'Inconscient* de M. Hartmann (*Philosophie de l'inconscient*, Berlin/1869) qui entre directement en jeu au contact d'un système nerveux dérangé et provoque ces rêves désordonnés sans passer par les canaux réguliers des mouvements musculaires. »

La théorie du Pr. Flournoy est intéressante. De nombreux phénomènes télékinésiques sont produits par la motricité propre du médium transmise le long d'une ligne de force astrale. (Voir chapitre v.)

En ce qui concerne le projecteur astral, il y a peu de chance qu'il arrive à déplacer des objets matériels par la seule volonté consciente, à moins qu'il ne soit en même temps contrôlé par l'esprit crypto-conscient dans une humeur particulièrement décidée. Mais que l'esprit crypto-conscient soit décidé ou non, il est rare que la volonté consciente ou une suggestion consciente puisse l'affecter ! J'ai si souvent essayé sans succès, de faire bouger des objets physiques alors que j'étais conscient et projeté, que j'ai finalement abandonné, dégoûté ! Cet échec, je l'avoue, est l'une des choses les plus exaspérantes que je connaisse. Vraiment, on se torture à chercher à établir le contact avec des choses matérielles, aussi ce doit être un véritable « enfer » pour l'infortuné défunt qui ne peut jamais réintégrer son corps physique ni se libérer du joug de ses habitudes et désirs terrestres !

C'est tout récemment, toutefois, que j'ai connu une expérience où j'ai pu déplacer un objet d'un poids considérable, au moyen de la volonté crypto-consciente. Je suis persuadé que les projecteurs astraux, les médiums terrestres et les entitées attachées à la terre font bouger des objets matériels au moyen de la volonté crypto-consciente — volonté qui les contrôle — qu'ils en soient conscients ou non. En rêve, des objets peuvent être déplacés, que le sujet s'il était projeté ne serait pas en mesure de faire bouger par la volonté consciente, et cela simplement parce que l'esprit crypto-conscient contrôle complètement le corps à ces moments-là ; s'il prend au sérieux la suggestion du rêve de déplacer quelque chose, la force qu'il utilise devient « solide » et « opère solidement » sur l'objet.

A deux occasions différentes, j'ai rêvé que je changeais de place des objets dans la maison, et en me réveillant, je les trouvais effectivement déplacés.

Le Dr. Burns parle d'un homme qui dans un rêve, poussa contre la porte d'une maison éloignée de la sienne avec une telle puissance que ceux qui se trouvaient derrière eurent du mal à résister à la poussée.

C'est la raison pour laquelle les entités attachées à la

terre, « les revenants », peuvent faire bouger des objets physiques — du moins, c'est souvent la raison pour laquelle ils les déplacent. Vous vous rappelez que vous pouvez, par la répétition d'une action (habitude, désir) intensifier un « stress » dans l'esprit. Les entités astrales qui rôdent et « hantent », agissent ainsi à cause d'un, ou de la combinaison de n'importe lesquels des quatre facteurs : désir, habitude, rêve ou folie. Ce que nous appelons « folie » n'étant d'ailleurs guère éloigné de l'état de rêve[3].

Dans ces cas où une entité établit un contact terrestre — dans l'état de rêve ou de folie — c'est toujours l'esprit crypto-conscient qui le contrôle, et si cet esprit est lui-même « décidé » (pour des raisons que nous ignorons), la force avec laquelle il opérera devient considérablement « solide » et peut faire bouger des objets. Une entité quelconque attachée à la terre, peut produire des manifestations qu'un esprit évolué ne pourrait réussir à faire sans l'aide d'un cercle d'initiés. Il le peut pour la raison que je viens de donner, c'est-à-dire la volonté crypto-consciente agissant d'une façon « ultrapositive » sur la force.

Permettez-moi d'attirer votre attention sur la différence entre le pouvoir de la volonté crypto-consciente et la volonté consciente. Restons « ici-bas » pour illustrer cela. Prenons l'exemple d'un dément en vie ; sous l'influence de sa volonté consciente, il n'est pas plus fort que n'importe qui, mais lors d'une crise, quand son esprit conscient perd son équilibre et que son « intelligence intérieure » prend le relais, la volonté subconsciente entre en rapport avec sa volonté consciente et, en un clin d'œil, son pouvoir est grandement multiplié — presque plus qu'on n'oserait le croire.

Je connais un jeune homme, qui est loin d'être costaud, un homme ordinaire pourrait aisément le maîtriser quand il est dans un état de conscience normale, mais quand il entre dans une de ses crises de folie furieuse, il devient un titan que cinq hommes employant toute leur énergie

3. Voir dans *Sleep and dreams* de Jewett, le chapitre intitulé *the Analogy of insanity to sleep and dreams.*

eurent, en une certaine occasion, bien de la peine à contenir.

Toutes les crises de folie de ce genre sont, sans aucun doute, des cas de contrôle crypto-conscient ; c'est exactement le même principe que celui en cause dans le cas que nous venons de considérer, c'est-à-dire la force générée par la volonté crypto-consciente et la façon dont elle produit des manifestations physiques.

Dans les cas où « celui qui hante » est sous le stress du désir ou de l'habitude, si ce stress devient « ultrapositif », la volonté crypto-consciente agit généralement de la même façon sur la force. C'est pourquoi de nombreuses entités attachées à la terre sont perçues par des mortels, après leur mort, alors qu'ils essayent d'apaiser leurs désirs, notamment en déplaçant des objets physiques.

Je peux vous assurer que ce désir est terriblement accru quand l'entité ne peut l'apaiser — le stress du désir est donc de plus en plus « hyperdynamisé » dans l'esprit subconscient du sujet — poussant la volonté crypto-consciente à agir avec une détermination qui aura pour résultat un accroissement de force finissant par produire des phénomènes physiques.

Nous pouvons maintenant comprendre pourquoi, comme je le disais plus haut, une entité quelconque peut souvent faire bouger des objets matériels plus aisément qu'un esprit supérieur. Les désirs et habitudes de ce dernier se sont apaisés, tout comme son esprit. Si l'on part de ce principe, si le « revenant » est sujet à des crises de folie, il est susceptible de pouvoir déplacer des objets physiques avec une relative facilité.

Le fantôme inquiétant du *Great Amherst Mystery* doit avoir été de ce type et, comme la plupart des individus sujets à des crises de folie, il devait être obsédé par une seule idée : l'envie de tuer ! Des esprits supérieurs peuvent sans aucun doute utiliser scientifiquement les mêmes principes de force que l'esprit primaire emploie sans le savoir quand il produit des phénomènes physiques, ainsi qu'il ressort du fait que de nombreux « esprits savants » servent de guides, d'intermédiaires dans les séances de spiritisme.

Connaissant certaines des expressions subtiles de l'esprit crypto-conscient et des façons dont il manipule la force, les phénomènes de *poltergeist* ne devraient pas être difficile à comprendre *

UNE PROJECTION ASTRALE AU COURS DE LAQUELLE J'AI DEPLACE UN OBJET

L'expérience que je vais rapporter maintenant s'est passée la nuit du 26 février 1928.

Je me plaignais depuis quelque temps de vives douleurs à l'estomac. Je dormais seul, ma mère et mon jeune frère occupant une chambre située à l'étage supérieur au mien. Entre vingt-trois heures trente et minuit, cette nuit-là, une douleur d'une intensité exceptionnelle me frappa brusquement à l'estomac. Incapable de me secourir moi-même, j'appelai plusieurs fois ma mère mais comme elle dormait profondément, elle ne m'entendit pas. Je continuai à appeler, en vain, pendant plusieurs minutes, puis je décidai de me lever. Je réussis à sortir de mon lit et à me diriger vers la porte mais la douleur s'intensifia au point que je ne pus l'atteindre et que je m'évanouis. Je repris bientôt conscience et rassemblai toutes mes forces pour essayer d'avancer de quelques pieds de plus. Comme j'avais été cloué au lit près d'un mois, l'effort fut trop grand pour moi et je m'évanouis à nouveau. Cette fois, je m'éveillai hors de mon corps, en train de monter les escaliers sous contrôle crypto-conscient, c'est-à-dire sans aucun effort ni direction de ma part. S'il est arrivé que la volonté crypto-consciente soit déterminée, c'est bien ici ! Je ne me souviens pas m'être trouvé si complètement et si délibérément sous son influence .

Je voulais naturellement regarder mon corps physique — ce qui est toujours la première chose que l'on fait — mais j'eus beau faire, je ne parvenais pas à influencer

* *Poltergeist* est un mot allemand qui signifie esprit frappeur, tapageur et, par extension, l'ensemble de manifestations matérielles dans les maisons hantées (N.d.T.).

4. Dans ce cas, la volonté consciente déterminée était entrée en rapport avec la volonté crypto-consciente déterminée (S. Muldoon).

le pouvoir qui me contrôlait à ce moment-là. Après avoir gravi les escaliers, je traversai le mur de la chambre de ma mère et je la vis, elle et mon jeune frère couchés dans leur lit et dormant à poings fermés. Cette impression était très nette. Mais, arrivé à ce point, un « trou » se fit dans ma conscience. (Ce qui n'a d'ailleurs rien d'exceptionnel, la conscience étant sujette à des « fluctuations ».)

Je retrouvai ma conscience alors que je me trouvais au pied de leur lit. Je ne pourrais dire donc, ce que furent mes mouvements durant cette perte de conscience mais en m'éveillant, je les vis tous deux consternés, ma mère debout près du lit, mon frère presque sorti du lit. Ils parlaient du matelas, qui aurait été élevé dans les airs, les jetant au bas du lit alors qu'ils étaient en train de dormir ! Je percevais tout cela très clairement. J'étais aussi conscient que je l'avais jamais été dans mon corps physique. Instantanément, je disparus de la chambre de ma mère ; j'étais ramené dans le physique par un mouvement en spirale, expérimentant ainsi une répercussion consciente.

Je me remis aussitôt à appeler ma mère et elle se précipita dans l'escalier, très excitée — si excitée qu'elle ne remarqua même pas que je n'étais pas dans mon lit mais par terre — et qu'elle commença à me raconter comment des « esprits » avaient soulevé le matelas sur lequel elle reposait avec mon frère et les avaient fait rouler en bas du lit ! Elle ajouta que les « esprits » les avaient ainsi soulevés non pas une fois mais plusieurs, et elle reconnut en avoir été absolument terrorisée !

Si des événements de ce genre peuvent se dérouler quand le sujet s'y trouve directement mêlé, je me demande encore une fois, combien de faits semblables se produisent et sont attribués aux morts alors qu'ils devraient l'être à des corps astraux projetés sous l'influence de la volonté cryptoconsciente « ultrapositive », mais alors que le sujet est inconscient. Beaucoup, sans aucun doute !

RAPS PRODUITS PENDANT UN REVE

Le soir du 17 mars 1928, ma lecture avait porté sur Daniel Dunglas Home et son exceptionnel pouvoir de lévitation. Je me couchai en y songeant et, au petit matin, je rêvai que je rencontrais D.-D. Home et que nous déambulions dans la rue, parlant de lévitation. J'avais l'impression que nous étions de très bons amis et nous parlions comme tels. Je lui disais : « — Bon sang, Home! Tu as résolu ce problème de la lévitation... dis-moi donc comment tu fais, que je le leur montre ! » Je rêvai que D.-D. Home me faisait une petite démonstration, s'élevant dans les airs avant de redescendre sur le sol. Il m'expliqua ce qu'il fallait faire. Malheureusement je ne me souviens pas de ce qu'il me dit ! Quoi qu'il en soit, j'essayai et mon premier essai me fit atterrir le nez sur le trottoir. Je me relevai et il m'expliqua à nouveau.

Je réalisai à ce moment-là que j'étais en train de m'élever dans les airs. Cela me paraissait très réel et à l'instant, je devins conscient et me trouvai projeté — le rêve (type aviation) ayant causé la projection. Mon corps physique reposait sur le lit, mais je n'étais pas sur le trottoir et Home n'était pas là, ni personne d'ailleurs.

Je montai l'escalier, traversai les chambres à l'étage et contemplai un moment les membres de ma famille, couchés et endormis. Puis je décidai de redescendre et d'essayer de toucher mon corps physique avec ma main astrale. Cela m'avait été conseillé par un ami, afin de découvrir quelle sorte de répercussion se produirait. Mais j'échouai car, à près de quatre pieds de mon corps physique, je perdis mon contrôle et retombai en concordance.

Je restai étendu et éveillé pendant quelque temps, j'entendis l'horloge sonner trois coups et finalement je me rendormis. Après un moment, je recommençai à rêver. Cette fois, je rêvais que je me promenais dans le jardin de la maison. Je réalisai dans le rêve que je rêvais (fait courant quand on pratique le contrôle des rêves).

Il y a contre la maison, une grande citerne d'essence de six cents gallons. En rêve, toujours, j'allai à la citerne, pris un marteau qui était dessus et commençai à assener des coups puissants sur la citerne. Le bruit du martèlement était si fort qu'il parut me stupéfier moi-même et je me souviens avoir retraversé le mur de la maison et m'être éveillé dans mon corps physique. Bien que complètement conscient, j'entendais toujours les coups résonner sur la citerne... Trois autres personnes témoignèrent avoir entendu des coups sur la citerne comme si quelqu'un, disaient-elles, frappait avec un marteau, alors qu'à leur grand étonnement, il n'y avait personne aux alentours.

Quand vous mettrez en branle la olonté crypto-consciente au moyen de la volonté consciente, vous découvrirez combien il est difficile d'exercer celle-ci, combien vous devez vous appliquer opiniâtrement, et parfois au point que vous « jetterez l'éponge ». C'est pourquoi vous ne pourrez souvent établir de contact physique que lorsque vous aurez cessé vos efforts et abandonné vos essais ! Alors, la volonté crypto-consciente — cette volonté supérieure — a une chance d'agir sur le stress, et ainsi de réaliser ce que vous aviez désespéré de réussir !

La méthode de la volonté passive éveille bien davantage et plus facilement la volonté crypto-consciente, c'est pourquoi cette méthode réussit souvent où la volonté active échoue. Nous ignorons la façon dont la force est manipulée par la volonté crypto-consciente, comment celle-ci devient « ultrapositive » en « travaillant en elle », etc. mais à beaucoup d'égards, nos esprits, nos volontés — « force » et « contrôle » — fonctionnent de la même manière quand nous sommes en concordance que quand nous en sommes sortis. Le somnambulisme astral et le somnambulisme physique sont semblables ; de même, il peut y avoir aussi lévitation du corps physique et lévitation du corps astral — toutes deux le plus souvent horizontales, quand le corps « flotte » dans l'air.

Il y a lévitation verticale quand le corps s'élève dans l'air à partir de la position debout. Il paraît que Daniel Dunglas Home a flotté d'une fenêtre pour entrer dans une autre, et cela dans son corps physique, à soixante-dix pieds du sol, en présence de trois témoins : le comte de Dunravent, Lord Lindsay et le capitaine Wynne, tous hommes d'honneur et de réputation. Wallace a appelé cela un « miracle moderne » ; Sir Arthur Conan Doyle a dit que la performance de D.-D. Home était très liée à son intérêt pour l'occulte. Sir William Crookes assista à beaucoup des « prodiges » de Home *.

Le Dr. von Schrenck-Notzing lut au récent Congrès psychique un article à propos d'un jeune homme, en Allemagne, qui aurait pratiqué quelque vingt-sept fois la lévitation physique.

Pensez à l'énergie que doit manipuler l'esprit crypto-conscient pour amener la masse du corps physique à flotter ! Imaginez combien facilement cette même énergie pourrait manipuler un corps astral qui, lui, pèse vraisemblablement mille fois moins que le physique. Quand la volonté crypto-consciente entre dans une phase active et que le sujet est libéré de son corps physique, il bougera comme cette volonté le fait bouger, et il n'est pas inhabituel qu'il sautille çà et là, incapable de « freiner » le pouvoir contrôleur, « le frein » étant bien sûr la volonté consciente.

LE SEXE DU CORPS ASTRAL

On m'a souvent demandé — et même des spirites distingués qui auraient dû le savoir mieux que moi — si on gardait ses organes sexuels dans le corps astral... Certainement. J'ai déjà parlé (voir le début du chapitre I) de la parfaite « copie » du corps physique qu'est le corps astral. Je repréciserai à nouveau : les deux corps étant faits de « substance », ils sont tous deux de forme identique, semblables en chaque cellule.

INTERACTION DES CONTREPARTIES PHYSIQUE ET ASTRALE

Nous savons que notre corps physique a été formé en vertu de lois physiques, dont il est tributaire, auxquelles nous devons absolument nous conformer. Cela posé —

* Le grand physicien entraîna même Home à des expériences assez poussées dans son laboratoire (N.d.T.).

et l'être astral étant une réplique exacte du physique — il est évident que le corps physique donne au corps astral sa vraie forme. Pour autant que nous le sachions, ce pourrait être là le rôle, le but, du corps physique : donner forme à notre esprit. Le Christ a dit que « Le corps est le temple de l'esprit. »

Andrew Jackson Davis semble avoir eu une idée semblable dans *the Harmonial Philosophy,* quand il écrit « Le corps de l'homme est la réalisation de toute nature organique et le corps esprit est formé par le corps extérieur. Le corps physique est la concentration focale de toutes substances, l'esprit est la combinaison organique de toutes forces. La représentation de chaque particule de matière est, en fin de compte, effectuée par l'homme. Le corps de l'esprit est le résultat produit par l'organisation physique. Je ne veux pas dire que l'esprit est créé, mais que sa structure est formée, au moyen du corps externe.

« L'esprit lui-même n'est pas une création ou une finalité de la matière, mais l'organisation mentale est un résultat de « raffinement matériel ». L'utilité d'un os physique est de faire un os spirituel, du muscle physique de faire un muscle spirituel (non pas dans son essence, mais dans sa forme). L'oreille physique est animée par une oreille spirituelle. En un mot, le corps extérieur tout entier est une représentation de ce qui est impérissable.

« .../ L'esprit est substance et, comme la matière, il obéit à la loi de la gravitation. L'expérience de chacun est une démonstration complète de ce que l'esprit est substance, parce qu'en chacun de nous, il déplace le corps. Il peut même faire bouger sans pensée, parce que le principe-esprit caché est composé de toutes les forces vitales. L'esprit de l'homme démontre sa propre substantialité au moyen de ses propres manifestations normales. Bien que l'esprit de l'homme ait substance et poids, élasticité, divisibilité, et toutes les caractéristiques propres à la matière, cependant — comme je viens de le démontrer — il obéit aux lois supérieures, gravitation ordinaire et lois physiques connues. La vérité est que l'être humain est double ; il a deux yeux, deux cerveaux, deux mains, deux pieds, deux poumons ; le cœur humain est double, ainsi que chaque part de son système organique. Les structures doubles visibles viennent de principes invisibles de dualité, et ceux-ci sont mâle et femelle. Ils opèrent réciproquement, et régularisent toute action et animation. L'un contracte, l'autre détend. Ces principes forment ensemble une unité, communiquant une action unique dans le système double. Contrairement aux corps inanimés, l'esprit opère suivant un principe à la fois positif/négatif, au moyen duquel l'esprit maintient le corps, et le corps maintient l'esprit.

« Si un organisme-esprit est substance, alors comme substance il pèse quelque chose. Quand il s'échappe du corps matériel, le corps spirituel ne pèse guère plus que le seizième d'une livre, mais il continue à absorber les éléments de l'air invisible, jusqu'à ce qu'il devienne relativement lourd, acquérant avec la gravitation le pouvoir de surmonter cette gravitation... La doctrine spiritualiste enseigne que l'homme le plus profond est un esprit, qui s'insinue à travers nos sensations nerveuses, qui pense et raisonne, qui a des émotions meilleures, plus nobles et plus pures que les formes, forces, et choses autour de lui, qui enseigne à l'intellect et au cœur à reconnaître quelque chose de supérieur aux circonstances fugitives auxquelles ils s'attachent. C'est la présence invisible du divin dans l'humain visible. »

Telle est la conception de A.-J. Davis sur l'interaction des contreparties physique et astrale.

COMPOSITION DU CORPS ASTRAL

Une question que me posent souvent ceux qui ont entendu parler de mes « expériences hors du corps » est la suivante : « — De quoi est composé ce corps astral ? » Quand j'avoue mon ignorance, ils ne ratent pas l'occasion de ricaner.

Cependant, le fait que je ne connaisse pas la composition de mon corps astral ne devrait pas, me semble-t-il, discréditer pour autant ce que j'ai pu dire à son propos. La vérité est que j'ignore même la composition de mon corps physique et pourtant, j'ai eu bien plus l'occasion de l'examiner que d'étudier mon corps astral ! Pourquoi attend-on d'un projecteur, dont les voyages dans l'astral sont brefs, qu'il résolve tous les mystères et explique tout ce qui n'est pas connu, quand vous pensez que des « esprits savants » qui reviennent prendre contact avec nous, ne nous révèlent pas ces choses, alors qu'ils ont passé des années « dans le plan astral » ? Ce fut une de mes grandes déceptions que de ne pas avoir été capable de découvrir de quoi est fait mon corps astral !

Mais il apparaîtrait que personne d'autre ne le sache non plus. Certains parlent de « double fluidique ». Sir Oliver Lodge le qualifie d' « éthéré ». La croyance communément répandue est qu'il s'agit d' « une autre espèce de matière », la différence résidant uniquement dans l'agencement de ses atomes. Ce fut toujours aussi mon impression. Lisez, par exemple, ce que le Dr. Henry Lindlahr écrit à ce sujet : « Cette " force de vie " est la source primaire de toute énergie — d'où tous autres genres et formes d'énergie sont issus. C'est indépendant du corps et de la nourriture et de la boisson, comme le courant électrique est indépendant de l'ampoule et du filament à travers lesquels il se manifeste sous forme de chaleur et de lumière. Le bris de l'ampoule incandescente, bien qu'il fasse disparaître la lumière, ne diminue en rien la somme d'électricité qu'il y avait derrière. Pareillement, si le corps physique « tombe mort », comme on dit, l'énergie vitale continue à agir, avec une force non diminuée à travers le corps spirituel/matériel, qui est sa réplique exacte, mais dont les atomes et molécules matériels sont infiniment plus raffinés et vibrent à une vitesse infiniment supérieure à celle du corps physique/matériel.

« Ce n'est pas simplement là un raisonnement spéculatif, c'est un fait démontré par la science naturelle. Quand saint Paul dit qu'il y a un corps psychique et un corps spirituel », il mentionne un fait réel de la nature humaine. En fait, il serait impossible de concevoir la survie d'un individu après la mort sans qu'il y ait quelque corps matériel pour servir de véhicule à la conscience, à la mémoire et aux facultés de raisonnement et pour servir d'instrument pour les fonctions physiques. Pour cela, si la survie d'un individu après la mort est un fait naturel et l'accomplissement de l'immortalité une possibilité, un corps matériel/spirituel est une nécessité. »

Sir Oliver Lodge parle d'« éther » à propos, de la substance du corps astral. Cela me paraît inconcevable. C'est, d'après ce que je sais et pour autant que la science le définisse, le milieu primordial, universel qui imprègne toute matière, mais l'éther seul ne constitue pas et ne peut pas constituer de la matière. Les atomes des divers éléments sont formés de charges électriques négatives, ou électrons, tournoyant autour de centres positifs. Ceci est sans doute aussi vrai pour la matière spirituelle que pour la matière physique. (La seule différence entre les deux est que les atomes et les molécules de matière spirituelle sont infiniment plus raffinés et vibrent à une vitesse supérieure.)

« Les organes sensoriels du corps spirituel sont accordés à ces vibrations supérieures et plus subtiles. C'est pourquoi la matière spirituelle est à la vue et au toucher spirituels, tout aussi réelle et substantielle-que la matière physique l'est pour nos organes sensoriels physiques.

« De ce qui précède, nous concluons que la science moderne vérifie la sagesse de Pythagore qui enseigna, il y a environ deux mille cinq cents ans que toute matière est constituée de trois éléments : la substance, le mouvement, et les nombres. Suivant la science moderne, la « substance » de Pythagore correspond à l'éther universel ; « le mouvement » à l'électricité, et« les nombres » au nombre d'électrons vibrant dans l'atome et au nombre d'atomes dans la molécule. »

Telles sont les vues du Dr. Lindlahr sur la composition du corps astral. Bien qu'à l'heure actuelle, la nature et la composition exactes du corps astral ne soient pas connues avec certitude, la plupart des occultistes sont d'avis que le moment est proche où la science sera en mesure de résoudre cet intéressant problème. Mais la solution est à chercher en laboratoire et non pas, comme beaucoup le pensent, en demandant à un simple projecteur astral de l'examiner quand il se trouve projeté consciemment. Ce serait aussi impossible pour lui que l'aurait été la connaissance complète du corps physique par simple observation ou perception d'un corps physique.

CALCUL DU POIDS DU CORPS ASTRAL

Il y a quelques années, à la Convention internationale des spiritualistes à Paris, il avait été établi de façon humoristique que l'esprit d'un homme avait plus ou moins le même poids qu'une patte de mouche ! Car les opinions divergent parmi les occultistes, quant au poids du corps astral. En ce qui me concerne, je ne crois pas que le poids du « double » humain soit connu de façon absolue. Andrew Jackson Davis croit qu'il pèse à peu près une once ; d'autres disent tout simplement qu' « il n'a pas de poids ». Cependant, étant fait de substance, le corps astral doit avoir un poids.

A ce propos, considérons les expériences de deux physiciens hollandais, les Dr. Malta et Zaalberg Van Zelst de La Haye, qui ont tenté de cerner la composition et la structure du corps astral. Ils construisirent un appareil très compliqué, qu'ils baptisèrent « dynamistographe », au moyen duquel — ont-ils dit — ils furent capables d'obtenir la communication directe avec le monde des esprits (sans aucun intermédiaire). Ils placèrent l'instrument seul dans une chambre, observèrent son fonctionnement à travers une sorte de hublot en verre aménagé dans le mur et, ainsi, l'instrument fut apparemment manipulé par des intelligences spirituelles. De longues communications étaient obtenues et enregistrées au moyen d'un cadran lettré, au sommet du dynamistographe. M. Carrington a résumé ces expériences dans son *Modern psychical phenomena* au chapitre sur l'*Instrumental communication with the spirit world* (en se basant sur un long récit, *le Mystère de la mort,* livre publié en France ; moi-même j'en ai extrait quelques paragraphes qui traitent du corps astral, son existence ayant été établie par les expériences de ces chercheurs).

Etant physiciens, ils se sont dit : « Etudions et déterminons la structure et la composition physique et chimique exacte de ce corps, son activité et ses agencements moléculaires. Découvrons si possible sa composition exacte comme nous le ferions de n'importe quel autre corps. » En résumé, leurs conclusions furent les suivantes : « Le corps est capable de contraction et d'expansion sous l'action de la volonté » (la volonté du corps astral, bien sûr), « l'expansion étant approximativement de I, 26 mm ou 1/40 000 000 de son propre volume, sa contraction est bien plus grande : approximativement 8 mm ou I/6 250 000 de son volume. Son poids spécifique est approximativement de 12, 24 mg plus léger que l'hydrogène et 176,5 mg plus léger que l'air. La volonté agit sur ce corps mécaniquement et l'amène à s'étendre (s'élever) ou à se contracter (descendre) selon l'action qui se déroule. Il est donc sujet à la loi de la gravitation. Il y a une force x (inconnue) qui tient les molécules du corps ensemble. Les atomes composant ce corps sont extrêmement petits, largement séparés, et lourds. La densité interne du corps est approximativement la même que celle de l'air externe. Si la pression de l'air hors du corps s'accroît, celle à l'intérieur du corps s'accroîtra dans les mêmes proportions... Le poids du corps fut calculé et estimé à 69,5 g à peu près. »

Ces résultats, dirais-je, rencontrent plus ou moins certaines des expériences faites par le Dr. Duncan Mac Dougall de Haverhill (Massachussets), il y a quelques années : il pesait de nombreux patients mourant de tuberculose; au moment de leur agonie, il plaçait le lit avec le malade sur une balance (très précise !) et pesait le tout. Juste au moment du trépas, le fléau de la balance se levait brusquement. Le poids perdu, calculé et évalué, s'élevait (dans quatre cas sur six) à 2 ou 2,5 onces (environ 57 grammes). Cela semble être une confirmation assez intéressante des expériences hollandaises et paraît montrer que le corps astral est en un sens une chose matérielle — très ténue probablement — mais matérielle malgré tout.

HABILLEMENT DU FANTOME

Des fantômes de morts et des fantômes de vivants ont été vus en de nombreuses occasions par des êtres mortels.

Un des arguments souvent employé par les sceptiques qui nient en bloc ces apparitions est que le fantôme est habillé (les médiums décrivent généralement les vêtements de l'entité), c'est pourquoi il ne s'agirait que d'hallucination car si le corps physique pouvait avoir sa contrepartie astrale, il ne pourrait en être de même des vêtements matériels, aussi le fantôme, s'il apparaissait vraiment, devrait être nu.

En de nombreuses occasions, on m'a demandé si je pouvais apporter quelque lumière sur le sujet de l' « habillement du fantôme » et je dois reconnaître que mon savoir se limite à peu de chose. Je ne peux dire que ce que j'ai moi-même observé. Une chose me paraît claire : le vêtement du fantôme est « créé » et ce n'est pas une contrepartie de son vêtement physique.

La question qui me préoccupe est celle-ci : « Comment est-il créé ? » Chaque fois que j'étais habillé dans mes projections je me demandais toujours de quoi était fait « mon vêtement », d'où et comment il me venait, à quoi il ressemblait. Je crois avoir déjà dit que je dormais sans vêtements (pour les raisons que nous avons vues, du reste) mais si l'occasion l'exigeait, il m'est arrivé de mettre un pyjama. Il est très curieux d'observer la façon dont la « duplication astrale » est réalisée et neuf fois sur dix, je m'éveillais dans l'astral avec toutes choses si parfaitement reproduites que je ne réalisais pas que j'étais hors de mon enveloppe physique — jusqu'à ce que je commence à bouger ou que j'essaie d'établir le contact avec des objets (physiques) autour de moi.

Je ne courrai pas grand risque en disant que, si le témoignage de chaque personne morte pouvait nous parvenir, la majorité de ces défunts diraient qu'en s'éveillant dans le corps astral, ils ont cru être dans le corps physique ! Ceci nous montre bien comme le monde physique se trouve « reproduit » dans l'astral. Tout cela doit bien être gouverné par quelque intelligence supérieure dans l'individu...

Une des choses confondantes de ce monde astral est que des particularités de nos vies entières y sont établies pour nous ! Par exemple, si on a vécu en solitaire, on se retrouvera dans un état semblable au réveil ou lors de son premier contact avec l'astral. La plus grande partie de ma vie s'est passée à l'écart de la foule et je me trouve dans la même situation lorsque je m'éveille dans l'astral — j'y rencontre rarement quelqu'un. Cela peut paraître étrange, ça n'en est pas moins vrai[5]. A côté de cela, il y a la « duplication » qui est établie au moment de la projection (temporaire ou permanente) quand on s'éveille et que l'on trouve toute chose « doublée » ; le vêtement du fantôme est dans cette catégorie des « choses doublées ».

J'ai remarqué qu'en règle générale, si mon corps physique était porteur d'un certain vêtement, ma contrepartie astrale était revêtue du même vêtement, mais je dis bien en règle générale car, encore une fois, il y a eu de nombreuses exceptions, ce qui démontre la fantaisie de l'intelligence contrôlante ! Parfois le corps physique étant vêtu d'une certaine façon, le corps astral sera habillé différemment par exemple d'une espèce de « blanc » léger et diaphane, ce qui n'est pas rare. C'est peut-être pour cela que les « fantômes » ont été invariablement associés à des voiles blancs. Parfois les observateurs confondent ce voile blanc avec l' « aura » *, et parfois le contraire. Il y a une différence. On peut être nu dans le corps astral et l'aura jouera le rôle du vêtement. En fait, je crois que l'aura joue un rôle dans cette fameuse « création du vêtement ». A certains moments l'aura est plus « dense » qu'à d'autres et paraît également s'agglomérer de façon plus dense à certains endroits qu'à d'autres, amenant parfois le fantôme à prendre une apparence « tachetée » vraiment hideuse[6]. (Evidemment ; c'est ainsi qu'il apparaît à l'observateur et non tel qu'il est réellement.)

Personne ne doit avoir peur de s'éveiller dans l'astral, honteux de se retrouver nu, car son aura l'entourera et il n'aura pas plus tôt pensé à ses vêtements qu'il découvrira que ses pensées lui ont déjà formé et matérialisé un vêtement, car dans l'astral la pensée « crée » et on apparaît aux autres tel que l'on est en esprit. En fait,

---

5. Des rapports sur les maisons et les lieux hantés, il ressort que les ermites sont souvent « attachés à la terre » (S. Muldoon).

* *Aura :* émanation colorée du corps, halo entourant le corps, manifestation du fluide vital visible par les initiés (N.d.T.).

6. Elliott O'Donnell dans son *Ghostly Phenomena* (p. 4), décrit un « fantôme » qu'il vit, avec un visage énorme, plat, couvert de taches jaunes répugnantes de la taille d'une pièce de 3 pences. Le corps, nu, était recouvert de taches semblables (H.C.).

le monde astral tout entier paraît gouverné par la pensée.

Une seule fois, j'ai pu remarquer l' « habit » se former de l'émanation environnant mon corps astral, alors qu'il ne se trouvait qu'à quelques pieds hors de sa concordance ; le vêtement était exactement pareil à celui qui couvrait mon corps physique.

En une autre occasion, je m'éveillai au moment où je me déplaçais à la vitesse intermédiaire. Une aura très dense m'entourait, si dense qu'en fait je pouvais à peine voir mon propre corps ; elle resta ainsi jusqu'à ce que le fantôme se fût arrêté, et je me suis retrouvé habillé dans le vêtement traditionnel du fantôme !

On peut s'éveiller de l'inconscience dans l'astral et découvrir qu'on est déjà habillé ! Il est donc évident que la même partie de l'esprit subconscient qui établit « la duplication » amène aussi le vêtement à être réalisé à partir de substance astrale. Le vêtement est créé — cela ne fait aucun doute — par l'esprit intérieur, comme les « formes pensées » le sont, même par l'esprit conscient. Mais, sur le processus de la création lui-même, je ne sais rien, pour la même raison que je ne sais rien de la façon dont la matière physique a été créée. Je me souviens de plusieurs occasions dans lesquelles j'étais « vêtu dans l'astral » alors que je n'étais hors de concordance que depuis un instant.

Ma mère m'a vu, en différentes occasions, alors que je me trouvais hors de mon corps. Parfois aussi, j'étais conscient dans ces moments-là, et je l'ai vue, au moment où elle me voyait. A d'autres moments, elle m'a vu déambuler dans la maison, au milieu de la nuit, alors que j'étais inconscient de la chose, inconscient dans mon corps astral, donc. Elle me décrivait toujours le vêtement que j'avais à ce moment et bien que, ainsi que je l'ai déjà dit, le fantôme soit le plus souvent revêtu d'habits qui reproduisent le vêtement que porte le corps physique, elle ne savait pas toujours quel pyjama je portais et elle vérifiait son impression par la suite.

Il m'est impossible de relater toutes les expériences de ce genre que je fis dans ma maison même — la plupart se produisant sans que j'aie rien préparé. En d'autres mots, quand j'étais « vu », c'était le plus souvent lors de projections non intentionnelles — ce qui élimine toute possibilité d'hallucination induite par l'attente et la suggestion.

Certains occultistes prétendent sottement que les esprits nus n'existent pas. Les esprits s'habillent en fonction de leurs habitudes et en fonction des coutumes du lieu géographique où ils vivent. Il y a sur notre planète des peuples qui vivent nus ou à peine habillés. Il en va de même dans le plan astral.

Un auteur demandait « Où le Christ s'est-il procuré ses vêtements pour ses apparitions post-mortem ? » L'Evangile dit clairement que « lorsque les soldats eurent crucifié Jésus, ils prirent ses vêtements et firent quatre parts... Ils se sont partagé mes habits et mon vêtement » (la tunique), « ils l'ont tiré au sort » ; en outre, il ne pouvait s'agir du linceul puisque Simon-Pierre constatant la disparition de Jésus du tombeau, « voit les linges par terre ainsi que le suaire qui avait recouvert sa tête, roulé à part dans un endroit ».

Mes propres observations sur le vêtement du fantôme recoupent en partie ce que Caroline Larsen dit à ce propos dans son livre *My travels in the Spirit World* : « Comme le corps astral est une parfaite copie du physique, de même les hommes et les femmes demeurent hommes et femmes dans le monde des esprits. Toutes leurs caractéristiques et leurs qualités particulières d'homme et de femme demeurent inchangées. Les esprits, tout comme les humains, portent des vêtements... L'apparition des vêtements se produit de la façon suivante : de chaque esprit émane une forte aura, une lumière pseudo-phosphorique. Cette aura est complètement contrôlée par l'esprit. De cette substance est formé le vêtement du corps. D'abord, juste après la mort, cette formation, dans la plupart des cas, est un acte inconscient. Car un esprit n'est pas plus tôt séparé de son corps physique qu'il est vêtu d'une certaine manière, même si le vêtement se limite à une espèce de suaire. Mais quand l'esprit retrouve son contrôle, l'acte de s'habiller devient un acte conscient et la façon dont s'habille le fantôme est grandement fonction du goût personnel de chaque individu.

« De là vient qu'après la mort, au moment où l'esprit est encore complètement dominé par des idées et habitudes terrestres, les esprits choisissent généralement les vêtements qu'ils portaient juste avant de trépasser. C'est ainsi que la première chose qui attira mon regard, lors de ma première promenade dans l'astral, fut l'étrange spectacle d'esprits qui m'apparaissaient comme des mortels, évoluant en tous sens avec des vêtements terrestres.

« Dans le monde des esprits, la couleur de l'aura définit la qualité de l'esprit. Les couleurs plus sombres dénotent un stade inférieur de développement et à mesure que l'esprit évolue, elles ne cessent de devenir plus brillantes. Ces couleurs de l'aura déterminent évidemment aussi la couleur du vêtement, et de ce fait, la couleur du vêtement dénotera tout de suite le caractère, la qualité et le développement de l'esprit. »

« L'HOMME EST CE QU'IL PENSE »

Un autre point — peut-être plus difficile à comprendre ici — est que toute chose dans le plan astral semble être gouvernée par la pensée, par l'esprit du projecteur. Comme un homme pense... il est ! Quand je songe à faire passer tout ce que cela implique, j'ai envie d'abandonner, découragé, car je réalise combien ma capacité à m'exprimer est réduite. Je ne peux donc que me contenter de répéter : « comme on est » dans son esprit, ainsi on devient en réalité quand on se trouve dans le corps astral.

Si vous arrivez à vous projeter consciemment, vous serez surpris de voir l'effet de vos pensées. Vous constaterez que la moitié du temps vous ne pensez pas assez vite. Je présume qu'après avoir vécu un certain temps dans le plan astral, on dépasse ce problème ! Mais la plupart du temps, avant même de pouvoir achever une pensée, celle-ci se trouve déjà en cours de réalisation concrète.

A propos de ses expériences hors du corps, Cora L.-V. Richmond dit : « Je devins de plus en plus consciente que tout mon être, libéré des chaînes que sont les sens, pouvait recevoir et percevoir parfaitement la réponse à toute question — même avant qu'elle ne soit formulée. » Cela paraît presque impossible, mais la volonté subconsciente peut produire des résultats avant que la pensée consciente n'ait même commencé sa formulation.

Vous pouvez penser à vous rendre dans la maison d'un ami et avant d'en avoir achevé l'idée, vous y êtes ! La volonté subconsciente prédomine la plupart du temps chez le projecteur, mais plus on se projette — ce qui signifie également : plus on reste dans l'astral — plus la volonté consciente redevient son propre maître.

On peut marcher astralement dans une rue et penser : « — Qu'est-ce qui se passe dans cette maison ? » ; instantanément on se trouve dans la maison ou on peut tout simplement « voir en elle ». Les deux solutions sont possibles ; voilà comment tout est fluctuant et incertain dans l'astral. On ne peut jamais prévoir ce qui va se passer !

LE « PURGATOIRE »

Si merveilleux que puisse paraître le monde astral, il est par ailleurs très complexe ! C'est pourquoi deux personnes ne connaissent jamais la même expérience, car les choses qui sont vraies en une occasion, dans un état d'esprit particulier, seront entièrement différentes en une autre occasion, alors qu'on se trouve dans un état mental différent.

Il semble que l'esprit crée son propre environnement et cependant l'environnement est réel !

Cet état de choses ne dure pas indéfiniment ; c'est une sorte de purgatoire dans lequel il vous faut apprendre à « penser correctement ». Vous ne pouvez pas plus sortir de cet état si vous « ne pensez pas correctement », que vous ne pouvez « acheter votre billet de sortie ! » Vos « mauvaises » pensées créent leur propre environnement.

Cet « endroit » que j'ai appelé « plan astral » est ici, sur terre, dans l'atmosphère terrestre. Peut-être pensez-vous que ce que l'on appelle communément « purgatoire » est un mot vide de sens, pourtant il me paraît convenir assez bien à la condition astrale inférieure. Je ne sais rien de ce qui concerne les états astraux supérieurs. Quelques médiums prétendent avoir été projetés dans différents plans et « sous-plans » du monde astral, et ont donné des informations sur chacun de ces plans et sous-plans. En ce qui me concerne, je n'ai jamais eu de projection astrale qui ne se soit passée sur terre — un peu de la façon dont, tout en étant éveillé, bien « en chair et en os », je deviens parfois « intangible » et absent pour les choses terrestres. Certains me diront que je ne suis pas assez « évolué » et que si je l'étais, je ne serais pas dans un tel état quand je suis projeté. A entendre parler certains médiums, on pourrait croire qu'ils sont si parfaits qu'à leur mort, ils se réveilleront dans le vingtième plan ! J'ai peur qu'ils ne se trompent...

Personne ne peut avoir la prétention de comprendre le monde astral ! Personne ne le pourrait. Il est beaucoup trop complexe, sujet à spéculations, sujet à discussions, et tant de théories ont été avancées à son propos par différents cultes et religions !

La croyance la plus répandue me paraît être que le plan astral serait composé de sept plans et sept sous-plans. Je n'ai pas honte de dire que je ne sais rien de cet éventail de sept plans qui représentent, paraît-il, « le Plan astral ». De nombreux projecteurs affirment que des « guides » leur ont montré et expliqué toutes ces choses. Ces guides ne doivent probablement éprouver aucune sympathie à mon égard, car je n'en ai encore jamais rencontré aucun.

Quoi qu'il en soit, je me suis toujours projeté dans l'atmosphère terrestre et je crois que dans l'astral pratiquement tout le monde s'éveillera dans cette atmosphère terrestre spéciale que j'appelle « le purgatoire ». Pour ce qui se passe « au-delà », je renvoie tout lecteur intéressé aux ouvrages des projecteurs qui disent avoir accédé aux « domaines supérieurs » et aux nombreux volumes traitant de la vie après la mort. Il y a une chose que je sais cependant, c'est que dans ce purgatoire des morts, se trouvent les entités astrales qui « hantent » la terre, c'est-à-dire qu'il y a de nombreux fantômes de morts, séjournant donc encore sur un plan terrestre mais en étant intangibles aux choses matérielles.

Le spiritisme moderne prétend que l'esprit ne fait que séjourner dans l'astral et qu'il continuera à progresser sans cesse dans des domaines de plus en plus supérieurs. Une autre école maintient que le monde astral existe, peuplé de fantômes de morts attendant d'être « réincarnés » et de se fixer à nouveau dans la chair.

Le catholicisme, à travers les âges s'est quant à lui toujours tenu à la doctrine du « purgatoire ». A cet égard, le catholicisme est, de toutes les religions, celle qui se rapproche le plus des théories du spiritisme, le « purgatoire » étant dans les deux cas un état temporaire, intermédiaire, dans lequel les esprits des morts sont préparés à une autre vie, permanente, et assez curieusement on peut voir catholiques et spirites prétendre que les « âmes » peuvent être aidées dans leur existence au « purgatoire » par « les prières des vivants ».

LA PENSEE SOUTIENT LE CORPS ASTRAL

C'est la pensée qui soutient le corps astral. Croyez-vous que le fantôme marche sur un plancher parce que le sol le soutient ? Pas le moins du monde ! Il est absolument indépendant du sol ; il n'a aucun contact avec le sol ; cependant il peut marcher dessus ! Pourquoi ? Simplement parce que « sa pensée le soutient ». Il a toujours marché sur le sol quand il était dans son corps physique et, par la force de l'habitude, l'habitude apprise dans le physique et qui s'est enracinée dans l'esprit subconscient, il est soutenu. L'habitude de marcher sur un plancher permet à un fantôme de le faire « astralement », elle le maintient sur la surface du plancher. Le désir de marcher au plafond pourrait tout aussi bien, soutenir le fantôme et lui permettre de marcher au plafond. La volonté subconsciente régularise le poids du corps astral, l'amenant à s'élever, à tomber, ou à rester à n'importe quel niveau. La volonté consciente peut également faire la même chose. Mais un esprit mortel ne pourra jamais expliquer comment la pensée crée ou « fait la réalité » dans le monde astral.

Imaginez que vous marchiez sur le plancher, au premier étage de votre maison, comme si ce plancher vous soutenait alors que vous n'avez aucun contact avec lui. Vous trouveriez naturellement que c'est une sensation bien étrange. En fait, la chose n'est même pas remarquée par le fantôme qui déambule. Mais si vous commencez à y penser — comme je l'ai souvent fait — vous traverserez le plancher ! Pourquoi ? Simplement pour avoir « pensé » que le sol n'étant pas en contact avec vous, « il ne peut pas » vous soutenir !

Vous ne « pensez » pas à marcher quand vous êtes dans le corps physique, n'est-ce pas ? Vous n'y pensez pas plus dans l'astral. C'est l'habitude, l'expression subconsciente qui le fait pour vous. Il en va de même si vous montez ou descendez un escalier. Vous ne serez conscient que vous ne marchez pas véritablement sur les marches que si vous y pensez et alors, vous les traverserez...

Tout cela présente une analogie frappante avec l'histoire de Jésus-Christ marchant sur les eaux. Sa « pensée » le soutenait dans ce « miracle » ; Pierre essayant d'en faire autant y réussit un moment, puis il coula quand « il prit peur » et Jésus le lui reprocha : « Homme de peu de foi, pourquoi as-tu douté ? » Si le Christ pouvait faire ce genre de choses c'est qu'il pensait qu'il pouvait effectivement le faire, que sa pensée le soutenait et qu'il y parvenait aussi bien dans son corps physique — marche sur les eaux, ascension, lévitations — que fort probablement dans son corps astral.

Voici un autre exemple de la manière d'agir, irrégulière, de l'esprit dans l'astral. En règle générale, dans notre vie terrestre, nous évitons les automobiles — du moins nous essayons de les éviter — quand nous traversons la rue. Nous avons pris l'habitude de regarder et d'attendre que les voitures soient passées avant de nous aventurer dans un carrefour. Il me revient une occasion où, projeté, je me promenais dans la rue. J'étais sur le point de traverser cette rue, quand je m'arrêtai pour voir si une voiture n'arrivait pas. Or, en même temps, je « savais » que les voitures ne pouvaient me faire de mal et passeraient simplement à travers moi. C'était la force de l'habitude ! Mais cependant, en d'autres occasions, je ne me suis pas arrêté alors que je traversais pour voir si des voitures ne venaient pas, risquant de m'écraser.

C'est ainsi que l'on peut, toujours dans la rue, rencontrer quelqu'un, en chair et en os, et l'éviter inconsciemment, alors que, en d'autres occasions, on passera au travers d'êtres terrestres sans jamais penser même qu'on aurait pu les cogner. Tout dépend de l'idée qui domine l'esprit à ce moment-là, qu'il soit conscient ou inconscient.

A propos de « passer au travers de personnes terrestres », je dois dire que la première fois qu'on exécute pareille chose, c'est avec un sentiment d'appréhension ! Il paraît que quand cela se produit, la personne terrestre en ressent comme un frisson. Je ne pourrais formellement affirmer ou infirmer la chose, mais j'en doute. L'être astral, quant à lui, ne ressent absolument rien. Mais c'est vraiment un « petit suspense » que de traverser des êtres matériels ! Ici aussi, les mots sont impuissants à décrire le sentiment prodigieux qui envahit le projecteur quand il devient conscient, dans ce « purgatoire des morts », quand il voit des « fantômes attachés à la terre », quand il traverse les airs, se soutient par la pensée, passe à travers les choses et les êtres matériels (qui n'offrent pas plus de résistance que l'air lui-même) et écoute les « bavardages » de ceux qui ne soupçonnent pas sa présence.

« Bavardages » est bien le terme qui convient quand on se trouve dans cet état, car avec un environnement si « extra-ordinaire », les sujets courants de discussion entre mortels paraissent futiles ! On peut concevoir que les défunts cessent bien vite d'écouter l'incessant « babil » des terrestres !

Cependant, en dépit de toutes les choses merveilleuses du plan astral, il est bon de pouvoir réintégrer son corps physique et de pouvoir « toucher ». Toucher ! Si seulement on pouvait sentir les choses dans ce purgatoire ! C'est cela, l' « enfer » de cet endroit à vrai dire. Je suis assez confondu devant les efforts de ces fantômes attachés à la terre sous un « super-stress » d'habitude ou de désir, pour établir des contacts tangibles avec ce qui est terrestre ! Comment n'en deviennent-ils pas encore plus « fous » ? Il n'y a qu'un remède à leur triste état : se détourner de cette terre dans une volonté de briser le stress de l'habitude ou du désir.

LES FANTOMES ATTACHES A LA TERRE NE SONT PAS NOMBREUX

Mais les fantômes attachés à la terre ne sont pas aussi nombreux qu'on pourrait le croire. L'une des grandes erreurs serait de s'imaginer qu'au moment où l'on se trouve hors de son corps, on voit des milliers d'esprits autour de soi. Ce n'est pas le cas, car bien qu'il y en ait quelques-uns, ils sont loin d'être une multitude, et du reste, on ne voit généralement pas un seul esprit lors d'une projection. On se trouve le plus souvent seul — étranger en terre étrangère et malgré tout familière. Il paraît que dans les rues des grandes villes, des centaines de fantômes astraux se mêlent aux êtres de chair et de sang.

Certains vous diront qu'en étant projeté et conscient dans le corps astral, vous pourrez voir à de longues distances. Ceci, comme bien des choses, n'est pas toujours vrai et l'on ne peut répondre de manière absolue à aucune question concernant le plan astral.

On peut se projeter et rencontrer un certain état, puis s'intérioriser et croire que l'on sait tout sur l'astral, alors qu'on n'en aurait qu'une connaissance limitée à une expérience bien particulière. Du fait de ces innombrables états variables, de nombreuses histoires concernant les choses du monde astral paraissent contradictoires. Ce qu'un médium verra, entendra, et nous présentera comme étant la vérité, un autre le rejettera, parce qu'il a connu un état, des circonstances différents. Ceci est également vrai pour les esprits désincarnés.

Permettez-moi de citer encore une de mes expériences. Je pourrais intituler celle-ci :

UNE RENCONTRE AVEC UN « ENNEMI ASTRAL »

En 1923, un homme qui vivait dans ma ville natale mourut d'un cancer de l'estomac. Sa femme connaissait bien ma mère qui eut, quelques jours après l'enterrement, l'occasion de lui parler. La veuve confia beaucoup de choses à ma mère, se plaignant du caractère véritable de son mari, F.D., qui aurait été une vraie brute si on devait en croire ce qu'elle raconta. Certaines des choses rapportées sur son sujet développèrent en moi la haine de cet homme. Je me souviens même de m'être mêlé — en rage contre le défunt — à la conversation entre la veuve et ma mère !

Cette conversation se déroulait vers dix-neuf heures

trente et dans la soirée, j'avais tout à fait oublié l'incident. Cette nuit-là, en m'endormant, j'expérimentai une projection consciente. J'avais passé très bien le premier stade, atterrissant sur mes pieds juste en dehors du champ d'activité du câble et je me retrouvais libre. Je fis quelques pas puis m'arrêtai pour regarder en arrière vers mon corps physique (il est rare qu'on ne le fasse pas).

Mes yeux rencontrèrent alors une vision terrifiante ! F.D. se tenait là, me regardant avec des yeux sadiques ! Je n'oublierai jamais, tant que je vivrai, la lueur sauvage de ce regard ! Je savais instinctivement qu'il devait penser à la vengeance et j'étais franchement terrorisé. Je ne savais que faire, mais avant que j'aie eu le temps de faire le moindre geste, il se précipita sur moi. Nous nous battîmes quelques moments ; il prenait le dessus sur moi (comme il me maudissait et me frappait avec toute son énergie !) et ses forces semblaient bien supérieures aux miennes quand, en un instant, je réalisai que mon pouvoir contrôlant me ramenait en concordance.

Quand ce pouvoir vint ainsi à mon aide, F.D. parut s'affaiblir. Je me dirigeais vers mon corps physique, avec lui qui s'accrochait à moi. Quand je fus dans le champ d'activité du câble, un pouvoir bien plus grand encore parut m'envahir.

Je fus levé en l'air, horizontalement, en dépit de tous les efforts de mon ennemi pour me retenir, puis tiré dans une position directement au-dessus de mon corps physique et je chutai — une chute qui provoqua la répercussion la plus grave sans doute que j'aie jamais vécue. Alors, je redevins physiquement vivant. Durant tout ce temps j'avais été aussi conscient que je le suis présentement — autant que vous qui me lisez actuellement. Des sceptiques pourront dire qu'il ne s'agissait que d'un cauchemar ; je sais, moi, quand je suis conscient, et je sais ce qui est vrai quand je suis conscient ! C'était bel et bien « réel » ! Aussi vrai que si j'avais combattu un costaud de chair et de sang.

Est-ce Luther qui prétendit s'être battu avec un diable ? Qui sait. Peut-être le fit-il, après tout ?

Je n'ai jamais eu l'occasion de les lire, mais on m'a dit qu'il existe, dans la littérature spirite, des rapports qui ne diffèrent pas tellement du mien.

CHAPITRE XV

LA « POSSESSION »

Ceci nous amène au sujet de « la possession ». Un différend existe chez les spirites eux-mêmes, sur le point de savoir si les fantômes attachés à la terre — fantômes au purgatoire — peuvent exercer des influences néfastes sur les êtres mortels. Personnellement, je crois possible l'obsession par les esprits. Je ne trouve pas très convaincant de la part de certains spirites et occultistes, de prétendre que seuls « les bons esprits » peuvent influencer les esprits terrestres quand ceux-ci sont réceptifs de façon positive également et que « les esprits mauvais » ne le peuvent pas, quand l'esprit mortel est aussi tourné vers le mal.

La science moderne quant à elle réfute la doctrine de la possession *. Elle prétend que tous les cas de pseudo-« influence d'esprits », ne sont en réalité, que des cas d'esprits et de corps malades demandant une attention médicale particulière. Des spirites expérimentés savent cependant que si de nombreux cas d'obsession apparente peuvent être expliqués de cette manière, il y a également des cas de véritable possession dus à des esprits désincar-

* Précisons quand même que « la possession » est l'état d'une personne — le « possédé » — dont « un démon » dirige les actes (N.d.T.).

nés, moins évolués, et un psychologue aussi fameux que le professeur W. James a dit, quelque temps avant sa mort : « Le refus de la science moderne de considérer la possession comme une hypothèse envisageable et cela en dépit de la somme de traditions humaines fondée sur l'expérience concrète, m'a toujours paru être un exemple curieux du pouvoir de la mode dans les choses scientifiques... Que la théorie du démon (qui n'est pas nécessairement " le Diable ") retrouvera du crédit me paraît absolument certain. Il faut être " scientifique " pour que, aveugle et volontairement ignorant, même une " possibilité " ne soit pas envisagée. » Le professeur J.-H. Hyslop écrit dans *Life after death :* « J'ai affirmé que l'explication de ce cas est " la possession " par les " esprits impurs " ou par " le Démon ", comme on le disait dans le Nouveau Testament. Avant d'accepter une telle doctrine, je l'ai combattue pendant dix ans, ensuite j'ai été convaincu que la survie après la mort était prouvée. »

Le cas auquel le professeur J.-H. Hyslop fait allusion est celui-ci : « Voici un cas de dédoublement causé par un acte brutal d'un des parents [du sujet] consistant en un cas de " personnalité multiple ", manifestation pathologique grave que les médecins regardent comme incurable, condamnée à l'asile d'aliénés. Les diagnostics sont allés de la " paranoïa " à la " démence précoce " mais par les soins et la patience d'un clergyman, la jeune fille fut guérie et put devenir une personne saine, capable d'assumer la responsabilité d'un grand élevage de volaille et celle de vice-présidente d'une association d'éleveurs de la région où elle habitait, dirigeant les réunions avec intelligence et sang-froid.../... Après cette guérison, des expériences qu'elle fit avec un spirite révélèrent qu'il s'agissait d'un cas de possession. Sa médiumnité commença à se développer, comme moyen de prévenir le retour de ces mauvaises obsessions, et déboucha sur une vie normale et saine. »

Parlant des conséquences d'une telle « croyance », l'auteur dit plus loin : « L'intérêt majeur de tels cas est l'effet révolutionnaire dans le champ de la médecine. Il est possible que des milliers de cas diagnostiqués comme " paranoïa " ne tiendraient pas devant cette investigation et ce traitement. Il est grand temps que le monde médical se réveille et apprenne quelque chose. »

Dans le « cas de 89 » que j'ai mentionné au début du livre, nous voyons un exemple très inhabituel de possession d'un être terrestre par un fantôme astral. Si la Bible dit vrai, il apparaît que le Christ lui-même est un avocat de la croyance en la possession par « le démon » car dans de nombreux cas il démontre en somme ses capacités « d'exorciste »... imité en cela par les apôtres, dont saint Paul. Certains fantômes « obsèdent » intentionnellement, d'autres le font sans le savoir. Souvent, le fantôme est lui-même « possédé », comme dans le « cas de 89 ». Le stress de désir terrestre est si fort dans l'astral que le seul miracle est qu'il n'y ait pas plus de personnes obsédées par des entités attachées à la terre essayant de réintégrer des corps matériels pour apaiser leurs désirs. Mais, inutile de préciser que les « obsédants » sont des « esprits du purgatoire ». Certains cas d'obsession très frappants — dans lesquels les « entités obsédantes » ont donné de remarquables preuves de leur propre existence autonome — peuvent être trouvés dans les livres de M.J. Godfrey Raupert *the Dangers of spiritualism, Modern spiritism* et *the supreme problem,* aussi bien que dans *Spirit Obsession : the demonism of The Ages* du Dr. Peebles. Un exposé particulièrement intéressant sur le sujet peut être trouvé dans l'essai sur *l'Obsession* du Dr. C.-H. Carson ; alors que quelques cas très frappants, présentant tous les signes extérieurs des phénomènes historiques sont apparus à l'observation de H. Carrington.

Thirty years among the dead est un ouvrage sur la possession, dû au Dr. Carl Wickland. Il est intéressant de noter que le Dr. Wickland a une institution à Los Angeles, dans laquelle de nombreux patients « obsédés » sont traités d'une manière spiritualiste régulière et ainsi guéris chaque année, alors que bon nombre de nos auteurs et cher cheurs modernes en arrivent à la conclusion que la possession est un fait, c'est tout.

La principale objection que j'ai entendu avancer contre la pratique de la projection astrale est que, pendant que le fantôme est extériorisé, une entité astrale étrangère serait capable d'entrer dans son mécanisme physique et d'empêcher son propriétaire légitime — le projecteur — de le réintégrer. J'ignore quelles sont les probabilités réelles de ce type de possession, mais je crois qu'il y a un vice de construction dans cette hypothèse... si souvent avancée cependant par les spirites.

Si une entité attachée à la terre n'avait qu'à entrer dans le mécanisme physique pendant que le corps astral en est sorti, chaque nuit des centaines de personnes en seraient les victimes car chaque nuit, des centaines de personnes extériorisées voyagent dans leur corps de rêve, qu'elles en soient conscientes ou pas. D'autre part, nous ne pouvons sûrement pas affirmer qu'une entité attachée à la terre ne tirerait pas avantage de ce fait, mais il ne fait pas de doute que beaucoup des pseudo-dangers des projections astrales ont été grandement exagérés.

Alors que, systématiquement les psychologues mettent tous les cas de personnalité « double » ou même « multiple » sur le compte d'un dérèglement psychologique de la personnalité (état pathologique de « dédoublement »), de nombreux spiritualistes éminents prétendent que beaucoup de ces cas ne sont que des cas de possession par des esprits. D'après moi, les spiritualistes ont les meilleurs arguments ; ils ont une explication logique à la question de savoir d'où vient la conscience étrangère et peuvent montrer où cette conscience se développe, alors que les psychologues ne peuvent répondre à la question de savoir comment une telle « conscience secondaire » peut se développer et certaines de leurs théories sont loin d'être convaincantes et ont fait — et font encore — l'objet de contestations en milieu médical et même scientifique[1].

Nous savons aussi, bien sûr, que toutes les pseudo-possessions ne sont pas nécessairement de possessions dues aux « esprits », et que parfois, l'esprit même du sujet peut « s'obséder lui-même ».

LES RAPPORTS AKASHIC

Il est une croyance généralement répandue qui veut qu'une fois projetée de son corps physique dans « le plan

1. Voyez la discussion autour du « Cas de Sally Beauchamps » in *Proceedings* SPR, Volume XIX, p. 410 sq., en particulier p. 430 (H.C.).

des forces » ou « plan astral », une personne se trouve immédiatement dotée de la faculté de voir à la fois le passé et le futur. Dans toutes mes projections conscientes, je n'ai vu que le présent — tout comme je ne vois que le présent (et me souviens du passé) en écrivant cet ouvrage. On prétend que « quelque part dans le plan des forces », il y aurait un enregistrement de tout ce qui a jamais été fait ou dit, et qu'en réunissant certaines conditions, on peut en prendre connaissance. Bien que je n'aie jamais vu ces « rapports Akashic », comme on les appelle et bien que je n'aie jamais vu non plus le futur pendant que j'étais conscient, une fois où j'étais partiellement conscient dans le corps astral, j'ai vécu des événements qui n'étaient pas encore arrivés dans ma vie physique. J'en parlerai plus tard mais, permettez-moi d'abord de résumer ce que d'autres ont dit des « rapports Akashic ».

Les enregistrements Akashic ne sont pas contenus dans un grand livre, mais sont des « impressions » de chaque mot, scène ou action, qui se sont passés dans « l'ether universel » ou « lumière astrale ». Ceci ne devrait pas être considéré comme une merveille, car nous en avons un exemple dans notre propre mémoire. Emmagasiné quelque part, se trouve l'enregistrement de notre passé. Disséquez le cerveau et vous ne trouverez aucune trace de ce que l'on appelle « la mémoire » et pourtant, chaque fois que vous vous souvenez d'un événement du passé, vous avez la preuve que quelque part son « enregistrement » repose, caché, invisible. Où donc est la mémoire ? Les enregistrements akashic sont-ils plus mystérieux que notre propre mémoire ?

L'astronomie nous apprend que la lumière voyage à plus de cent quatre-vingt-six mille miles à la seconde. Il y a des étoiles fixes, si éloignées de la terre que la lumière qui les a quittées il y a mille ans ne nous atteint que maintenant. Nous pouvons regarder une étoile éloignée, mais nous ne la voyons pas telle qu'elle est ou là où elle paraît être, nous la voyons telle qu'elle était il y a des centaines d'années, quand ses rayons lumineux la quittèrent.

Sur ce sujet, H. Carrington écrit : « Il faut un temps considérable à la lumière pour traverser ces vastes espaces ; même à la vitesse de cent quatre-vingt-six mille miles par seconde (cela revient à faire, à peu près sept fois et demie le tour de la terre en une seconde !). Suivant de tels calculs, il faudrait huit minutes pour que la lumière nous parvienne du soleil. Maintenant, si vous pouviez observer le soleil, vous ne le verriez pas tel qu'il est à présent, mais plutôt tel qu'il était, il y a huit minutes ; et vous ne verrez pas le soleil tel qu'il est au moment présent avant huit minutes ! »

« On calcule les distances, en astronomie, avec ce qu'on appelle des "années-lumière" — soit la distance que parcourt la lumière en une année. Tout cela nous amène à un point : supposons que quelque chose se passe sur notre terre, et qu'un être, là, dans l'espace, soit suffisamment éloigné, regardant notre terre, pour voir ce qui s'y passe avec un an de décalage ; il recevrait la lumière qui quitte la surface de notre globe, voyage dans l'espace et atteint le point d'observation, un an après. De même, si vous réalisez une certaine action, il la verrait enregistrée là, à un an de "maintenant" ou à une centaine, ou à un millier, ou à un million d'années de "maintenant" : tout dépend de la distance à laquelle il se trouve. Aussi, si vous pouviez vous éloigner suffisamment dans l'espace, il y aurait toujours un moment, théoriquement, où vous-même vous pourriez voir cette action enregistrée dans l'éther.

« La "création du monde" peut être vue, maintenant, dans l'espace, à une distance déterminée et proportionnelle. Nous voyons toujours l'enregistrement d'étoiles qui se sont éteintes il y a des centaines d'années. Les vibrations lumineuses, mises en marche il y a longtemps existent toujours après disparition de leur source !

« Il apparaît que l'éther universel possède un "enregistrement" de tout ce qui a été et les Hindous disent que si on était suffisamment évolué, on pourrait le lire.

« Swami Panchadasi, qui a la réputation d'être un maître dans l'art de la projection astrale, dit : "En voyageant vers un point dans le temps, dans la quatrième dimension, vous pouvez commencer à ce point et voir une image, mouvante, de l'histoire de n'importe quelle portion de la terre, de ce moment-là à aujourd'hui, et vous pourriez "renverser la séquence", en voyageant à reculons. Vous pouvez également voyager dans l'astral, dans des dimensions d'espace ordinaire, et donc voir ce qui s'est passé, simultanément, sur toute la surface de la terre, à n'importe quel moment, si vous le souhaitez. Pour être tout à fait exact, cependant, je dois vous informer de ce que les vrais enregistrements du passé existent dans un plan bien plus élevé que l'astral, et que ce que vous avez observé n'en est que le reflet (pratiquement parfait cependant). Parvenir à percevoir le reflet des originaux dans la lumière astrale, demande déjà, un haut degré de développement occulte. Une clairvoyance ordinaire cependant, est souvent capable de saisir les moments furtifs de ces images astrales, et peut donc assez bien reconstituer les événements du passé. »

Il doit en être de même pour ces fameux « rapports Akashic » que je n'ai jamais eu l'avantage de connaître.

VIVRE DES EVENEMENTS FUTURS DANS LE CORPS DE REVE

Nous avons déjà appris qu'on peut revivre des événements (qui se sont déroulés dans le passé) dans le corps astral, durant un rêve de projection. Fréquemment, l'esprit qui contemple le futur amènera le rêveur projeté à vivre des événements qui ne se sont pas encore passés dans le monde matériel.

Bien sûr, on peut avoir un rêve « contemplatif du futur » dans lequel le corps de rêve ne vit pas l'action apparente, mais il arrive souvent (spécialement chez ceux qui sont doués pour la projection astrale) qu'un rêve « contemplatif du futur » se déroule, dans lequel le corps astral participe effectivement. Personnellement, j'ai souvent vécu la chose : m'éveiller d'un rêve et le vivre « réellement » dans le corps astral. Ce qui suit en est un simple exemple qui s'est passé il y a plusieurs années.

Je rêvai que je sortais par la porte principale de la maison et commençais à remonter la rue pour prendre le chemin de l'école. Pour me rendre à l'école, j'avais le choix entre deux chemins ; l'un, le plus court et le plus direct passant par un quartier résidentiel, l'autre, passant par le « quartier des affaires ». En retournant à l'école après mon repas de midi, je passais presque invariablement par le quartier résidentiel.

Dans mon rêve, comme je marchais dans la rue, j'entendis quelqu'un m'appeler et en me retournant, je vis un de mes petits camarades, qui vivait à quelques pâtés de maisons de chez moi, courir pour me rattraper. Il était dans ma classe et, tout en marchant, nous parlâmes des problèmes des cours de l'après-midi. Finalement, arrivés à l'endroit où le chemin se divise, j'allais m'engager dans le chemin qui passe par le quartier résidentiel, m'attendant à ce que mon ami fasse de même, quand il me dit : « Viens, passons par la ville, nous avons tout le temps ! » Nous prîmes donc le chemin qui passait par le quartier des affaires. Je m'arrêtai devant la vitrine d'un magasin et attiré par une paire de chaussettes, j'entrai l'acheter. Puis, nous reprîmes notre chemin vers l'école. Comme nous traversions le parc, je vis un garçon — que je reconnus immédiatement — venir vers nous. Arrivé à ma hauteur, il s'approcha très près de moi, cracha sur une de mes chaussures, puis après un geste et un petit cri de provocation, le vilain garnement s'enfuit.

Nous n'étions plus qu'à une petite distance de l'école et, au fur et à mesure que nous continuions d'avancer, je m'éveillais de plus en plus, semblait-il, et je réalisai avant même que la conscience complète ne me vienne, que j'étais effectivement en train de marcher dans le parc. Je m'éveillai alors dans l'astral et découvris que mon action était réelle, mais que les personnages s'étaient évanouis de la scène. J'étais là, seul, dans mon corps astral.

Plusieurs semaines après, les faits se réalisèrent vraiment, absolument de la même manière que dans le rêve. Je quittai la maison pour aller à l'école ; mon ami m'appela, nous marchâmes jusqu'au croisement des chemins où il me persuada de passer par la ville ; je vis les chaussettes dans la vitrine du magasin et les achetai ; nous traversâmes le parc et rencontrèrent le vilain garnement que j'avais vu dans mon rêve et, comme il approchait, je dis à mon ami : « — Il va cracher sur ma chaussure. » C'est ce qu'il fit, avec le geste et le cri « provocateurs » et il s'enfuit.

Ceci montre donc que le corps astral avait vécu un événement qui ne se produisit dans le monde physique que plusieurs semaines plus tard. En voici un autre exemple :

Une nuit du printemps 1927, je m'éveillai dans l'astral

et me trouvai dans un endroit étrange : un parc tout particulièrement attrayant. Je regardai autour de moi, en observai les caractéristiques et notai plusieurs détails particuliers aussi bien que son aspect général. Je remarquai notamment un mur de pierre élevé, et deux petits ponts traversant un cours d'eau. Je ne me souvenais pas avoir jamais visité ce curieux endroit, pas plus que je ne savais où il se situait, pas plus que je n'ai pu me rappeler le voyage de retour vers mon corps physique. Deux mois plus tard, en voyageant avec un ami, j'entrai par hasard dans le parc d'une ville située à près de cinquante miles de chez moi et découvris que c'était cet endroit-là que j'avais précédemment visité dans l'astral !

J'ai pu noter de nombreuses expériences semblables, mais elles nous éloigneraient du sujet. En fait, il se passe rarement une semaine sans que j'aie un rêve de « contemplation du futur », et parfois, je deviens conscient dans le rêve — uniquement pour découvrir que je vis réellement l'action contemplée dans mon corps de rêve. J'ai remarqué que ce type de rêve commence toujours par quelque action de routine. Le rêveur fait quelque chose qu'il a l'habitude de faire tous les jours, et ensuite il rêve de prolongements neufs à l'action. Par exemple, dans l'expérience que je viens de relater (le vilain garnement), j'ai d'abord rêvé de ma routine quotidienne : aller à l'école, et puis certains incidents qui ne s'étaient pas encore produits, furent rêvés et accomplis. Généralement, un tel rêve se matérialise le jour suivant, mais l'action peut aussi se dérouler en réalité plusieurs mois après que le corps astral ne l'ait vécue, comme ce fut le cas dans les deux expériences mentionnées.

Mon corps astral a peut-être accompli de nombreux rêves de contemplation du futur dont je n'ai pas eu connaissance — car on ne se souvient pas toujours d'un rêve et on ne s'éveille pas toujours d'un rêve — il est évidemment regrettable que nous ne puissions trouver une méthode de rêver à volonté des événements futurs ! Parfois, dans un rêve de projection, le sujet peut se trouver dans quelque lieu étranger, être presque conscient, et voir ce qui se passe là-bas, mais en se réveillant dans son corps physique, il n'est plus certain que les événements se soient déroulés réellement et il les attribue — quand il s'en souvient — à des « fantaisies nocturnes ». Jamais, il ne peut savoir que les événements se sont réellement passés et que le rêve était plus qu'une « fantaisie »[2].

BEAUCOUP DE REVES MEDIUMNIQUES SONT PRIS POUR DES PROJECTIONS

On ne doit pas se leurrer en s'imaginant que c'est le corps de rêve qui vit *tous* les rêves. Beaucoup de personnes croient que, durant chaque rêve, le corps astral se projette et vit le rêve, alors que le fantôme ne répond même pas du tout à certains rêves et reste au repos, sans activité. On peut rêver pendant que le corps astral est en concordance avec le corps physique et, ou bien il n'y aura pas d'action de la part du corps astral, ou bien le résultat sera que le corps physique se mettra en action (somnambulisme physique).

D'autre part, on peut rêver pendant que le fantôme repose sans mouvement dans la zone de quiétude ; on peut aussi rêver et vivre le rêve dans le corps astral. On peut rêver, et que le corps astral se projette et vive le rêve dans le lieu même du rêve, ou bien on peut faire le même rêve et que le corps astral le vive près du corps physique — l'esprit créant l'environnement ou le lieu, exactement tel qu'il apparaît en réalité au loin. On peut rêver d'événements qui se déroulent en des lieux éloignés sans jamais y être projeté, tout comme le médium peut voir des choses se produisant en un endroit éloigné, sans être réellement projeté là-bas.

Sans aucun doute, il y a de nombreux rapports de projections astrales qui n'en sont nullement ! Ce qui va suivre en est un exemple intéressant, rapporté par la SPR ou plus exactement par un correspondant de la Société, l'incident étant raconté par une tierce personne : « Un matin de

---

2. Voyez à ce sujet, le livre remarquable de W.-J. Dunne, *An experiment with time* dans lequel, non seulement il donne la relation de nombreux cas de ce genre, mais explique comment il a pu obtenir des rêves prophétiques à volonté ; il dit aussi à ses lecteurs comment obtenir, eux aussi, ces rêves ! (H.C.).

décembre 18.. « il » eut le rêve suivant, qu'il préfère appeler « révélation ». Il se trouva soudain à l'entrée de l'avenue du Major N.M., à de nombreux miles de sa maison. Près de lui, se trouvait un groupe de personnes ; l'une était une femme portant un panier sous le bras, les autres des hommes, dont quatre étaient ses locataires, alors que d'autres encore lui étaient parfaitement inconnues. Certains des étrangers paraissaient agresser H.W., un de ses locataires, et il intervint : « Je frappai violemment l'homme qui se trouvait à ma gauche, et puis avec plus de violence, le visage de l'homme à ma droite. Découvrant avec surprise que je n'en avais assommé aucun, je recommençai à frapper, encore et encore, avec toute l'énergie et la frénésie d'un homme qui assiste à l'assassinat d'un de ses amis. Avec une surprise encore bien plus grande, je découvris que mes bras, bien que visibles pour moi, étaient comme sans substance et que les corps des hommes se rapprochaient très fort du mien après chaque coup que je donnais avec ces « sortes d'ombres de bras » avec lesquels je me battais. Mes coups étaient donnés avec bien plus de violence que je ne m'en croyais capable, mais je devais hélas, convenir de leur inutilité. Je n'ai aucune conscience de ce qui se passa par la suite. » Le lendemain matin, il ressentit la raideur et l'endolorissement qu'occasionnent de violents exercices corporels, et sa femme lui dit qu'au cours de la nuit, il l'avait bien inquiétée en frappant continuellement l'air avec ses bras d'une façon terrible comme s'il luttait véritablement pour sa vie ! Il lui raconta à son tour son rêve et la pria de noter le nom des personnes qu'il connaissait et qui s'y trouvaient impliquées. Le jour suivant — un mercredi matin — il reçut un message de son agent qui habitait non loin de la scène du rêve. Le message l'informait que son locataire avait été trouvé mardi matin à l'entrée de l'avenue du Major N.M., inconscient et à l'agonie avec une fracture du crâne, et que l'on n'avait nulle trace des agresseurs.

« Cette nuit-là, il se rendit à la ville où il arriva le jeudi matin. Alors qu'il cherchait les autorités responsables, il rencontra le magistrat principal de la région et lui demanda de donner des ordres pour appréhender les trois hommes qu'il avait reconnus dans son rêve et leur faire subir, séparément, un interrogatoire. Ce fut aussitôt fait. Les trois témoins donnèrent un compte rendu identique de l'incident et tous nommerent la femme qui était avec eux, dont le témoignage fut tout à fait concordant. Tous dirent qu'entre vingt-trois heures et minuit, la nuit du lundi, ils rentraient ensemble chez eux quand ils furent abordés par trois inconnus, deux d'entre eux attaquèrent sauvagement H.W. pendant que le troisième empêchait ses compagnons d'intervenir. H.W. ne mourut pas mais, à la suite de cette affaire, il ne fut plus jamais le même homme et d'ailleurs il émigra. »

Vous pensez peut-être que tout ce qui précède pourrait être considéré comme un bon exemple de projection astrale ? C'est n'importe quoi, sauf ça ! En fait, le corps astral du sujet n'était même pas hors de concordance puisque le lendemain, il ressentait une raideur et une douleur physique et apprit par sa femme, qu'au cours de la nuit son corps physique s'était fort agité. Il s'agit plutôt d'un cas de (presque) somnambulisme physique dans lequel le sujet a simplement rêvé ce qui se passait au loin. Le corps astral ne pourrait être projeté loin du corps physique alors que celui-ci est toujours si actif. Aussi, je le répète, ne vous égarez pas en croyant que le corps de rêve accomplit tous les rêves hors du physique ou que, si on n'est pas projeté, on ne peut voir les mêmes événements que si on l'était vraiment.

Il n'y a que deux façons d'avoir la certitude qu'on est vraiment projeté dans un rêve : par un médium qui verrait le corps astral projeté du rêveur, ou par le fait que le rêveur projeté deviendrait complètement conscient à cet endroit. Des rêves dans lesquels le sujet croit être en un lieu distant ne devraient jamais être mis sur le compte d'une projection asrtale sous prétexte qu'ils paraissent très réels. Dans de nombreux cas de somnambulisme physique, le sujet a été capable de décrire des scènes lointaines et de dire exactement ce qui s'y passait. Le somnambulisme physique et la projection astrale ne peuvent se passer simultanément chez le même sujet. Semblablement à « la vision en un point éloigné », il y a ce qui pourrait être appelé « la vision de l'environnement immédiat », dans laquelle le rêveur voit des faits qui se passent réellement dans son environnement et même dans la chambre où il dort. De tels rêves se produisent généralement pendant la journée, durant la sieste de l'après-midi, fréquemment juste un instant avant que le rêveur ne s'éveille. On peut rêver par exemple que telle personne est à la porte, et s'éveiller un instant plus tard pour découvrir qu'elle est effectivement derrière la porte.

LA « CONSCIENCE DE REVE » N'EST PAS LA CONSCIENCE REELLE

De cela, nous voyons bien qu'il existe une « conscience de rêve » qui n'est pas la vraie conscience. On possède de nombreuses relations d'expériences de projections astrales dans lesquelles le sujet se trouvait seulement dans un « état de conscience de rêve » ; il est un fait que beaucoup de personnes — même parmi celles qui ont eu des expériences hors du corps — croient que c'est la seule conscience qui existe. C'est pour cette raison que la plupart de ces prétendus rapports de projections conscientes sont d'un caractère plus ou moins visionnaire.

Il faut bien comprendre ceci : il y a une « conscience de rêve », dans laquelle le sujet voit précisément ce qu'il verrait s'il était réellement conscient, mais avec une intervention plus ou moins importante de l'imagination et des rêves où s'ajoute de la clairvoyance. C'est ainsi que beaucoup d'informations concernant la « vie des esprits » ont été obtenues par des individus affirmant avoir été dans des « domaines supérieurs de l'esprit ». En fait, ils n'y ont pas vraiment été projetés, ils croient seulement qu'ils l'ont été — à cause de la réalité apparente du rêve clairvoyant (qu'ils ont fait) — tout comme certains croient avoir été projetés en quelque point terrestre éloigné, alors qu'ils ont simplement vu cet endroit dans un rêve clairvoyant.

Rappelons-nous que durant le sommeil, il se peut que l'on voie des scènes et des événements appartenant au domaine terrestre comme à celui « des esprits » et qu'il s'agisse de clairvoyance et non de véritable « projection astrale en un point éloigné ».

Quiconque a jamais eu une réelle projection astrale

consciente, ne pourra la confondre avec un rêve clairvoyant et SAIT que la vraie conscience ne doit pas être confondue avec la conscience de rêve. Qu'il suffise de se pénétrer du fait qu'on peut exister hors de son corps physique, tout aussi vivant et conscient qu'on peut l'être habituellement dans ce corps physique.

LA MORT N'EST QU'UNE PROJECTION PERMANENTE

Notre étude de la projection astrale devrait maintenant nous permettre de nous faire une bonne idée du « passage » au moment de la mort ; car après tout, la mort n'est qu'une projection permanente — une projection du corps astral dans laquelle celui-ci ne revient pas pour animer sa contrepartie physique.

La plupart des morts sont sans doute inconscientes. Le Dr. Baillie a dit que : « Toutes mes observations de mourants m'ont amenée à croire que la Nature tient à ce que nous quittions le monde aussi inconscients que nous y sommes entrés » et il ajoute : « dans toutes mes expériences, je n'ai pas vu un cas sur cinquante qui prouverait le contraire[3]. »

Il y a toutefois des cas exceptionnels, dans lesquels la conscience semble être présente jusqu'à la fin. Sir Benjamin Brodie et d'autres ont recueilli de tels cas. Le professeur Hyslop a écrit un article très valable sur la *Conscience de mourir* dans le *Journal de la S.P.R.* (juin 1898). Il y établit qu'en considérant le fait indubitable que le patient paraît conscient de son propre « passage » et attendu qu'il serait impossible théoriquement à la conscience de jamais être consciente de sa propre extinction, il semblerait que la conscience soit simplement « retirée » et non pas éteinte.

On peut se considérer comme très heureux si la mort vient pendant le sommeil et n'est pas provoquée violemment. Une mort violente est un grand choc pour la cons-

3. Il est intéressant de savoir qu'il y a des personnes qui prétendent avoir été conscientes de leur propre naissance. J'en fait partie. Warrington Dawson a publié un article à ce sujet dans le magazine *Health and Life* (S. Muldoon).

cience, elle implante le « stress du choc » dans l'esprit subconscient et, dans de nombreux cas, la victime reste dans un état de semi-folie dans l'atmosphère terrestre — ainsi que nous l'avons vu dans plusieurs cas relatés dans ce livre.

Il est probable que la projection permanente — la mort — et la projection temporaire, étant de nature très semblable, deux personnes n'auraient de ce fait jamais la même expérience « en passant ». Certaines sortiraient du corps consciemment, d'autres dans un état partiellement conscient, alors que la majorité quitteraient leur corps de manière tout à fait inconsciente. Certains esprits « qui sont revenus » semblent avoir eu une conscience plus ou moins claire de leur passage. A ce sujet, permettez-moi de citer quelques paragraphes d'un cas rapporté grâce à la médiumnité de M. Tudor-Pole, dans lequel le soldat de 2e classe Dowding décrit sa propre mort.

« Comme vous le voyez, je passe rapidement sur ces événements importants qui le furent également un jour pour moi, mais qui n'ont à présent plus guère de poids ! Comme nous surestimons le sens des choses terrestres ! J'avais très peur d'être tué et j'étais certain que cela signifierait " l'extinction " pure et simple. Beaucoup le croient toujours, et c'est parce que ça ne s'est pas passé ainsi pour moi que je veux vous en parler.

« La mort physique n'est rien. Il n'y a vraiment aucune raison d'en avoir peur. Certains de mes amis pleurèrent beaucoup sur mon sort et quand je partis pour l'Ouest, ils ont pensé que j'étais un homme mort. Ce fut vrai, en un certain sens. J'ai un souvenir parfaitement clair de toute l'affaire. J'attendais pour prendre ma garde, au coin d'un croisement de tranchées. C'était un beau soir. Je n'avais pas la moindre conscience du danger, jusqu'à ce que j'entende le sifflement d'un obus, suivi d'une explosion derrière moi. Je me jetai par terre instinctivement, mais c'était trop tard. Quelque chose me frappa très, très violemment à la nuque. Perdrai-je jamais le souvenir de la violence de ce coup ? Mais ce fut là pour moi le seul incident désagréable ! Je suis tombé et, au même moment, sans passer par un intervalle apparent d'inconscience, je me trouvai " hors de moi ". Je raconte simplement mon histoire, comme vous le voyez ; vous la trouverez plus facile à comprendre, comme vous trouverez qu'il est bien "simple" de mourir! Songez-y! A un moment, j'étais vivant (au sens terrestre) regardant par-dessus les tranchées, détendu, "normal" et cinq secondes plus tard, j'étais debout hors de mon corps, aidant deux de mes amis à porter ce corps dans le labyrinthe des tranchées, vers le poste de secours. J'avais un peu l'impression de rêver. J'avais rêvé que quelque chose ou quelqu'un me frappait et maintenant, je rêvais que j'étais hors de mon corps. Je me disais que j'allais bientôt me réveiller et me retrouver dans la tranchée attendant d'aller prendre ma garde[4]. »

Dowding dit plus loin : « Quand je vivais dans le corps physique, je ne pensais jamais beaucoup à tout cela. Je connaissais peu de choses sur la physiologie et maintenant que je vis dans d'autres conditions je reste aussi peu curieux. Par cela, j'entends que je suis toujours dans un corps quelconque mais que je ne peux pas dire grand chose à son sujet. Cela n'a pas d'intérêt pour moi. C'est plus facile ainsi et cela ne me fatigue pas. En tout cas, au point de vue formation, il paraît semblable à mon ancien corps, mise à part une différence subtile que je n'ai pas essayé d'analyser. Chacun de nous crée ses propres conditions de purgatoire. Si c'était à refaire, comme je vivrais différemment ma vie! Je n'ai jamais suffisamment vécu parmi mes compagnons et ne me suis pas assez intéressé à eux. »

Nous trouvons dans le récit du 2e classe Dowding, beaucoup de points qui sont en accord avec ce que nous avons appris de la projection astrale temporaire. Caroline-D. Larson, dans son livre *My travels in the Spirit World* dit qu'elle a, en une certaine occasion, véritablement vu le corps astral sortir et rentrer dans le corps physique d'un mourant et ce, plusieurs fois avant de le quitter finalement. C.-D. Larson raconte ainsi l'histoire :

« Mon mari et moi-même connaissions bien M.G., sans que nous soyions en très bons termes avec lui. C'était un

---

4. Apparemment le soldat Dowding « rêvait vrai » c'est-à-dire qu'il rêvait de l'action qui se déroulait réellement. Il se disait également qu'il rêvait et croyait qu'il ne tarderait pas à s'éveiller. Cela ressemble fort à ce qu'on connaît quand on « rêve vrai » durant une projection temporaire (S. Muldoon).

homme qui s'adonnait volontiers à la boisson et son vice le dominait souvent. A la suite de certains ennuis qu'il n'est pas nécessaire de détailler, il perdit complètement la tête, sombra dans la boisson et la drogue, pour finalement en perdre la vie. La nuit de sa mort, il se fait que j'étais "sortie dans mon corps d'esprit". Passant près de sa maison, j'entrai. M.G. gisait sur son lit, en proie à de terribles convulsions causées par une overdose de drogue et d'alcool. A côté de son lit, se tenaient deux hommes qui, je le savais, voulaient lui porter secours (ceci fut vérifié par mon mari, par la suite). Soudain, je vis M.G. s'élever dans son corps astral et émerger complètement de sa contrepartie physique. Il se mit aussitôt à la recherche — tout autour de son lit — d'une demi-bouteille de whisky et d'une petite bouteille de narcotique qu'il avait cachées. Il les trouva, essaya de les porter à sa bouche et n'y parvenant pas, une expression de détresse couvrit son visage. Puis il revint vers son corps et le réintégra immédiatement. Quelques instants plus tard, il sortit à nouveau de sa forme mortelle pour se livrer au même petit jeu et cela plusieurs fois. Il était très curieux d'observer que chaque fois qu'il quittait son corps celui-ci semblait se calmer dans la mort et que, dès qu'il y revenait, il se tordait dans d'horribles convulsions. Finalement, il sortit — pour la dernière fois — et juste comme il s'apprêtait à se remettre à la recherche de ses précieuses bouteilles, il m'aperçut. Se redressant, il me regarda droit dans les yeux, stupéfait. Alors, en se détournant, il tituba et sortit tout à fait hébété de la maison, ignorant du fait qu'il avait laissé derrière lui son corps physique qu'il ne réintégrerait plus jamais. Il est significatif que chaque fois qu'il sortait de son corps physique, son aura le recouvrait instantanément d'un habit semblable au "costume-sac" qu'il portait habituellement, mais il était de couleur brune, dénotant ainsi son manque de développement spirituel. »

Andrew Jackson Davis, par sa capacité à voir astralement, assista à plus d'une scène d'agonie et il dit que deux morts ne sont jamais pareilles, qu'elles soient vues du plan astral ou du plan physique. Dans son *Harmonial Philosophy*, il donne cette description d'un cas qu'il observa : « Un être humain repose sur un lit ; de fait, il est en train de mourir. Ce sera une mort rapide. Le corps physique devient "négatif" et froid, au fur et à mesure que les éléments du corps spirituel deviennent chauds et "positifs". Les pieds sont les premiers à devenir froids. Le médium voit juste au-dessus de la tête ce qu'on peut appeler un halo magnétique, une émanation hétérée d'apparence dorée, et vibrant comme si elle était pourvue de conscience.

« Maintenant, le corps est froid jusqu'aux genoux et aux coudes. Ensuite, les jambes sont froides jusqu'aux hanches et les bras jusqu'aux épaules. L'"émanation" s'est étendue, mais sans encore s'élever dans la chambre. La froideur mortelle s'est répandue à la poitrine et aux côtes. L'émanation a atteint une position plus proche du plafond. La personne a cessé de respirer. Le pouls est à l'arrêt. L'émanation est allongée et dessine la silhouette de la personne humaine dont la tête bourdonne intérieurement — un bourdonnement lent, profond, pas douloureux, mais pareil au rythme de la mer. Les facultés mentales sont là, intactes, alors que presque chaque parcelle du corps physique de la personne est morte. L'émanation dorée est reliée au cerveau par un très fin "fil de vie". Sur le corps de l'émanation apparaît quelque chose de blanc et de brillant, pareil à une tête humaine, ensuite vient en léger contour le visage, adorable comme il le fut ; le cou et les épaules, tout aussi beaux, se dessinent et, ensuite encore et en succession rapide, toutes les parties du nouveau corps jusqu'aux pieds — une image brillante, quelque peu plus petite que le corps physique, mais une copie parfaite en tous ses détails[5]. Le mince fil de vie est toujours là, attaché au cerveau "ancien". »

L'observation faite ensuite est celle du retrait de ce principe électrique : « Quand le fil se brise, le corps spirituel est libre. » La mort, cependant, est un sujet qui tient peu de place dans l'esprit de la majorité des gens, et nous n'en avons parlé ici que par rapport à la projection astrale. L'idée ne semble jamais apparaître à la moyenne

5. On pourrait croire d'après cette description que Davis voit le processus de création du corps astral au moment de la mort. À mon avis ce que le médium observe, c'est le corps éthéré devenant de plus en plus visible pour lui, à travers l'aura qui l'enveloppe (S.M.).

des gens, qu'ils mourront un jour, et si elle surgit, ils la rejettent de leur esprit comme quelque chose de trop horrible. C'est, en effet, un curieux paradoxe quand on considère la force de l'instinct de conservation chez tous les mortels.

Peu de philosophes ont consacré beaucoup d'attention sérieuse au sujet. Celui qui, à ce jour, me paraît avoir été le plus loin est H. Carrington qui a écrit plusieurs livres sur la nature de la mort. Comme le dit le professeur Fournier d'Albe dans son *New light on immortality* : « Le XXe siècle est bien trop occupé pour s'intéresser beaucoup aux problèmes de la mort, et de ce qui la suit. L'homme du monde s'assure sur la vie et abandonne sa mort sans la moindre forme de politesse. Les églises, qui s'intéressaient grandement au destin ultime de l'âme après la mort, consacrent maintenant le principal de leurs efforts à l'instruction morale et à l'amélioration sociale. La mort en tant que fatalité faisant planer son ombre sur tous et en tant que sujet inépuisable de controverses, n'est pas "morte", cependant... Le spectacle de deux milliards d'êtres humains se précipitant vers leur destin, sans la moindre connaissance de ce que sera ce destin et "prenant pourtant la vie comme elle vient" — généralement assez joyeusement — paraît étrange et incompréhensible. Ce spectacle ressemble à celui que devait présenter une prison sous la Terreur, quand les captifs passaient leur temps en conversations animées et gaies, en attendant de savoir qui serait le prochain à être envoyé à l'échafaud.

« Chaque année, quelque quarante millions de corps humains sont mis en terre. Un million de tonnes de chair humaine, de sang et d'os sont rejetés comme ne pouvant plus être utiles à la société, pour être peu à peu transformés en d'autres substances et, peut-être, en d'autres formes de vie. Pendant ce temps, la race humaine dans ses innombrables formes, vit et prospère. »

« La mort est un sujet sur lequel les philosophes ont sorti étonnamment de lieux communs », dit le professeur F.-C.-S. Schiller, de l'université d'Oxford, « Spinoza avait raison quand il prétendait qu'il n'y a aucun sujet sur lequel les sages se penchent le moins que la mort — ce qui est regrettable car le sage a sûrement tort. Il n'est pas de sujet, s'il est réaliste et qu'il a le courage de ses opinions, sur lequel il devrait méditer davantage, et devrait avoir le plus de choses intéressantes à dire. »

A un extrême, il y a le matérialiste, proclamant que la mort signifie l'extinction complète de l'individu. A l'autre extrême, il y a le spiritualiste, qui maintient que la mort n'est que le début de la vie, d'une vie plus « grande ». Entre ces deux courants de pensée, existe une armée de cultes, de religions, de croyances, la plupart considérant la mort comme un fléau qui a été imposé à l'humanité. Pour moi, ce n'est sûrement pas la mort qui est le fléau, c'est la vie, la vie avec ses peines, ses tourments, ses difficultés incessantes, que rien ne peut compenser ; un instant de bonheur vaut-il la peine qu'on souffre pour l'obtenir[6]. ?

Il faut vraiment être stoïcien pour être capable de vivre dans la joie en sachant qu'en même temps d'autres souffrent. Serait-il possible que les esprits perdent ce trait divin : la compassion ? « — O Mort, où est ta douleur ? O tombe, où est ta victoire ? » est en fait une philosophie stoïcienne.

Il y a une grandeur dans la mort et pourtant, je souhaiterais qu'elle n'apporte qu'un long sommeil sans rêve ! Mais hélas, mes expériences m'ont prouvé de façon convaincante, que la phrase « Tu es poussière et tu retourneras en poussière » ne fut pas écrite à l'intention des âmes.

---

6. Pur Bouddhisme... Pur Christianisme médiéval ! (H.C.).

CHAPITRE XVI

En dépit de notre pessimisme, la destinée a voulu que nous soyons obligés de vivre et, puisqu'il n'y a pas d'extinction de l'esprit humain, même dans la mort, nous pouvons tout aussi bien (ce qui serait sans doute plus profitable) faire de la vie ce qu'il y a de mieux et tourner nos pensées vers des voies plus positives, avec l'espoir que l'« énigme de la vie », quand elle sera résolue, surpassera de loin nos attentes les plus naïves et que les convictions de notre raison — que la vie est « tragique » — pourront s'avérer vaines dans un futur plus ou moins éloigné.

Aussi, retournons à la projection astrale et, en guise de conclusion, je voudrais vous donner les quelques réflexions — plus ou moins désordonnées — qui ont pris forme dans mon esprit à ce propos.

LA PROJECTION PENDANT UNE NARCOSE

Nous avons consacré la plus grosse partie des pages précédentes au type de projections qui se produisent au cours du sommeil naturel et je pense que nous avons suffisamment parlé de la projection induite hypnotiquement, pour que vous soyez familiarisé avec ce qui a été vu, et qu'on peut s'attendre à voir, accompli de cette façon. Nous nous sommes contentés cependant de mentionner le fait que la projection astrale se produit souvent durant le sommeil obtenu par l'emploi d'anesthésiques et que ce sujet offre également un intéressant champ d'investigation.

Une expérience « hors du corps » pendant une narcose, qui présente beaucoup d'intérêt, est donnée dans *Theosophy or spiritual dynamics* du Dr. Georges Wyld : « Il avait inhalé du chloroforme pour faire passer une douleur due à des petits calculs aux reins, quand il fut étonné de se trouver habillé, possédant des facultés de raisonnement normales, et debout à près de deux yards plus loin, observant son corps physique sans mouvement sur le lit.

« Il était incapable de comprendre la signification de ce qui se passait alors qu'il se trouvait là. Ce n'est que plus tard qu'il apprit que d'autres personnes étaient à même de pouvoir corroborer son expérience. Ceci l'amena à la conclusion que la sensation est focalisée dans le corps subtil et que l'effet d'un anesthésique est de conduire ce corps hors de sa résidence physique, rendant donc ce dernier incapable de ressentir la douleur. »

M. Ernest Hunt, qui collecta les témoignages d'une série de personnes ayant vécu des expériences hors du corps, alors qu'elles se trouvaient sous anesthésie générale, dit que : « Les histoires que les patients racontent sont sensiblement les mêmes. A moins qu'on soit disposé à croire aveuglément que tous racontent des mensonges, et chose extraordinaire, le même mensonge, il est raisonnable de supposer qu'ils disent la vérité. »

Certains assurent à l'auteur qu'ils ont assisté à l'opération pratiquée sur leur corps — comme des locataires quittant leur maison pendant qu'on y effectue des réparations — qu'ils regardaient le corps physique « d'en haut », qu'ils voyaient, qu'ils entendaient et se souviennent de tout ce qui s'est passé.

J.-Arthur Hill, dans *Man is spirit*, parle d'une certaine Miss Hinton qui, à soixante-dix ans, fut soumise à l'action du chloroforme lors d'une extraction dentaire. Elle reprit conscience avec retard, ce qui provoqua de l'inquiétude mais quand elle s'éveilla, elle dit qu'elle s'était trouvée au-dessus de son corps physique autour duquel les gens présents étaient rassemblés et qu'elle avait essayé de leur parler, sans succès. Se croyant morte, elle se demandait pourquoi elle n'était pas « jugée ».

De telles expériences démontrent de façon convaincante, qu'en plus des expériences de projection astrale durant le sommeil naturel, il y a un vaste champ ouvert pour l'expérimentation médicale au moyen de l'utilisation des anesthésiques.

UN REVE SINGULIER

Dans *Why we survive,* un excellent petit livre de M. Hunt, que je viens de citer, un des amis londoniens de l'auteur raconte un rêve qui, incidemment, est à beaucoup d'égards un « rêve hors du corps » très commun.

« Elle [la rêveuse] se trouva en une certaine occasion [dans ce rêve] sur le toit d'une maison et pour une raison quelconque, elle s'intéressa particulièrement à une corde qu'elle pensait être, très prosaïquement, une corde à linge tendue sur le toit. La curiosité l'amena à suivre cette corde qui continuait du bord du toit jusqu'à la fenêtre d'une chambre. Cela la conduisit à un lit où reposait son propre corps endormi, et dès qu'elle se reconnut, elle se trouva éveillée, à nouveau dans son corps. »

J'ai souvent eu des rêves de ce genre et — coïncidence — j'avais également tendance à suivre ce que je prenais pour une corde à linge, ce qui m'amenait invariablement à mon corps physique. A la fin, je m'habituai si bien à ce rêve que je savais, dans le rêve, que j'allais, tout en suivant la corde, retrouver mon corps à son extrémité. Dans ce rêve, on paraît comme très curieux de savoir ce qu'est précisément cette corde et où elle mène et on est toujours très anxieux de la suivre jusqu'au corps physique.

Ce qui semble être une corde à linge, un câble déroulé ou que sais-je encore, est évidemment le câble astral étendu à son diamètre minimum, et l'impression de le suivre n'est qu'un autre moyen par lequel l'esprit ramène le corps errant dans sa contrepartie physique.

IL PEUT Y AVOIR D'AUTRES METHODES

J'espère bien qu'après avoir lu les méthodes propres à provoquer la projection astrale mentionnées dans cet ouvrage, personne n'en formera l'idée que j'ai dit tout ce qu'il y avait à dire sur le sujet ! Je n'ai fait que citer les méthodes qui m'étaient familières. Je pense que d'autres chercheurs peuvent avoir une information valable à propos du « mode d'emploi ». Il existe, m'a-t-on dit, plusieurs « Sociétés métaphysiques » dans lesquelles des étudiants tournés vers l'occulte peuvent entrer et quand ils ont accédé au stade d'admission au « cercle intérieur » ils reçoivent, paraît-il, toutes les instructions secrètes nécessaires pour « quitter leur corps », visiter des « domaines spirituels » et obtenir, de là, un enseignement direct. Quelle est la méthode suivie dans ces Sociétés, et quel succès rencontrent ces étudiants, je l'ignore.

A côté de cela, il y a pas mal d'individus qui se disent en possession d'un savoir occulte qui leur permet de se projeter dans l'astral, mais je n'ai jamais pu obtenir d'eux qu'ils me disent si leurs méthodes recoupaient celles que je vous ai données ; ce devrait être le cas.

Quoi qu'il en soit, je tiens à répéter que je ne prétends nullement avoir fait le tour du problème, mais plutôt avoir simplement donné les faits que j'ai personnellement pu comprendre.

UNE « PROPHETIE »

Nous avons vu comment le corps astral est capable de voyager dans l'espace et je crois que le temps n'est plus éloigné où par la maîtrise de certaines lois subtiles, nous serons tous en mesure de le faire aussi physiquement et à volonté, tout comme le corps astral est capable de le faire.

Il est vrai que nous avons des « vaisseaux de l'espace »,

seulement, les moyens de transport physiques ne seront parfaits que lorsque nous pourrons traverser l'espace « automatiquement ».

Je m'attends à voir de nombreux progrès par lesquels le corps physique sera amené à vaincre la gravitation et à se charger de force motrice.

NOUS POSSEDONS TOUS LE « POUVOIR » DE NOUS PROJETER

La projection astrale n'est pas un don fait à quelques rares privilégiés ; tout être vivant possède des forces latentes qui ne demandent qu'à être manipulées de façon adéquate. Une idée qui prévaut est que l'être capable de se projeter, est quelqu'un doté d'une « entité astrale » particulièrement anormale, bien différente de celle de ses contemporains. Je vous assure, moi, que le corps physique joue un rôle aussi important que le corps astral dans le phénomène et, généralement, s'il y a « anormalité », elle n'est pas présente dans le corps astral mais plutôt dans le corps physique.

A PROPOS DE « MORALE »

Bien que je ne veuille pas « prêcher la morale », je voudrais faire ressortir une fois de plus ce qui a été mis en évidence à toutes les époques : nous devons tous tendre à mener une vie honnête et bonne. Il est très important que nous surveillions nos pensées et que nous ne pensions pas de mal de notre prochain, car nos idées mêmes créent un environnement astral autour de nous et la « revanche » n'est pas inconnue du monde astral. Souvenez-vous de ma fâcheuse rencontre avec un « ennemi » astral qui s'est produite simplement parce que j'avais pensé du mal de l'homme en question.

Je vous encourage spécialement si vous essayez la pratique de la projection astrale, à méditer l'avertissement de Confucius : « Ne dites rien de mal, n'entendez rien de mal, ne voyez rien de mal. » Si vous n'en tenez pas compte, vous pourrez vivre des expériences qui vous amèneront à croire l'atmosphère entière remplie d'ennemis. Cela nous amène à une autre considération :

LA THEORIE DU « DEMON »

La théorie la plus commune, et la plus efficace, élevée contre « la science occulte », spécialement les phénomènes de clairvoyance (même l'hypnotisme) etc., est que toutes ces manifestations « occultes », sont l'œuvre du diable ou d'esprits malins.

Dans ces dernières années, une puissante organisation religieuse a lancé une croisade contre « les pratiques occultes ». Une idée de l'ampleur et du succès de sa campagne est donnée par le fait que l'édition de 1928 de l'un de ses livres a dépassé les trois millions et demi d'exemplaires. Ses membres ont publié des tas de livres du même genre ; ils ont fait des lectures sur les plus grandes antennes de radio du monde et ont donné des conférences dans les villages les plus reculés. Il y en a d'autres qui tendent vers le même but, tant organismes qu'individus, tel O'Donnel, qui insiste avec vigueur sur le fait que tous les « phénomènes occultes » sont d'origine diabolique *.

En conséquence, de nombreux chercheurs de l'occulte se sont détournés de leurs recherches, notamment après avoir reconsidéré des faits comme les contradictions des médiums et le peu d'informations intéressantes données par les « esprits revenants ».

* Voir actuellement la floraison de sectes, dont beaucoup se réclament de « Satan ». (N.d.T.)

CONCLUSION

A ceux qui cherchent la vérité sur la question « Les phénomènes psychiques sont-ils dus à l'esprit de l'homme ou aux manœuvres du diable ? », je veux dire qu'après avoir expérimenté la projection du corps astral, ils ne douteront plus de l'existence de l' « individu », indépendamment de son corps physique.

Vous ne serez plus obligés d'accepter dogmes et théories, vous ne serez plus obligés de baser votre croyance en l'immortalité sur la parole d'un médium, du pasteur ou des Livres Saints, car vous aurez la preuve par vous-même, avec autant de certitude et d'évidence que d'être physiquement vivant.

Pour ma part, si on n'avait jamais rien écrit sur l'immortalité, si on n'avait jamais donné de conférence sur la possibilité de la survie après la mort, si je n'avais jamais assisté à une séance donnée par un médium doué ou si je n'en avais jamais consulté, si en fait personne dans le monde entier n'avait jamais eu le moindre soupçon d'une « vie après la mort », je croirais toujours moi, que je suis immortel — et cela pour avoir expérimenté la projection de mon corps astral.

TABLE

AVANT-PROPOS 7
PRÉFACE de S. Muldoon 9
INTRODUCTION de H. Carrington 13
CORRESPONDANCE de S. Muldoon avec H. Carrington 41
CHAPITRE PREMIER 49
L'existence du corps astral est connue depuis longtemps — Ma première projection astrale consciente.
CHAPITRE II : 59
La catalepsie astrale — Types de projection — Somnambulisme astral — Interruptions conscientes durant le somnambulisme astral — Projection à longue distance vers des lieux éloignés — Les trois vitesses de déplacement du fantôme — La maladie, un stimulant à la projection — Extériorisation astrale instantanée — Une expérience de projection consciente éphémère — La projection instantanée n'est pas rare — Une collision peut causer une extériorisation astrale — Une projection causée par un faux-pas — La loi fondamentale de la projection astrale — Les projections intentionnelles et non-intentionnelles résultent toutes deux des mêmes causes — Signification de l' « incapacité physique » — Où se trouve l'esprit conscient et de quoi est-il fait ? — Etat hypnagogique, névrose et sommeil — La sensation et l'émotion à différents stades de l'extériorisation.
CHAPITRE III : 80
Itinéraire suivi par le fantôme lors de la projection — Quelques symptômes d'extériorisation astrale — Le

câble astral — Le champ d'activité du câble — Une intériorisation causée par un bruit — La répercussion du corps astral.

CHAPITRE IV : 95
Les rêves typiques de projection — Comment j'ai découvert la cause de nombreux rêves de chute — Types de chutes ou intériorisations — Les causes des différentes chutes — Comment briser la répercussion dans un rêve de chute — Types de rêves de vol — Le rêve d'agitation — Le rêve « de la tête qui cogne » — Le rêve « où l'on se déplace vers un objet fantomatique » — Le « rêve d'illusion ».

CHAPITRE V : 114
Effet d'instabilité — Excentricité des sens — Le sens du toucher double — Le fantôme peut être traversé d'aiguilles sans les sentir — Hallucination des sens durant la transe hypnotique — Sensibilité doublée et obsession — Le cas de « 89 » — Le cas douloureux de la baïonnette — Mobilité doublée et déplacée — Des *raps* produits à volonté durant l'extériorisation de la mobilité.

CHAPITRE VI : 136
Le but du sommeil — Le contrôle des rêves — Les personnes de « tempérament nerveux » conviennent mieux aux expériences psychiques — Hors du champ d'activité du câble, le fantôme est libre — Projection prolongée — Le projecteur ne peut pas se perdre — Comment le corps astral se recharge durant la projection — Pas mort, mais endormi ! — Le câble astral est pareil au cordon ombilical.

CHAPITRE VII : 154
Points de contact de la ligne de force entre les corps — Retournement dans les airs — Les quatre « cerveaux » de l'homme — La glande pinéale — La glande pituitaire — L'énergie cosmique — Les théories du Dr. Lindlahr sur l'énergie — Nourriture, jeûne et développement physique — Le jeûne accroît l'influx d'énergie cosmique — Comment le jeûne peut aider à la projection astrale — La conscience épuise l'énergie.

CHAPITRE VIII : 172
La conscience pendant la projection astrale — Une expérience de « rêve réel » — Réveillé dans l'astral par un bruit — Le monde du rêve — Le contrôle des rêves : méthode de projection astrale — Le rêve adéquat projettera toujours le corps astral — Résumé de la méthode de contrôle du rêve — Comment amener la conscience au corps de rêve.

CHAPITRE IX : 191
Les facteurs qui poussent la volonté subconsciente à agir — Comment j'ai découvert que le désir est un fac-

teur dynamisant — L'action du fantôme inconscient est gouvernée par « le stress » — Le désir sexuel est un facteur négatif — Le fantôme se projette plus facilement dans un lieu familier — Se projeter d'un lieu inconnu dans un lieu familier — Les fantômes des morts sont souvent gouvernés par le stress du désir ou de l'habitude — Le fantôme inconscient fait parfois bouger des objets matériels — Un fantôme sous le stress d'une habitude regrettée — Un fantôme du petit matin — Le facteur de la « faiblesse nerveuse ».

CHAPITRE X : 211
Déterminer le « stress » approprié pour se projeter — L' « incapacité » — La différence fondamentale entre la projection astrale et le somnambulisme physique — Une projection astrale causée par la soif — Un somnambulisme physique causé par la soif — Comment j'ai découvert que l' « incapacité » est un facteur important — Quelques facteurs positifs mineurs — Bruits de répercussion — La lumière, un facteur négatif — Une intériorisation provoquée par un excès de lumière — Répercussion télépathique.

CHAPITRE XI : 236
Comment produire « la paralysie » — Développer une « conscience de soi » — Dynamisation de la projection — Qu'est-ce que la volonté ? — Rêver de projection astrale — Comment « installer » le stress de routine — Comment « insinuer » le stress de la soif — Projeté vers de l'eau.

CHAPITRE XII : 258
La projection consciente est rare — La volonté passive — Provoquer la projection par la méthode de la volonté passive — Les résultats obtenus par la « dynamisation de la projection » — Quelques projections typiques.

CHAPITRE XIII : 276
L'esprit crypto-conscient — Manifestation crypto-conscientes souvent mises sur le compte des fantômes des morts — Les différentes façons dont l'esprit fonctionne — Une projection « superconsciente » — Projection automatique — Une horrible expérience — Pourquoi les victimes de mort violente re-vivent leur mort dans leur corps astral — Le cas d'Irène.

CHAPITRE XIV : 294
L'esprit crypto-conscient et la télékinésie — Une projection astrale au cours de laquelle j'ai déplacé un objet — *Raps* produits pendant un rêve — Le sexe du corps astral — Interaction des contreparties physiques et astrale — Composition du corps astral — Calcul du poids du corps astral — Habillement du fantôme — « L'homme est ce qu'il pense » — Le « purgatoire » —

La pensée soutient le corps astral — Les fantômes attachés à la terre ne sont pas nombreux — Une rencontre avec un « ennemi astral ».

CHAPITRE XV : 324
La « possession » — Les rapports Akashic — Vivre des événements futurs dans le corps de rêve — Beaucoup de rêves médiumniques sont pris pour des projections — La « conscience de rêve » n'est pas la conscience réelle — La mort n'est qu'une projection permanente.

CHAPITRE XVI : 344
La projection pendant une narcose — Un rêve singulier — Il peut y avoir d'autres méthodes — Une « prophétie » — Nous possédons tous le « pouvoir » de nous projeter — A propos de « morale » — La théorie du « démon ».

CONCLUSION

Dépôt légal - 2ème trimestre 1983
Bibliothèque Nationale du Canada
Bibliothèque Nationale du Québec